Locke
cke, Attica,
xas blues /
9.99   on1030441166

Texas Blues

Attica Locke

TEXAS BLUES

Traducido del inglés por Ana Herrera Ferrer

AdN Alianza de Novelas

Título original: *Bluebird, Bluebird*
Esta edición ha sido publicada por acuerdo con
Little, Brown and Company, New York, New
York, USA. Todos los derechos reservados

Diseño de colección: Estudio Pep Carrió

Copyright © 2017 by Attica Locke
© de la traducción: Ana Herrera Ferrer, 2017
© AdN Alianza de Novelas (Alianza Editorial, S. A.)
Madrid, 2017
Calle Juan Ignacio Luca de Tena, 15
28027 Madrid
www.AdNovelas.com

ISBN: 978-84-9104-908-1
Depósito legal: M. 23.542-2017
Printed in Spain

A los Hathorne, Jackson, Johnson, Jones, Locke, Mark, McClendon, McGowan, Perry, Sweats, Williams, hombres y mujeres que dijeron «no».

I told him: «No, Mr. Moore».
Lightnin' Hopkins, *Tom Moore Blues*

Condado de Shelby

Texas, 2016

Geneva Sweet pasó el cable alargador naranja por encima de Mayva Greenwood, «amada esposa y madre, descanse en paz con el Padre Celestial». El sol de última hora de la mañana picoteaba entre los árboles, moteando la manta de agujas de pino y los pies de Geneva con una constelación de lucecitas, y mientras tanto ella pasaba el cable entre la hermana de Mayva y su marido, Leland, «padre y hermano en Cristo». Le dio un buen tirón al cable y fue subiendo la pequeña colina, con cuidado de no pisar las propias tumbas, sino las gastadas hendiduras entre las lápidas, que dejaban unos huecos situados en ángulos azarosos y extraños, como los dientes de un pobre.

Iba cargada con una bolsa de papel del supermercado Brookshire Brothers de Timpson y una radio pequeña, por cuyos altavoces sonaba un disco de Muddy Waters, uno de los favoritos de Joe, que silbaba: «Have you ever been walking, walking down that ol' lonesome road». Cuando llegó al lugar de descanso eterno de Joe Sweet, apodado Petey Pie, «marido y padre y, perdónale, Señor, un diablo con la guitarra», puso la radio con mucho cuidado encima del pulido bloque de granito y escondió el cable eléctrico detrás de la lápida. La que estaba al lado era idéntica en forma y tamaño. Pertenecía a otro Joe Sweet cuarenta años más joven, pero igual de muerto. Geneva abrió la bolsa que llevaba y sacó una bandeja de cartón cubierta de papel de aluminio, ofrenda para su único hijo. Dos empanadillas fritas, medias lunas perfectas de masa casera, rellenas de azúcar moreno y fruta y bautizadas con grasa: la especialidad de Geneva, las favoritas de Lil' Joe. Notaba todavía su calor a través del fondo de la bandeja, y su perfume mantecoso suavizaba el punzante aroma a pino que flotaba en el aire. Puso la bandeja en equilibrio encima de la lápida y luego se agachó a quitar unas cuantas agujas caídas en las tumbas, agarrada todo el tiempo con una mano a la losa de granito, teniendo siempre en mente sus rodillas artríticas. Abajo, un camión de dieciocho ruedas pasaba por la carretera 59, lanzando una ráfaga de humo caliente y gaseoso entre los árboles. Hacía calor para ser uno de octubre, pero ahora siempre era así. Casi veintiséis grados, había oído, y ella pensando que ya era hora de sacar los adornos de Navidad de la caravana que tenía detrás de casa. «Dicen que es el cambio climático. Si sigue así, y si vivo lo suficiente, veré el infierno en la tierra, supongo». Se lo contó todo a los dos hombres de su vida. Les habló de la nueva tienda de tejidos en Timpson. De que Faith le estaba dando la lata para que le comprara un coche. Del tono tan feo de amarillo con el que Wally había pintado la cervecería. «Parece que alguien ha tosido y ha expulsado una enorme mucosidad, y la ha lanzado contra las paredes».

No les mencionó los muertos, sin embargo, ni el hervidero de problemas que era el pueblo.

Los dejó en su pequeño remanso de paz.

Se besó las yemas de los dedos y tocó la primera lápida, luego la segunda. El contacto se prolongó un poco más en la tumba de su hijo, y dejó escapar un suspiro cansado. Parecía que la muerte se proponía perseguirla durante toda la vida. Era como una sombra taimada a su espalda, tan obcecada como un perro de caza, e igual de fiel.

Oyó el crujido de las agujas de pino detrás de ella, un roce entre las hojas traídas por el viento desde los álamos de Virginia cercanos, y al volverse vio a Mitty, el encargado no oficial del cementerio de la gente de color.

—La gente les pone pilas a esos aparatos —dijo, señalando la pequeña radio, al tiempo que enderezaba el cuerpo y se apoyaba en una lápida de cemento dedicada a Beth Anne Solomon, «hija y hermana, desaparecida demasiado pronto».

—Envíame la factura del propano cuando te llegue —respondió Geneva.

Mitty era más viejo que Geneva, quizá tuviera ya ochenta años. Era un hombre menudo, con la piel muy oscura, las piernas delgadas como palillos y el pelo canoso como la tiza. Pasaba las tardes en el pequeño cobertizo que había en el terreno, ahuyentando a los perros callejeros y los bichos. Cinco días a la semana estaba allí con una revista de carreras de caballos y un puro, supervisando la reunión entre las almas y observando su futuro hogar. Toleraba la forma especial que tenía Geneva de rendir culto a los muertos: los edredones en invierno, las luces de Navidad, las empanadillas y el zumbido constante de los *blues*. Miró los dulces y levantó con un dedo el papel de aluminio para verlos mejor.

—Están muy ricas —dijo Geneva—, pero no son para ti.

Bajar la colina era siempre más dificultoso para sus rodillas que subir, y aquel día no fue distinto. Hizo una mueca al empezar a dirigirse hacia el coche y se quitó la chaqueta de punto de su marido, una de las últimas que quedaban todavía en buen estado y se podían llevar a diario. Su Grand Am del 98 estaba aparcado en un terreno llano, con matojos de hierba y tierra roja, contiguo a la carretera de cuatro carriles. Ni siquiera había sacado todavía las llaves del monedero cuando vio que Mitty se comía una de las empanadillas. Geneva puso una expresión de fastidio. El hombre ni siquiera era capaz de tener la cortesía mínima de esperar hasta que se hubiese ido.

Se subió al Pontiac y poco a poco fue saliendo del aparcamiento, vigilando bien los tráileres y los coches veloces, y luego enfiló por fin la 59 y se dirigió hacia Lark, al norte. Recorrió el poco más de un kilómetro que había hasta su casa en silencio, haciendo inventario mentalmente. Le hacían falta dos latas de medio kilo de macedonia de frutas, ocho lechugas, jarabe para la máquina de refrescos, el Dr Pepper que siempre se le terminaba, y además una botella o dos de *whiskey* Ezra Brooks, que guardaba debajo de la caja registradora para sus clientes habituales. Se preguntaba si el sheriff habría llegado ya, si el desastre que había aparecido aquella mañana en su jardín seguiría allí, aquella chica tirada en el suelo, sola. Le preocupaba vagamente la influencia que todo aquello podía tener en su negocio, pero sobre todo intentaba comprender qué estaba ocurriendo en el pueblo en el que había vivido sus sesenta y nueve años.

Dos cadáveres en una semana.

¿Qué demonios estaba pasando?

Salió de la carretera y aparcó frente a Geneva Sweet's Sweets, una cafetería baja y de techo plano, pintada de rojo y blanco. El local tenía cortinas drapeadas en las ventanas y un rótulo delante con una flecha iluminada que señalaba hacia la puerta principal. Las letras en rojo y negro anunciaban: «Bocadillo de cerdo barbacoa 4,99 $ y las mejores empanadillas del condado de Shelby». Aparcó en el lugar habitual, un hueco sin pavimentar que tenía justo el tamaño del Pontiac, a un lado de la cafetería, entre la pared lateral de madera del edificio y las malas hierbas del solar con el que colindaba. Llevaba décadas usando aquella misma plaza de aparcamiento, desde que el local era solo el Geneva's, un cobertizo construido a mano, con un espacio interior diáfano. Los aparcamientos pavimentados junto a la estación de servicio eran para los clientes. Y para Wendy, por supuesto, la que fue socia de Geneva. Su antiguo Mercury estaba aparcado justo delante de la puerta. El coche, oxidado y con más de veinte años a sus espaldas, parecía una piñata golpeada y rota, de la que se derramaban antiguas matrículas, sartenes de hierro, dos soportes para pelucas, ropa vieja y un pequeño televisor cuya antena sobresalía por la ventanilla trasera izquierda.

La diminuta campanilla de latón de la puerta del café tintineó suavemente al entrar Geneva.

Dos de los clientes habituales levantaron la vista desde sus asientos en la barra: Huxley, un jubilado de la localidad, y Tim, un camionero de larga distancia que hacía la ruta Houston-Chicago una semana sí y otra no.

—Está aquí el sheriff —dijo Huxley cuando Geneva pasaba a su lado. Al final de la barra abrió la puerta que conducía a la "oficina principal", el espacio que quedaba entre la cocina y sus clientes.

»Apareció una media hora después de que te fueras —dijo, y tanto Tim como él estiraron el cuello para ver cómo reaccionaba Geneva.

—Ha debido de venir todo el camino a casi ciento cincuenta por hora —dijo Tim.

Geneva seguía con los labios apretados, tragándose la píldora de su rabia.

Cogió el delantal que estaba colgado de un clavo junto a la puerta que conducía a la cocina. Era viejo, amarillo, con dos rosas desvaídas por bolsillos.

—Para lo del otro pasó aquí un día entero..., ¿no fue eso lo que me dijiste?

Tim se estaba comiendo un bocadillo de jamón, y hablaba con la boca llena. Se tragó el bocado y lo bajó con un sorbo de Coca-Cola.

—Van Horn se tomó su tiempo aquella vez.

—¿El sheriff? —dijo Wendy desde el lugar donde se encontraba, en el otro extremo de la barra. Estaba sentada frente a unos botes de conservas de cristal que contenían lo mejor de la huerta. Pimientos rojos muy gordos, tomates verdes cortados y mezclados con col y cebolla, tallos enteros de ocra empapados en vinagre. Geneva levantó cada uno de los botes sujetándolo ante la luz para comprobar que estuvieran bien sellados.

—Tengo más cosas fuera —dijo Wendy, mientras Geneva sacaba un rotulador del bolsillo de su delantal y empezaba a escribir un precio en la tapa de cada bote.

—Puedes dejar las conservas de verduras y las ocras en vinagre —dijo Geneva—, pero no te voy a coger todas las demás mierdas que me quieres vender. —Hizo una seña hacia el ventanal principal y el coche de Wendy. Wendy y Geneva eran de la misma edad, pero Wendy tenía una cierta tendencia a confesar una distinta cada año, según quien la escuchara o según su humor. Era una mujer bajita, con los hombros masculinos y un aspecto afectadamente descuidado. Llevaba el pelo canoso y con brillantina, sujeto en un moño tirante. Al menos estaba tirante la última vez que se lo peinó, que podía ser de tres a siete días antes. Llevaba la parte inferior de un traje pantalón amarillo, una camiseta descolorida de los Houston Rockets y zapatos de hombre.

—Geneva, a la gente le gusta comprar esas cosas antiguas por la carretera. Así les parece que ahora viven mucho mejor. Las llaman *antigüedades*.

—Yo las llamo porquerías —dijo Geneva—. Y la respuesta es no.

Wendy echó un vistazo a la cafetería (desde Geneva hasta Tim y Huxley y los otros dos clientes que estaban sentados en uno de los reservados de vinilo) y llegó hasta la parte final del local, donde ya no se servían comidas e Isaac Snow tenía alquilados cinco metros cuadrados que albergaban un espejo y un sillón de barbero de color verde guisante. Isaac era un hombre delgado de cincuenta y tantos años, con la piel clara y pecas cobrizas. No hablaba mucho, pero por diez dólares cortaba el pelo de quien lo solicitara. Si no había nada, Geneva le dejaba barrer un poco para ganarse las tres comidas al día que le pasaba desde la cocina.

El Señor no había creado ni un alma a la que Geneva no pudiera alimentar.

Aquel local había nacido de la idea de que si la gente de color no podía entrar en ningún otro sitio en ese condado, pues bueno, al menos podían entrar allí. Comer bien, beber un poco de *whiskey* si guardabas bien el secreto; que te cortaran el pelo antes de dirigirte con la familia al norte o al trabajo que creías que todavía te esperaría cuando llegaras al otro extremo de Arkansas, porque no tenía sentido parar allí si no atravesabas toda la maldita Arkansas. Cuarenta y tantos años después de la muerte de Jim Crow, no había cambiado gran cosa: Geneva estaba tan conservada en el tiempo como los amarillentos calendarios de las paredes de la cafetería. Era una constante en la carretera, que traía y llevaba gente junto a ella, siempre.

Wendy miró las caras negras presentes en la sala, intentando imaginar algún motivo que explicase el humor sombrío, la tensión que, eso estaba claro, se palpaba allí. Detrás de ella, la máquina de discos pasó a otra de las cincuenta melodías que iba reproduciendo siempre, las veinticuatro horas, esta vez una balada de Charley Pride con algo de góspel, una quejumbrosa petición de perdón.

Durante un rato nadie dijo nada.

Luego Wendy le preguntó a Geneva:

—¿Por qué demonios estás tan enfadada esta mañana?

—El sheriff Van Horn está ahí detrás —dijo Huxley, señalando la pared trasera de la cafetería, empapelada con antiguos calendarios ondulados que anunciaban de todo, desde licor de malta o una funeraria local hasta la tentativa fallida de Jimmie Clark de presentarse a comisario del condado, que se remontaba a quince años atrás. Detrás de aquella pared trasera estaba la cocina, donde Dennis estaba preparando un guiso de rabo de buey. Geneva olía las hojas de laurel empapadas en grasa de buey y ajo, cebolla y salsa con sabor ahumado. Y más allá de la puerta mosquitera de la cocina se encontraba un amplio solar, con el suelo de tierra roja salpicada de ranúnculos y digitaria, que se extendía unos cien metros hacia las orillas de un *bayou* color óxido que era la frontera más occidental del condado de Shelby.

—Y ha traído a tres ayudantes.

—Pero ¿qué pasa?

Geneva suspiró.

—Han sacado un cadáver del *bayou* esta mañana.

Wendy parecía anonadada.

—¿Otro?

—Una blanca.

—Ay, mierda…

Huxley apartó su café, asintiendo con la cabeza.

—Ya os acordaréis de que cuando mataron a aquella chica blanca en Corrigan, cogieron a todos los hombres negros en cincuenta kilómetros a la redonda. En todas las iglesias y antros, en todos los negocios con dueños negros, buscando al asesino o a cualquiera que cuadrara con la imagen que tenían ellos en mente.

Geneva notó que algo le oprimía el pecho, notó que el miedo que había intentado sofocar iba en aumento, hasta que parecía que la iba a asfixiar desde dentro.

—Y a nadie le importó una mierda que mataran a aquel hombre negro en la carretera la semana pasada —dijo Huxley.

—Ya no se acuerdan de él —comentó Tim, dejando en su plato una servilleta manchada de grasa—. No cuando ha aparecido una chica blanca muerta.

—Ya lo veréis —dijo Huxley, mirando con gravedad a cada una de las caras negras que se reunían en la cafetería—. Alguien se la va a cargar por esto.

Primera parte

1.

Darren Mathews puso su sombrero Stetson en el borde del estrado de los testigos, con el ala hacia abajo, como le habían enseñado sus tíos. Para la sesión del tribunal de aquel día, los Rangers le habían dejado llevar el uniforme oficial: un cuello almidonado a solo un centímetro de quitarle la vida y unos pantalones oscuros bien planchados. La placa de plata estaba sujeta en el bolsillo izquierdo del pecho de su camisa. No la llevaba desde hacía semanas, desde la investigación de Ronnie Malvo que había conducido a su inhabilitación. Tampoco llevaba el anillo de casado desde entonces. También formaba parte del disfraz del día. Se resistió al deseo de toquetearlo, de dar vueltas al metal en torno al dedo anular de su mano inexplicablemente hinchada.

De nuevo repasó su único recuerdo después de las ocho en punto de la noche anterior: una bandeja de porexpán con pollo ahumado, una mesita para comer ante el televisor, una botella de Jim Beam y el *blues* que sonaba en el aparato de alta fidelidad de su tío. El tintineo del hielo, al servirse por primera vez, eso era lo último que recordaba. Y el alivio, por supuesto, que lleva consigo la rendición. Efectivamente, ya no podía hacer nada con su matrimonio, primer paso. El segundo: sírvete tres dedos y repite. Tercer paso: deja que la voz ronca de Johnnie Taylor se haga cargo de todo… Su masculinidad obvia, su afirmación de las cosas que debería tener un hombre en la vida, incluyendo el amor de una buena mujer, su lealtad, su disposición a vadear un arroyo de mierda con él si de esa forma conseguían llegar al otro lado. La guitarra melancólica, la calidez ambarina del *bourbon*, flotaban por la frontera de sus recuerdos. Y luego no había nada más, salvo la súbita dureza de la madera del porche trasero en su hogar familiar, donde Darren había despertado al amanecer.

Tenía una astilla clavada en la mejilla y no sabía lo que le había pasado en la mano. No había sangre, solo tenía hematomas por encima de los nudillos y un dolor lacerante que no se le pasó hasta que se tomó cuatro pastillas de ibuprofeno, pero estaba claro que había establecido contacto con algo en la casa, algo que le había devuelto el golpe con mucha fuerza. La neblina familiar de la mañana siguiente, esa vergüenza en la que vivía desde que él y Lisa se separaron, embotaba su curiosidad, de modo que no hizo intento alguno de reconstruir lo que había ocurrido. Los hechos que conocía: bebió solo y se despertó solo. Las llaves del coche estaban todavía en el congelador, donde las había dejado en un momento de clarividencia excepcional. Le parecía que no había hecho daño a nadie salvo a sí mismo, y podía soportarlo. Pero estaba horriblemente cansado, cansado de dormir solo, de comer solo, de no hacer otra cosa que esperar, esperar el resultado de ese gran jurado y esperar a que su mujer le dijera que podía volver a casa.

—¿Y de qué conocía al acusado? —preguntaba Frank Vaughn, el fiscal del condado de San Jacinto, desde su puesto en el estrado.

—Mack había trabajado con...

—¿Perdón?

—Rutherford McMillan... Mack —dijo Darren como explicación—. Lleva más de veinte años trabajando con mi familia.

Por eso la noche que Mack sacó una pistola y apuntó a Ronnie Malvo, Darren fue desde Houston hasta casa de Mack, en el condado de San Jacinto, en menos de una hora. Lisa le rogó que no fuera. Que no estaba de servicio, decía. Pero ambos sabían que no era por eso. Acababa de pasar un mes fuera, en la carretera, y le ponía furiosa que la volviera a dejar con tanta facilidad. «Darren, no vayas». Pero él fue, de todos modos, corrió a ayudar a Mack, y ahora era testigo en una investigación de homicidio. Desde entonces tenía que soportar que Lisa le repitiese: «Te lo dije». Al parecer, ella siempre había creído que aquello acabaría mal... Todos los días, desde que prestó juramento para aquel cargo.

Vaughn asintió y miró a los miembros del jurado, hombres y mujeres de la localidad, procedentes de granjas, oficinas de correos y barberías, para los cuales un día en el juzgado era una experiencia emocionante, incluso un entretenimiento, sin importarles que la vida de un hombre estuviera en juego. El fiscal tenía instinto teatral para dar ritmo a la trama y distribuir los giros de guion, de modo que iba dosificando cuidadosamente toda la información clave. Allí no había juez, solo un alguacil, el acusador, un relator del tribunal y los doce miembros del gran jurado, que tenía la solemne tarea de decidir si se debía acusar o no a Rutherford McMillan de homicidio en primer grado. Como todos los procedimientos de los jurados de acusación son a puerta cerrada, los bancos color miel de la galería estaban vacíos. Las cartas estaban repartidas claramente en favor del estado. Ni al acusado ni a su letrado se les permitía intervenir en la presentación de pruebas del estado. Darren estaba allí ostensiblemente en nombre de la acusación. Pero planeaba hacer todo lo que pudiera para sembrar algunas dudas en la conciencia del gran jurado. Lo difícil era hacerlo y al mismo tiempo conservar su trabajo, un riesgo que estaba dispuesto a correr. No quería creer que Mack hubiera matado a alguien a sangre fría.

—¿En calidad de qué trabaja para su familia? —preguntó Vaughn.

—Cuida nuestras propiedades en el condado, seis hectáreas en Camilla. Es la casa donde yo me crie, pero ahora mismo ya no vive nadie allí, al menos con carácter fijo, desde hace años —dijo—. Bueno, supongo que técnicamente yo vivo allí ahora. Mi mujer y yo nos hemos peleado, y ella me ha dicho que necesitaba espacio para...

Protesto: no pertinente.

Es lo que habría dicho si fuera Vaughn, si aquel fuera un juicio real.

Pero allí no había juez. Y Darren, antiguo estudiante de derecho, sabía que podía usar aquello también a su favor. Quería que los jurados lo conocieran, que estuvieran más inclinados a creer que decía la verdad que a no creerlo. No confiaba en que bastara con la placa, no tal y como estaba ahora mismo. Las axilas de su camisa estaban húmedas, y un hedor apestoso surgía de sus poros. Notó la primera agitación de una resaca que había permanecido oculta detrás del dolor que sentía en la mano. El estómago le dio un vuelco, y eructó algo húmedo y agrio.

Había roto una de las reglas fundamentales de sus tíos: no ir nunca al pueblo con un aspecto lamentable o mediocre o como un hombre que tiene que explicarse quince veces al día. Incluso su tío Clayton, que en tiempos fue abogado y profesor de derecho constitucional, era conocido por decir que para los «hombres como nosotros», unos pantalones con bolsas o el faldón de la camisa fuera del cinturón eran «una causa probable con patas». Su gemelo idéntico y complemento ideológico perfecto, William, jurista y *ranger* también, asentía al momento. «No les des motivos para detenerte, hijo». Aquellos hombres raramente tenían algo en común, oponiéndose así a la enorme cantidad de gemelos que piensan al unísono, excepto el hecho de ser hombres de la familia Mathews, una tribu que se remontaba a varias generaciones en el este rural de Texas, hombres negros para los cuales la autoestima era tanto un estado natural como una técnica de supervivencia. Sus tíos observaban las antiguas normas de la vida sureña, porque comprendían lo fácilmente que el comportamiento de un hombre de color podía convertirse en cuestión de vida o muerte. Darren siempre había querido creer que la suya era la última generación que tenía que vivir de aquella manera, que el cambio podía venir desde arriba, desde la Casa Blanca.

Cuando en realidad había resultado lo contrario.

Después de Obama, América se había quitado la careta.

Aun así, para él sus tíos eran gigantes, hombres de gran estatura y determinación, que creían haber encontrado en sus profesiones respectivas una forma de hacer el país más hospitalario para la comunidad negra. Para William, el *ranger,* la ley nos salvaría «protegiéndonos», enjuiciando a los que cometieran crímenes contra nosotros con el mismo celo que enjuiciaba a los que cometían crímenes contra los blancos. No, decía Clayton, el abogado defensor: la ley es una mentira de la cual los negros necesitan protegerse, un conjunto de normas escritas contra nosotros desde los primeros tiempos en que la tinta manchó los pergaminos. Era un debate respetuoso que consideraba la vida de los negros algo sagrado, merecedor de continuación, y que necesitaba salvaguarda, un debate que Darren había seguido desde que gateaba entre sus largas piernas, bajo la mesa de la cocina, cuando los hermanos todavía vivían juntos, antes de que se pelearan por una mujer. Habían criado a Darren desde que tenía solo unos días, y él había pasado toda la vida intentando salvar la división ideológica de su familia.

Vaughn lo interrumpió, planteando su siguiente pregunta.

—De modo que cuando el señor McMillan lo llamó aquella noche, ¿era como amigo o como miembro de los Rangers de Texas?

«Protesto: la pregunta es especulativa», pensó Darren.

—Imagino que ambas cosas —dijo.

—¿Y sabe usted por qué el señor McMillan lo llamó a usted en lugar de llamar al 911?

Lisa le había preguntado lo mismo. Sentada en la cama, con una camiseta descolorida de la SMU, Universidad Metodista del Sur, le preguntó por qué Mack no había llamado a las autoridades locales, por qué tenía que implicarse Darren. Darren le había asegurado que Mack había llamado a la policía. Estaba equivocado, cosa que averiguó demasiado tarde. Pero no podía decirle aquello al gran jurado.

—Supongo que se sentía mucho más cómodo hablando con alguien a quien conocía —dijo.

Vaughn frunció las cejas rubias. Era un hombre blanco de cuarenta y tantos años, un poco más viejo que Darren, con el pelo castaño, dos tonos más oscuro que las cejas. Darren suponía que se lo teñía, y de repente vio una imagen terrible de Vaughn recorriendo los pasillos del supermercado Brookshire Brothers, en el pueblo, buscando tinte para el pelo. Vaughn era un hombre del gobierno hasta la médula, vestido con un sencillo traje azul y unas botas marrones muy bien lustradas. Le habían dicho que Darren no quería aquella acusación, que pensaba que los Rangers y el estado de Texas estaban cometiendo un error. Y se olía un truco por parte de Darren desde que empezaron a preparar su testimonio.

—Alguien a quien conocía, claro —dijo Vaughn, mirando a los jurados—. Un representante de la ley. Pero ¿también un amigo, diría usted?

Darren tuvo mucho cuidado al responder a esto.

—Más o menos, sí.

—Bueno, usted cogió el coche para ir hasta Houston a ayudarle. No creo que hiciera eso por cualquiera.

—Ese hombre tenía a un conocido criminal en su propiedad.

—Un paleto, ¿no fue así como lo llamó Mack?

—Después de que Malvo lo llamara «negro» en tono despectivo —apuntó Darren.

Esa palabra, así tal cual ante el tribunal, provocó un sobresalto de alarma en la sala. Varios de los jurados blancos se pusieron visiblemente tensos, como si creyeran que el simple hecho de pronunciar aquella palabra en voz alta, en compañía de personas de otra raza, pudiera incitar a la violencia o convocar al Al Sharpton de turno.

Pero Darren quería que quedase bien claro: Ronnie Malvo, más conocido como Redrum, era un patán blanco tatuado, con vínculos con la Hermandad Aria de Texas, una organización criminal que obtenía dinero gracias a la producción de metanfetamina y la venta de armas ilegales, una banda cuyo único rito iniciático era matar a un negro. Ronnie llevaba semanas acosando a la nieta de Mack, Breanna, que era estudiante a tiempo parcial en el Angelina College. La seguía en el coche cuando iba andando desde el pueblo, le decía cosas que ella no se atrevía a repetir, pasaba en coche una y otra vez por delante de su casa cuando sabía que ella estaba dentro, metiéndose con su color, su cuerpo, cómo peinaba su pelo «lanudo». La chica estaba aterrorizada, cosa comprensible. Ronnie era conocido por haberle pegado un tiro a un perro por cagar en su jardín, y por amenazar con eso y más a cualquier negro que se acercara a menos de cinco metros de la choza destartalada que llamaba casa. Solía pegar a otros chicos en el instituto, destrozar las granjas que eran de propietarios negros, arrancar cosechas y tirar las vallas, y una vez incluso lo arrestaron por prender fuego a una iglesia africana metodista episcopal en la cercana Camilla, el pueblo natal de Darren. Ronnie tenía la figura de un tapón, bajo y fornido, con la cabeza puntiaguda y el pelo ralo, que escondía bajo alguna bandana. Mack era un hombre negro de setenta años que tenía vivos recuerdos del Klan, que recordaba haberse acurrucado detrás de su papá y una escopeta, haber pasado mucho miedo las noches que había incursiones y las historias que se contaban de los hombres del Klan que venían a caballo desde localidades como Goodrich y Shepherd. Pero estábamos en 2016, y Rutherford McMillan no iba a consentir aquella mierda.

—Es verdad —dijo Vaughn—. Un conocido criminal y, como usted dice, conocido supremacista blanco, que amenazaba al acusado...

—No sé con seguridad si Ronnie lo amenazaba. —Miró a la primera fila de jurados, cuatro hombres y dos mujeres, todos blancos—. Pero tenía todo el derecho del mundo a defender su propiedad —acabó Darren. Dos de los jurados blancos asintieron.

Había alumnos de primaria en Texas capaces de recitar la doctrina del castillo, la ley estatal de «defensa del territorio», tan fácilmente como la jura de la bandera.

El de Mack era un caso de manual.

Ronnie Malvo había irrumpido en la finca de Mack, al abrigo de la oscuridad, encaramado a las ruedas de medio metro de un Dodge Charger último modelo, probablemente pagado con el dinero de la droga. Dejó el motor en marcha con las luces apagadas; el humo caliente surgía de los tubos de escape gemelos y desaparecía entre los pinos picudos que se alineaban a los lados del pequeño terreno de Mack, al borde del condado de San Jacinto. El vecino más cercano se encontraba al menos a cuatrocientos metros por el único camino rural que conducía a la casa de Mack.

Breanna, que estaba sola en casa, salió al porche de la casita de madera que compartía con Mack a ver quién estaba sentado en la oscuridad, mirando hacia la casa. Cuando vio el Dodge y la silueta de Ronnie Malvo en el asiento delantero, chilló y se le cayó el móvil, que se rajó por dos sitios. Se metió dentro a toda prisa, cerró la puerta con cerrojo y luego llamó a su abuelo desde el teléfono de la cocina. Desde la cabina de su antigua camioneta Ford, Mack llamó a Darren y corrió a casa desde su trabajo en el cercano Wolf Creek. Cuando Mack entró en su terreno, su camión bloqueó la única salida que tenía Ronnie Malvo.

Mack gritó a Breanna que cogiera la pistola que había en casa. Ella salió unos segundos más tarde con un revólver del 38 de boca respingona en la mano. Mack no sabía si Ronnie iba armado, pero apuntar a un hombre con un arma era ciertamente la manera más rápida de averiguarlo.

Cuando apareció Darren, los dos hombres habían llegado a un punto muerto.

Darren entró en el terreno de Mack con los faros apagados y aparcó el camión en la FM 946, la carretera que llevaba desde la granja al mercado, bajo las ramas de un roble. Al llegar de puntillas por el camino de grava y tierra, Darren se encontró con la siguiente escena: Mack estaba de pie entre los trastos de su jardín, apuntando a Ronnie a la cabeza con su 38, y Ronnie juraba que solo quería hablar con la chica, y decía:

—Pero no voy a quedarme aquí y dejar que este negro de mierda me pegue un tiro.

Tenía un 357 con el que apuntaba a Mack al pecho, un arma con una potencia de disparo muy superior a la del Colt 45 que Darren sacó de su pistolera. Ronnie parecía exasperado por la estupidez de todo aquello. Necesitaba que el «maldito negro con el pelo de algodón» quitara su maldito camión si quería que se fuera de su maldito y puñetero terreno. Mack le decía a Ronnie que era un «paleto de mierda» y que primero tenía que salir del Dodge. Volaba la saliva, las frentes estaban sudorosas por la rabia.

—Baja el arma, Malvo —dijo Darren—. Zanjemos sin problemas.

—Díselo al negro ese —replicó Ronnie, moviendo la cabeza hacia Mack.

—¿De qué negro estás hablando, Ronnie? Y antes de responder, recuerda que uno de esos negros es un *ranger* de Texas que ha salido de la cama para venir aquí. Y no estoy precisamente del mejor humor.

La luz de la lámpara en el porche delantero se reflejó un poco en el Colt. Durante un momento, Ronnie pareció acorralado y asustado, pero Darren sabía que eso no era necesariamente algo bueno. Ronnie empezó a agitarse. Con dos armas apuntándole a la cabeza, se estaba cagando en los pantalones, dándose cuenta demasiado tarde de que había llevado aquella broma demasiado lejos, le habían llamado la atención y le estaban dejando en ridículo. El orgullo es una cosa muy mala, y Darren conocía a hombres que habían empezado a disparar por menos.

Hizo un movimiento táctico rápido.

—Mack, deja el arma —dijo Darren. De los dos, pensó que Mack era el único al que se le podía pedir algo de sentido común. Pero no lo había calculado bien, ni por asomo.

—Al diablo —dijo el viejo.

—Yo me encargo, Mack.

—No quiero problemas, tío —dijo Ronnie.

Darren oía a Breanna llorar en el porche. Mack dijo:

—Quiero que este hijo de puta salga de mi terreno.

—Pues baja el arma, Mack. No vale la pena.

—Tengo todo el derecho a proteger mi propiedad.

—Sí, claro, pero cada minuto que sigas empuñando ese revólver nos acercamos más a una situación de la que no te podré sacar. Escúchame, Mack. No dejes que ese tío te meta en prisión. Lo detendré por allanamiento si bajas el arma.

—No me importa nada —dijo Mack, con los ojos legañosos brillantes—. Quiero matarlo o que se vaya, nada más.

—Pues mueve el camión y me iré —dijo Ronnie—. Solo estaba haciendo el tonto con la chica. Tendría que estar contenta de que alguien se fijase en su culo de mono.

—Tírale tus llaves a Bre, Mack —dijo Darren. El viejo hizo lo que se le decía, pero no bajó la pistola, que parecía un arma de juguete en su mano enorme. Darren le dijo a Breanna que cogiera el Ford de Mack y lo sacara hacia la carretera, dejando así espacio para que Ronnie abandonase la propiedad.

Por entonces Mack estaba casi llorando, farfullando de tal modo que la saliva se le acumulaba en las comisuras de los labios.

—No tiene derecho a venir a mis tierras, a merodear alrededor de mi niña. No voy a consentir que me chulee un blancucho de mierda como ese.

Darren notó un cambio en la respiración de Mack, que se iba acelerando por momentos. Pensó que solo tenía unos segundos antes de que el viejo diera rienda suelta a la rabia que consumía cada uno de los músculos de su cuerpo enjuto.

—¡Saca el camión ahora!

Mientras Breanna salía corriendo del porche hacia el Ford, Darren aprovechó la distracción para dirigirse hacia Mack. Le cogió el brazo derecho por la muñeca, retorciéndolo con un solo movimiento mientras mantenía el Colt apuntado hacia Ronnie. Mack soltó un taco, pero luego se dejó caer en el suelo, encima de la hierba. Inmediatamente, Ronnie bajó el arma. La echó por la ventanilla abierta del conductor de su

Dodge y luego saltó al asiento delantero, moviéndose como si se le estuviera quemando el culo.

Darren coronó su testimonio recitando literalmente la doctrina del castillo.

Vaughn se irritó.

—Yo me ocuparé de las leyes aquí, señor Mathews.

—Es *ranger* Mathews.

—La verdad, *ranger* Mathews, es que en lugar de llamar al 911, el acusado llamó a un *ranger* al que conocía, un compañero afroamericano que, ciertamente, comprendería la ira que provocaba ese incidente...

—Protesto —esta vez Darren lo dijo en voz alta.

Vaughn lo fulminó con la mirada desde el estrado, agarrando el borde con tanta fuerza que los nudillos de la mano derecha se le pusieron blancos.

—Señor Mathews...

—Soy un *ranger* de Texas, abogado.

—Entonces actúe como tal.

Vaughn sabía que había ido demasiado lejos en cuanto lo dijo. Dos de las mujeres que estaban en la fila delantera del estrado del jurado menearon la cabeza al ver cómo se dirigía a un miembro del cuerpo de seguridad más reverenciado de todo el estado. Uno de los dos hombres negros que estaban en la segunda fila se cruzó de brazos, muy serio, pasándose un palillo de un lado de la boca al otro, como una pequeña daga que apuntase directamente al fiscal.

—Haga otra pregunta —dijo Darren, aprovechando su ventaja.

—El señor Malvo se fue por voluntad propia esa noche, ¿verdad?

—Sí. Malvo tiró el arma a su vehículo y se fue de allí.

Dos días más tarde encontraron muerto a Ronnie en una zanja que estaba junto a su propiedad, con dos balas del calibre 38 en el pecho, y fue el informe del incidente que redactó Darren lo que puso a Mack en la lista de sospechosos. Se sentía responsable de aquel suplicio. Cien veces al día Darren deseaba no haber ido aquella noche, no haber escrito aquel informe. En realidad, se quedó un momento en suspenso después de escribirlo, mirando las páginas con precaución al sacarlas de la impresora, sabiendo que el simple hecho de poner el nombre de Mack en el informe de un incidente, ya fuera víctima o no, abría una puerta a través de la cual quizá Mack no volviese nunca. En cuanto toca la vida de un negro, la criminalidad es una mancha difícil de quitar. Pero Darren era policía, de modo que cumplió con su trabajo. Siguió las normas, y aquello había conducido a esto: un jurado decidiendo si acusar o no al anciano de asesinato. Si lo acusaban iría a juicio un hombre de setenta y tantos años que jamás había hecho otra cosa que trabajar y querer a su familia, toda la vida. Si lo acusaban, acabaría en el corredor de la muerte.

Pero lo cierto es que Ronnie Malvo formaba parte de una de las bandas más violentas de toda la historia estadounidense, hombres que se vengaban de los suyos, especialmente de los que sospechaban que los habían traicionado. Darren sabía de un capitán de la Hermandad Aria de Texas que una vez había ordenado dar un golpe especialmente despiadado a un subordinado del que sospechaba que informaba a la policía. Encontraron al supuesto chivato, de diecinueve años, colgado de una valla de la poca carne que todavía le quedaba pegada a los huesos, en una granja donde se cultivaba trigo, en el condado de Liberty. Cualquiera podía haber matado a Ronnie Malvo, que sí era un criminal que informaba al gobierno federal. Darren era la única persona de aquella sala, incluyendo al fiscal, que lo sabía. Su base estaba fuera de la oficina de los Rangers en Houston, y pocos meses antes del homicidio de Malvo se apuntó a un grupo especial interagencial que estaba investigando la HAT con los federales. Por supuesto, no se le permitía decir una sola palabra al respecto, pero sabía que la Hermandad tenía motivos para meter a Ronnie en un saco... si alguien averiguaba que se estaba chivando.

—El señor McMillan estaba bastante enfadado aquella noche, ¿no le parece?

Darren lo rebajó a «preocupado», añadiendo:

—No parecía inclinado a la venganza, si es eso lo que quiere decir.

—No queremos que especule.

—Lo único que le puedo contar es lo que vi, y no vi que Mack disparase a nadie.

Vaughn frunció los labios. Aquello no estaba en el guion, y Darren lo sabía.

—Ronnie Malvo fue asesinado con un revólver del 38, ¿verdad?

—Yo no llevé esa investigación.

—¿Y por qué?

—Porque no me la asignaron —respondió, sin darle importancia.

—El teniente Fred Wilson decía que estaba usted demasiado implicado, ¿no?

—Sí, Ronnie Malvo fue asesinado con un 38 —concedió Darren.

—Y la noche que usted estuvo en su propiedad, vio al señor McMillan blandir un revólver del 38 ante el difunto, ¿no es así?

—Que no disparó. —Darren se movió en su asiento—. Simplemente quería que lo dejaran en paz, sentirse a salvo en su hogar. Por eso me pidió que me quedara.

En el momento en que Ronnie se fue de la propiedad de Mack, acelerando el motor y levantando una nube de polvo y grava, Darren se arrodilló junto a Mack, un hombre al que no había visto gimotear en veinte años, y mucho menos llorar abiertamente como hizo aquella noche, destrozado por lo cerca que había estado de matar a un hombre. Darren le dejó bien claro que podía ir detrás de Ronnie o bien quedarse con aquel hombre y el único miembro que quedaba de su familia.

En voz baja, Mack le pidió que se quedara.

Darren acabó pasando toda la noche en el porche delantero de Mack, con la pistola en la mano, vigilando por si aparecía un par de faros que pudiera acercarse sospechosamente a la casa. Siguió vigilando hasta que las nubes de la mañana aparecieron en grandes cantidades, bajas y surcadas de rojo óxido, y la tierra del este de Texas se reflejó en el cielo. Siguió vigilando aquel rinconcito del estado para que Rutherford McMillan pudiera pasar la noche pacífica que se había ganado a lo largo de toda una vida.

Dos días más tarde encontraron a Ronnie Malvo muerto detrás de su propia casa.

—Lo cual nos lleva a mi última pregunta —dijo Vaughn, con las manos cogidas a la espalda. Darren vio que levantaba la comisura de los labios en un gesto casi imperceptible.

—No estuvo con el acusado durante las cuarenta y ocho horas siguientes, ¿verdad?

—Regresé a mi casa. Y al trabajo.

Y con Lisa, que le decía que volviera a la Facultad de Derecho. «Piensa en ti, Darren».

Habría sido muy fácil, él lo sabía.

Elegir una vida que ella pudiera entender y volver a casa.

—¿Eso es un no?

—No, no estuve con él.

—De modo que usted no puede saber si, durante esas cuarenta y ocho horas, el señor McMillan salió de su casa con esa misma arma y fue a disparar y matar al señor Malvo, ¿verdad?

—No —dijo Darren. Un hilillo de sudor se le deslizaba ahora por el costado derecho. Le preocupaba que se viera a través de la camisa, igual que le preocupaba haber hundido a Mack.

2.

—Sigue faltando el arma.

—Y por eso no tenemos caso —le dijo Greg por teléfono.

—¿Tú crees que a la buena gente del condado de San Jacinto le importan un bledo los límites de un caso circunstancial? —preguntó Darren, sirviéndose el resto de gaseosa Big Red que había pedido en Kay's Kountry Kitchen, justo enfrente del juzgado, ignorando por una vez ese indiscriminado uso de la letra K, un flagrante acto de microagresión al estilo de Texas, porque la cafetería estaba cerca y abierta, y necesitaba algo que le aliviara la mano. Al servir el líquido quitó el hielo, poniendo los cubitos rosados y medio deshechos en un pañuelo que había encontrado en su guantera. Unió los picos del pañuelo y luego se apretó la compresa de hielo improvisada contra los nudillos doloridos de la mano izquierda.

—Joder, la mitad probablemente habrían querido pegarle un tiro ellos mismos. Ronnie Malvo es lo que llaman «basura blanca de primera categoría», y odiar a esa gente es el único tipo de odio permitido en compañía civilizada.

—Quizá traten a McMillan como un héroe, entonces..., y le ahorren la acusación.

—No puede salir nada bueno si la gente de aquí piensa que Mack es un asesino —dijo Darren, con la espalda apoyada contra la portezuela del conductor de su camioneta

Chevy—. Las normas no son las mismas para él, y lo sabes muy bien, Greg —acabó, mirando hacia la diminuta plaza del pueblo de Coldspring. Había un semáforo en un solo cruce, rodeado por todas partes por tiendas de antigüedades y particulares que vendían de todo, desde armas viejas hasta cunas usadas y estrellas solitarias de hierro oxidado, todo ello expuesto en porches de madera. No entraba ni salía nada nuevo del condado de San Jacinto. Era una economía que reciclaba su propia basura.

—Son los federales intentando proteger su investigación —dijo Darren.

Greg Heglund fingió un suspiro dolido.

En realidad, era el agente Heglund, de la División de Investigación Criminal de la oficina de campo en Houston del FBI. Se conocieron en esa misma ciudad años antes, cuando el tío Clayton llevó a Darren a una escuela privada en Houston porque no había nada en el condado de San Jacinto lo suficientemente bueno para su sobrino. Lisa y Greg fueron los primeros amigos que hizo Darren en el colegio donde se graduó más tarde. Los tres se habían dedicado a algún aspecto de la ley, y él y Greg siguieron en contacto todos aquellos años.

Greg era un hombre blanco que se había relacionado con negros la mayor parte de su vida: practicaba deportes con ellos, salía con chicas negras, huía del baile en línea y se dedicaba al *step,* todo eso. Pero aquello acabó, por supuesto, en el momento en que se unió al Bureau y cambió las zapatillas deportivas por zapatos de vestir. Aunque Darren no se lo echaba en cara. Prácticamente le había enseñado a Greg el arte de cambiar de código lingüístico, aunque solo fuera por ósmosis. Para Darren era una habilidad similar al ballet, en la cual todo hombre negro se debía adiestrar. Además del baloncesto, era el único ascenso posible para ellos. En los acontecimientos sociales de los Rangers, Darren había expresado un par de veces un amor por Vince Gill o Kenny Chesney que en realidad no sentía, y había hecho que Lisa diera vueltas en la pista de baile con él. Toleraba incluso a Johnny Cash y Hank Williams, el *country* clásico con el que se había criado (y sentía un afecto incontrolable por Charley Pride por una cuestión de principios), pero el *blues* era el auténtico legado de los texanos negros. Hizo que Greg escuchara a Clarence «Gatemouth» Brown y a Freddie King mucho antes de que ninguno de ellos hubiera oído hablar de Jay Z o Sean Combs. El caso es que Darren sabía que con Greg podía ser sincero, siempre. Su relación era así.

Greg no formaba parte del grupo de trabajo que llevaba tiempo persiguiendo a la Hermandad Aria de Texas y examinando sus actividades tanto fuera como dentro de las instalaciones correccionales de Texas, incluyendo la venta de metanfetamina y pistolas automáticas, múltiples homicidios y conspiraciones, pero conocía bien los entresijos de la investigación. Ronnie Malvo había proporcionado pruebas al estado unos pocos meses antes, y evitó que se le acusara de conspiración accediendo a testificar cuando llegara el momento. Levantó su mano tatuada y el testimonio que dio bastó para empapelar a varios capitanes de la HAT. Si algún miembro de la Hermandad se había llegado a enterar de sus planes, Ronnie Malvo iba a acabar muerto de una manera u otra. Darren aventuró la misma valoración que llevaba semanas repitiendo: «Esto lleva la firma de la HAT, está claro».

Greg afirmaba lo contrario.

—¿Dos heridas de bala y sin encarnizamiento? No parece que hayan dejado su tarjeta de visita —estaba avisando a Darren de que no se aferrase demasiado a sus creencias, recordándole lo que podía costarle dar la cara por Mack.

—Es tan circunstancial como la idea de que Mack lo hizo porque tiene un 38.

—Falta un 38.

—Dijo que se lo habían robado —Darren sabía que sonaba mal.

—Lo dijo el día antes de que mataran a Malvo. Sabes que por estos pagos no creemos en las coincidencias —dijo Greg, alargando juguetonamente todas las vocales—. ¿Siguen pensando que tienes algo que ver con eso?

—Nadie ha tenido las pelotas de decírmelo a la cara —dijo Darren—. Oficialmente, lo que dicen es que no tenía que haber acudido aquella noche en plan oficial, dada mi relación con Mack. O bien que debía haber abandonado a Mack e ir a perseguir a Malvo. Pero mi inhabilitación es también una forma muy conveniente de apartarme del grupo especial sin admitir que el hecho de que sea negro causa problemas en el terreno. Me aparta de la HAT.

—No puedes ser el primer *ranger* de toda la historia que haya tenido un roce con él.

—¿Y se supone que con eso me tengo que sentir mejor?

Los cotilleos habían empezado poco después de que Darren se uniera al grupo especial. Su teniente, el *ranger* Fred Wilson, se sentía poco inclinado a permitirle que se uniera al grupo especial al principio, por motivos que no quería o podía poner en palabras sin reconocer lo único que un *ranger* no menciona jamás: la raza. Primero eran *rangers,* y después hombres, mujeres, blancos, negros o marrones. Pero Darren no comprendía cómo podían los federales investigar, con la ayuda de los Rangers de Texas, a una organización llamada Hermandad Aria de Texas y no mencionar la raza. Los federales querían coger a la HAT acusándola de tráfico de drogas y conspiración, y el teniente Wilson pretendía que Darren lo comprendiera cuando accedió a que se uniera a la unidad de los Rangers que ayudaba a los federales fuera de Houston. Le dijo:

—Esto no es un rollo tipo *En el calor de la noche,* Mathews. Esa gente lleva una empresa criminal muy seria y sofisticada, y hacen millones con actividades ilegales en todo este estado.

Todo ello era cierto. Pero intentar cargarse a la Hermandad sin mencionar el odio racial que la movía era como intentar nadar en una piscina sin mojarse.

Pocas semanas después de que hubiera hecho las entrevistas para integrarse en el grupo especial, Mack lo llamó para decirle que la casa familiar en Camilla, la granja donde se crio Darren, había sufrido un asalto. Alguien había arrojado heces de perro (y Mack sospechaba que también humanas) a las paredes, por dentro y por fuera, y habían robado dos armas, una de ellas un revólver de hacía treinta años, con las cachas de madreperla, que había pertenecido a su tío William. Eso en particular le sentó fatal a Darren. Su tío le había dejado muy pocas cosas. La mayor parte de sus efectos personales, incluida su placa de los Rangers y el Stetson con el que se había retirado, fueron a parar al hijo de William, Aaron, un policía estatal que estaba muy resentido con Darren por haber aprovechado todo el nepotismo de los Mathews en los Rangers de Texas antes de poder hacerlo él mismo. Darren quería creer que su licenciatura en Princeton y dos años en la Facultad de Derecho lo habían convertido en una estrella por derecho propio, pero sabía que Aaron tenía algo de razón. Si él no hubiera sido el sobrino de William Mathews, probablemente lo habrían despedido hacía semanas por el asunto de Mack. De alguna manera, su tío seguía cuidando de él.

Se informó del incidente y se redactó un expediente, pero la verdad era que no cuadraba con la violencia propia de la Hermandad, que se apoyaba mucho en el elemento sorpresa, derramaba muchísima más sangre y no iba por ahí tonteando con avisos y gestos teatrales vacíos. Pero el nombre de Darren había aparecido en algunas webs de la HAT y en los terrenos pantanosos de las redes sociales, donde el nacionalismo blanco iba creciendo como una infección, un hecho que Greg ahora estaba minimizando.

—Los informes de tu muerte inminente son muy exagerados —dijo, buscando aligerar la situación y quedándose corto—. Son solo palabras, rumores en realidad, nada concreto. Te prometo que si hubiera algo más, nos acabaríamos implicando. Estás perfectamente a salvo.

—Díselo a mi mujer.

A Lisa nunca le había gustado la carrera que había elegido, el hecho de que se acostara la noche de bodas con un futuro abogado y se despertara años más tarde con un policía. Su distinguida esposa, que llevaba ropa St. John todos los días e introducía su sedán Lexus en un garaje privado del despacho de abogados donde trabajaba, no comprendía esa obsesión por enfrentarse a la locura, ni el atractivo de los Rangers de Texas y la estrella de cinco puntas que llevaba él. «¿Qué tiene esa maldita placa?». No te protegerá, le decía, porque no estaba pensada para eso. «No estaba destinada para ti». Ella nunca lo perdonaría, le dijo, si le acababan matando.

—Si acusan a Mack todo parecerá un crimen racial, una pequeñez cualquiera, tan vieja como el mundo —dijo Darren—. Si sigue habiendo rumores de que Ronnie Malvo fue liquidado en lo que parece un golpe suyo, la Hermandad acabará por irritarse, a lo mejor cambian de rutinas o cierran completamente sus operaciones, cosa que estropearía por completo la investigación de los federales. No creo que Mack deba pagar con la vida para salvarles el caso.

—¿Lo hiciste? —preguntó finalmente Greg—. ¿Ayudaste a Mack con el arma?

—¡Joder, tú también!

—Es que sé lo que sientes por Mack... y por los tíos como Malvo.

—Antes que nada soy policía.

Pero ya mientras lo decía le parecía que no era cierto. Aquella misma mañana había estado a punto de cometer perjurio, tan cerca que el siguiente paso habría supuesto que lo sacaran del edificio con las esposas puestas. Sencillamente, no quería pensar que un hombre negro pudiera ir a la cárcel por apuntar con un arma a un tipo como Malvo. Y quizá en lo más profundo de su ser tampoco creía que nadie tuviera que ir a la cárcel por pegarle un tiro a un tipo como Malvo.

—Porque vendrán a por ti, Darren. Y no hablo solo del trabajo. Te van a crucificar si creen que has ocultado pruebas.

—¿Crees que no lo sé? No hice nada. Ni Mack tampoco.

—¿Estás completamente seguro? Ese hombre ahí metiéndose con su nieta... Si hubiera sido al contrario, solo eso ya habría llevado a Mack a la horca en los viejos tiempos. Quizá el viejo se tomara la justicia por su mano...

—Dices lo mismo que Lisa.

—No me meto contigo —dijo Greg—. Y no te llamaba por eso.

Darren sacudió el pañuelo azul pálido, viendo cómo los fragmentos de hielo caían al cemento con grava. En la acera frente a su camioneta, un niño, quizá de unos cinco años, miraba con la boca abierta a Darren mientras su madre tiraba de él y le decía:

—Venga.

Darren, recordando la reverencia que un *ranger* de Texas como Dios manda podía inspirar a un niño, se llevó la mano al sombrero con una sonrisa.

Greg dijo:

—¿Has oído hablar del jaleo que ha habido en Lark?

—Nunca he oído hablar de Lark.

—Condado de Shelby, nada más pasar la frontera occidental, un pueblecito muy pequeño. No creo que tenga más de doscientos habitantes en total.

—Vale —dijo Darren, recordando una pequeña cafetería junto a la carretera donde se paró una vez a tomar una Coca-Cola—. He pasado por allí, sí.

—Pues han encontrado dos cadáveres en los últimos seis días. Uno era de un hombre negro de Chicago, un poco más joven que nosotros, de unos treinta y cinco, creo. Parece que pasaba por allí. Dos días más tarde, alguien sacó su cuerpo del *bayou* Attoyac.

—Madre mía...

—Y esta misma mañana ha aparecido otro cuerpo —dijo Greg—. Una chica blanca de la localidad, de veinte años. —A través del teléfono, Darren oyó que Greg movía los papeles de su escritorio. Solo llevaba en el Bureau unos pocos años y aún no se había ocupado de ningún caso importante, nada que sirviera para hacer carrera—. Melissa Dale.

—¿Estaban relacionados?

—Eso me gustaría saber a mí. En Lark no ha habido ningún homicidio desde hace un montón de años, y ahora tienen dos en una semana.

—No parece una coincidencia —dijo Darren.

—Algo está pasando.

Darren notó que le hervía la sangre con un sentimiento familiar ante la mención de un asesinato racial en el estado, una aceleración que no podía evitar.

—¿Y cómo lo sabes?

—Tengo mis espías —dijo Greg.

—¿Cómo se llama ella?

Greg soltó una risita, disfrutando de su reputación de hombre con talento para reclutar mujeres, especialmente a aquellas a las que no les importaba que las reclutaran. Darren no estaba seguro de que fuera un talento, en realidad.

—Digamos simplemente que recibí una llamada del despacho del médico forense del condado de Dallas. El condado de Shelby les encargó que hicieran la autopsia al hombre.

—Más rebuscar entre papeles, y al final Greg dijo su nombre—: Michael Wright. En cuanto abrieron la cremallera de la bolsa y echaron un vistazo al cuerpo, empezaron a hacer preguntas al sheriff.

—¿Por qué?

—Tenía algo que ver con el estado del cuerpo. Es lo único que me han dicho por teléfono.

—¿Cuál es la causa de la muerte?

—Ahogamiento —dijo Greg—. Pero eso solo significa que aún respiraba cuando cayó en el agua. Sin duda el sheriff se aferrará a eso, a lo del ahogamiento, cerrando cualquier otra posibilidad. Nadie quiere otro Jasper.

La mención de Jasper, en Texas, alborotó aún más las tripas de Darren, como bien sabía Greg que ocurriría. Darren tenía veintitrés años y estaba estudiando derecho en 1998, todavía de luto por la súbita muerte de su tío William aquel mismo año. Estaba en una sala de estudiantes comiéndose un bocadillo entre las clases de verano cuando llegó a todas las pantallas de televisión la noticia de la muerte por arrastre de James Byrd Jr. Darren nunca llegó a asistir a la clase siguiente. Se quedó allí contemplando hora tras hora la cobertura de los medios. Era difícil expresar con palabras la furia que sentía ante el hecho de que alguien hubiese arrastrado a un hombre negro por un pueblo que no estaba ni a doscientos kilómetros del lugar donde Darren se había criado hasta que se le desprendió la cabeza. Se sintió avergonzado de su país, y avergonzado de su estado natal.

Pero también sintió una rabia ardiente hacia los estudiantes y profesores que lo rodeaban, la mayoría de ellos blancos y del norte, que chasqueaban la lengua y susurraban «Texas» de una manera que indicaba tanto compasión como desdén por una tierra que Darren amaba, un estado que lo había convertido en caballero y luchador a partes iguales. Era difícil expresar todo esto con palabras. De modo que ni siquiera lo intentó. Sencillamente, se fue. Al final de aquel verano presentó una solicitud en el Departamento de Seguridad Pública de Texas para convertirse en policía estatal, el primer paso en el camino que había durado casi una década para llegar a ser un miembro de la venerable agencia policial conocida como Rangers de Texas, los únicos que acudían cuando las agencias locales no podían o no querían resolver un crimen. Darren se había decidido por la inmediatez de la única ley que le interesaba: las botas en el suelo, preferiblemente cosidas a mano, de caimán o de cuero, una placa y un Colt 45. La balanza interna que siempre lo pesaba todo en el interior de su corazón se inclinó a favor de su tío William. Clayton, el abogado, cuando oyó que su sobrino había abandonado la Facultad de Derecho, lo único que dijo fue: «Estoy profundamente desilusionado contigo, hijo».

—¿Lo mataron a él primero? —preguntó Darren a Greg.

—Lo sacaron del *bayou* el viernes, hace tres días. Luego el río ha llevado a la chica cuatrocientos metros corriente abajo esta misma mañana.

«Qué raro», pensó Darren.

Los cuentos sureños a menudo tienen el argumento contrario: una mujer blanca aparece muerta o ha sufrido algún daño, real o imaginario, y luego, tan seguro como que la luna sale después del sol, un hombre negro acaba muerto.

—¿Y cuál es la causa de la muerte de la chica? —preguntó.

—Todavía no le han hecho la autopsia. Pero la han encontrado más o menos de la misma manera que el otro cuerpo. Aunque en este caso se habla de una posible agresión sexual.

—¿Por qué no enviar a un agente allí?

—El sheriff no lo ha pedido, ni tampoco ha pedido ayuda externa, en realidad, y yo no tengo autoridad suficiente para hacer esa gestión.

—¿Y qué quieres que haga yo?

—Pues que vayas allí y husmees un poco, a ver si hay algo más de lo que quiere admitir el sheriff. El Klan... o algo peor. ¿Cómo lo llamas tú, la típica mierda racial de los viejos tiempos? Me parece que todo esto se merece un poco de investigación. Sé que es de esos casos que te hicieron coger la placa.

—Estoy inhabilitado, Greg. No tengo placa. —Pero cuando miró hacia abajo, vio que seguía llevando la estrella de cinco puntas después de salir del juzgado. De hecho, llevaba el uniforme completo—. ¿Y qué sacas tú de todo esto?

—¿Además de justicia, quieres decir?

—Quiero decir que seas totalmente sincero conmigo.

—Bueno, si hay algo realmente, si el asunto es mucho más grave de lo que dice el sheriff, una mierda tipo Sandra Bland, cosas que están ocultas o algo, y yo soy el que las saca a la luz, no hace falta que te diga que podría salir de este pequeño cubículo.

—Venga, Greg... —dijo Darren, frunciendo el ceño ante semejante exhibición de ambición, aunque lo comprendía, la verdad. Él mismo se encontraba fatal cuando estaba aparcado en su despacho en Houston, ocupándose sobre todo de corrupción y delitos empresariales. Solo volvió realmente a la vida como hombre de leyes cuando consiguió imbuirse del auténtico espíritu de su título como *ranger* de Texas, un hombre «de campo», en el gran estado. Unirse al grupo especial le había cambiado la vida, pero también había supuesto una tensión terrible para su matrimonio. Lo que peor llevaba Lisa de su trabajo era el tiempo que pasaba en la carretera.

—Ahí hay algo que huele fatal, D, y tú lo sabes.

Pues no, no sabía nada, en realidad.

Salvo que los cadáveres de los hombres negros no aparecen en los ríos como si fueran hierbajos. Greg dijo:

—Dedícale solo un día o dos. Si en ese tiempo el instinto no te dice nada, vete y vuelve a casa.

Pero Darren no estaba seguro de dónde tenía la casa en aquellos momentos.

—Vale, lo haré —aceptó.

Ya sabía que iba a ir, lo supo en el momento en que Greg le contó lo que ocurría en Lark. Lo de Mack y el gran jurado le había afectado mucho, y sentía resentimiento contra los Rangers por obstaculizarle.

—Y D, procura no meterte en líos allí. En el condado de Shelby también existe la HAT.

No necesitaba que Greg se lo dijera. Asintió gravemente, se subió a la cabina de su camioneta y apoyó la mano dolorida en el volante.

3.

Primero fue a casa de su madre, porque se lo había prometido. Ella sabía que él se alojaría en Camilla, a solo unos minutos en coche de su casa, y que no se quedaría mucho rato. Bell Callis vivía en el extremo este del condado de San Jacinto, al final de una carretera de tierra roja bordeada de pinos amarillos y tilos de Carolina, cuyas ramas lamían los costados de la camioneta de Darren. A través de los árboles distinguía los tejados de tela asfáltica de los vecinos de su madre, los pequeños cobertizos y cabañas de caza entre las hierbas. Cerca, alguien estaba quemando basura, y el humo acre que desprendía flotaba por delante de la camioneta de Darren, el aroma familiar de la vida dura. Tras un recodo del camino, Darren hizo una seña al casero de su madre, un hombre blanco de ochenta y tantos años que se llamaba Puck y que alquilaba a Bell un trocito de terreno en la parte posterior de su casa. El hombre saludó a Darren desde su porche delantero y luego siguió mirando los árboles, ocupación en la que pasaba la mayor parte de sus días. Darren giró a la izquierda para entrar en el terreno y luego siguió las rodadas gemelas en la tierra y la hierba que conducían hasta la caravana de su madre.

Esta estaba sentada en los escalones de cemento que se encontraban delante de su hogar móvil, fumando un Newport y quitándose el esmalte de la uña del dedo pulgar del pie. Tenía una cerveza a sus pies, pero Darren sabía que eso no era todo. Lo fuerte estaba dentro, en casa. Ella levantó la vista y vio la camioneta plateada en la que viajaba su único hijo, pero nada en su expresión apagada e indiferente sugería que hubiera pasado los últimos cuatro días llamándolo sin parar.

—Estás muy delgado —le dijo cuando salió de la camioneta.

—Lo mismo digo —respondió él.

Ella solo tenía dieciséis años más que él, y ambos compartían la misma longitud de huesos de brazos y piernas: eran los dos larguiruchos, delgados como un huso, salvo por los músculos de torso y piernas que había cultivado Darren y la almohadilla de grasa en torno a las caderas que había conseguido mantener Bell, aunque hasta el último centímetro de su cuerpo, aparte de eso, parecía haberse encogido y batido en retirada, vencido por el tiempo. Darren no había conocido a su padre. Pero los hermanos mayores de este, William y Clayton, medían solo un poco más de metro setenta.

Físicamente, al menos, Darren era todo Callis.

—¿Cuándo fue la última vez que fuiste a la tienda, mamá? Siempre la ablandaba que la llamase *mamá*.

No se conocieron hasta que Darren cumplió ocho años, antes de lo cual su curiosidad por sus progenitores se limitaba a algunas historias sobre su padre, cuanto más aventureras mejor, aunque Darren Mathews, de sobrenombre Duke, no había hecho gran cosa en los diecinueve años que vivió aparte de follarse un par de veces a una chica del campo con la que andaba y luego morir en un accidente de helicóptero, en los últimos días lúgubres de Vietnam. Su madre era una curiosidad, algo que sentía tan ajeno a su vida real como los distantes indios caddo en el linaje de los Mathews. Los primeros años ella fue «la señorita Callis», y luego «Bell» cuando fue al instituto y después a la universidad. Pero poco después de cumplir los cuarenta, la palabra *mamá* empezó a salir como si fuera una semilla tozuda alojada entre sus dientes todos aquellos años que por fin hubiera quedado libre.

—Tengo unas salchichas y judías y las pongo en el fogón al momento —dijo, cogiendo la lata de cerveza Pearl; aquellas latas todavía se podían comprar sueltas en la tienda de aparejos de pesca que había junto a las cabañas del lago Livingston, donde Bell trabajaba como señora de la limpieza tres días a la semana—. ¿Tienes hambre? ¿Quieres que te ponga un plato?

—No puedo quedarme, mamá.

—Claro, no puedes.

Se puso de pie, descalza como estaba, rechazando con gestos el caballeroso ofrecimiento de la mano que le hizo Darren. Se acabó la cerveza y se volvió hacia la puerta mosquitera de su caravana.

—Pero te quedarás a beber algo, eso sí...

Vaciló un poco en el escalón superior, y luego abrió la puerta mosquitera y desapareció dentro. Darren la siguió y entró en la caravana de dos habitaciones, cuyos suelos estaban cubiertos con una moqueta enmarañada de un marrón claro que iba de lado a lado.

—¿Cuántas llevas hoy? —dijo Darren, mirando su reloj.

Si eran más de ocho copas antes de mediodía, tendría que coger las llaves del coche de ella y llevárselas a pie a casa de Puck para que se las guardase, algo que no gustaba ni a la madre ni al hijo, aunque por distintos motivos.

—Me estoy relajando —se limitó a decir ella, y se hundió en el delgado cojín que cubría el sofá en forma de L y que ocupaba la mayor parte del salón y la cocina americana. La mujer tenía cincuenta y siete años y había sido alcohólica la mayor parte de su vida adulta, un hecho que confundía a Darren de adolescente y le asustaba muchísimo de adulto. Bell cogió una botellita de Cutty Sark en forma de bala y bebió de ella como si fuera un biberón. Vendían las pequeñas botellitas tamaño avión en la tienda de aparejos de pesca por cincuenta centavos, y Bell las tenía alineadas encima del alféizar de la ventana, como si fuera munición de rifle—. Es mi día libre.

—¿Qué quieres, mamá?

—¿Qué pasa, que eres demasiado bueno para tomar algo con tu madre? —dijo ella, dando unas palmaditas en el asiento con un cojín de cachemir que estaba a su lado. Llevaba el pelo sujeto en un moño, y en la mesa había un frasquito de esmalte de uñas. Esta noche va a algún sitio, pensó él.

—Estoy de servicio.

—No, no es verdad. Lisa me lo ha dicho.

—No, no te ha dicho nada.

No había precedentes de que Lisa hablase con su madre. Bell ni siquiera había asistido a la boda, fue excluida de la lista de invitados ante la insistencia tanto de Lisa como de Clayton, que sentía un desprecio especialmente intenso por Bell Callis. Su tío William le daba un poquito de dinero cada mes para que saliera adelante, y nunca le preguntaba en qué se lo gastaba. Pero el día que murió, se acabó. Clayton la mantenía lejos, se ponía tenso cuando se mencionaba su nombre, como si pensara que aún podía intentar reclamar a Darren algún día, acudir e intentar rehacer toda su niñez, llevándose al único hijo que Clayton había conocido jamás. Cada año pasaba la Navidad con los Mathews, Naomi, la viuda de William, y sus dos hijos, Rebecca y Aaron. La Pascua la pasaba con los parientes de Lisa en su casa de vacaciones, en Nuevo México. El Día de Acción de Gracias era para los amigos, normalmente Greg y la extensa familia de *rangers* de Darren. Darren creía que su madre y su mujer no habían estado nunca juntas en la misma habitación. La idea de que Lisa revelase sus problemas profesionales a su madre significaba o bien que Bell mentía, o que su mujer estaba muchísimo más enfadada de lo que él pensaba.

—No me llames mentirosa en mi propia casa, Darren —dijo Bell—. He llamado a Houston un par de veces porque no me contestabas en casa de los Mathews. —Siempre se refería al hogar familiar con ese nombre bastante formal, dejando bien claro el linaje al cual ella estaba segura de no pertenecer. Sus padres no salían, en el sentido más estricto del término, y Duke nunca llevó a Bell a casa. El suyo fue un romance de besos robados en el bosque, la espalda de ella contra la corteza rugosa de un roble, y Duke llevándola a casa al caer la noche. Cuando Duke murió y nació Darren unos meses más tarde, Clayton apareció al cabo de unos días para tomar posesión de su sobrino—. Me ha dicho que tenías problemas en el trabajo, algo de un tiroteo y Rutherford McMillan, y que no sabía dónde te alojabas estos días, pero yo he visto tu camioneta en Camilla, Darren.

—Simplemente nos estamos dando un poco de espacio, eso es todo.

—Yo te habría dicho que era muy difícil tener contenta a esa —dijo, y se inclinó hacia delante y metió los dedos en un paquete abierto de Newport. Encendió uno y exhaló una nube de humo—. Pero no me preguntaste…

Él no había puesto más que un pie en el umbral de la puerta. Llevaba el sombrero metido debajo del brazo y casi tocaba el techo con la cabeza.

—Me buscabas y aquí me tienes. ¿Qué quieres, mamá?

—Tienes que hablar con Fisher.

—No quiero saber nada de eso.

—Pero es que no me paga cuando corresponde. Me voy a morir de hambre, Darren.

—Decías que tenías comida. —Miró el fogón con dos quemadores de la cocina americana y vio que tenía pegada una costra de algo que se había preparado en ella al menos una semana antes. Lo de las salchichas y las judías era solo un deseo, un gesto de la madre que quería ser—. ¿Y por qué no te ha pagado? —preguntó Darren, porque sabía que en aquella historia había algo más, siempre lo había. Fisher era el jefe de Bell en las cabañas turísticas y camping de autocaravanas Starfish, junto al lago Livingston. También era su novio, pero estaba casado con la otra asistenta que tenía en nómina. Era un culebrón muy triste con el que Darren no quería tener nada que ver.

—Dice que le he quitado cien dólares de la cartera.

—Dios mío, mamá, tienes suerte de que no te haya despedido o haya llamado al sheriff.

Ella chasqueó la lengua, sonriendo un poco al ir a coger una botella del alféizar de la ventana.

—No lo hará, sabiendo que mi hijo es *ranger*.

—No, no soy *ranger*…; al menos ahora mismo no —dijo, buscando una salida.

—Él no lo sabe —dijo ella, maliciosamente—. ¿Cuánto tiempo te dejarán llevar eso? —señaló la placa de plata que llevaba sujeta en el pecho.

—Vendrán a buscarme si no aparezco con ella mañana.

—Mucho tiempo.

—¿Cuánto necesitas? —dijo, porque era la forma más fácil. No hacer nada era conjurar su mal genio, el puchero de una mujer adulta que se sentía perpetuamente minusvalorada y enfurecida por ello. Ella creía que los hombres de su vida, especialmente su hijo, le debían más de lo que le habían dado. Y a pesar de que su madre no lo había criado ni se había molestado durante años en mandarle una tarjeta de Navidad, él también sentía que le debía algo por haberle dado la vida.

Pero no estaba seguro de lo que le debía. Aquel día eran cien dólares en metálico, casi todo lo que llevaba encima.

Ella lo cogió sin hacer aspavientos y se lo metió en el bolsillo de la camisa. Él le dijo:

—Y compra algo de comida. Gasta al menos cincuenta en alimentos.

Quizá le hiciera caso o quizá no, dijo ella, y cogió otra botella del alféizar.

4.

La carretera 59 es una línea que discurre por el corazón del este de Texas, una raya en el mapa que une ciudades pequeñas como nudos en una cuerda, desde Laredo hasta Texarkana, en la frontera norte. Para los negros nacidos y criados en las comunidades rurales a lo largo de la ruta que sigue la carretera norte-sur, la 59 ha representado siempre un arco de posibilidades, una esperanza asfaltada que apuntaba al norte.

Pero no para la gente de Darren.

Él era de Texas por ambas partes, remontándose hasta los tiempos de la esclavitud. Desde la Reconstrucción, nadie había abandonado los bosques de pinos del extremo oriental del estado, excepto unos pocos tíos y primos por parte de madre que huían de la ley. La familia de Bell se quedó porque eran pobres; los Mathews se quedaron porque no lo eran. Desde muy pronto poseyeron buenas tierras de cultivo, legadas por el mismo hombre que dio a sus esclavos favoritos el apellido Mathews, o al menos eso aseguraba la leyenda, y los negros no se iban y abandonaban ese tipo de riqueza para ir a algún otro lugar desconocido y frío. No, los Mathews arraigaron profundamente en la tierra, plantando algodón, maíz y las raíces de una familia que sería solo suya, y no una unidad pecuniaria convertible en metálico a voluntad. Trabajaron duro y consiguieron lo suficiente para educar a generaciones de hombres y mujeres y enviarlos a la universidad por docenas; se ganaron una vida que rivalizaba con la que podían llevar en Chicago o Detroit, o Gary, Indiana. No estaban dispuestos a ceder un estado entero al odio de un puñado de paletos que no hacían más que rascarse las pelotas y escupir tabaco. El dinero permitía tomar esas decisiones, desde luego. Pero el dinero también exigía algo de ellos, y los Mathews estaban dispuestos a darlo. Construyeron una escuela para gente de color en Camilla, ofrecían préstamos para pequeñas empresas a gente de color cuando podían y dedicaron sus vidas al servicio público, convirtiéndose en profesores, médicos y abogados de pueblo, y agitadores cuando el momento lo exigía.

Lo que no iban a hacer nunca era huir.

La creencia de que eran especiales, de que tenían cojones para soportar lo que los demás no podían soportar, era lo más intrínsecamente texano en ellos. Era una arrogancia nacida de una fortaleza genuina y una veta de tozudez que se remontaba a seis generaciones atrás, un escudo homérico contra los pequeños celos y las injusticias letales que ocupaban el tiempo libre de los blancos, su mirada opresiva e intrusiva en todos los aspectos de su vida de negros, desde lo que comían y con quién se casaban hasta la ropa que llevaban, la música que escuchaban, la forma que tenían de peinarse o cómo dirigirse a ellos en la calle. La familia Mathews sabía muy bien a qué se debía: una obsesión febril que en realidad no tenía nada que ver con ellos, una preocupación que debilitaba a un hombre que miraba a todas partes excepto a sí mismo.

No, no nos íbamos a ir a ninguna parte.

Darren lo había oído toda la vida.

Podías salir huyendo, nadie iba a juzgarte si lo hacías. Pero también podías quedarte y luchar. Al anochecer, en el porche trasero de la antigua casa familiar de Camilla, William, con el sombrero bocabajo en la barandilla del porche, solía mirar la tierra de la familia y decirle a Darren: «La nobleza está en la lucha, hijo, en todas las cosas».

Era la lucha lo que había hecho volver a casa a Darren hacía tantos años, y lo que le impulsaba a circular ahora en su cuatro por cuatro por la carretera 59, apuntando al norte, hacia el condado de Shelby.

Compartía el pálpito de Greg de que aquellos asesinatos estaban relacionados, de que la cuestión racial estaba implicada en el asunto, de alguna manera, de que valía la pena hacerse las preguntas, al menos. Admitía su inclinación por ocuparse de los homicidios con un componente racial, asesinatos con un tinte especialmente truculento, algo en el método de matar, o en el móvil, que nos avergüenza en lo más íntimo, crímenes que deben condenarse para que una nación pueda mantener la cabeza bien alta. Aun así, Darren tenía mucho cuidado de no llamarlos «crímenes de odio», ya que se había dado cuenta enseguida de que la policía de Texas se mostraba reticente a etiquetar un crimen como más odioso que otro. No consiguió nada su primer año de trabajo, cuando propuso establecer una unidad de crímenes de odio que trabajara conjuntamente con el departamento de corrupción de los Rangers y su equipo de investigación de crímenes sin resolver. Imaginaba una unidad conectada no por compañía o por región, sino por similitudes entre los propios casos. Escribió un informe sobre la naturaleza de los crímenes de odio, citando los casos legales y las condenas en tribunales de otros estados, y lo presentó tanto a su teniente y capitán de la Compañía A, en Houston, como al cuartel general de los Rangers en Austin. Lo único que consiguió aquel informe es que pensaran que se preocupaba mucho por algo que podía tener un enorme interés personal para él, cosa que despertó poco respeto entre sus superiores y le ganó el resentimiento de más de un *ranger* blanco. La idea fue rotundamente desestimada. Eso y el hecho de que Mack quizá acabase acusado ante los tribunales le habían hecho cuestionarse su lealtad hacia los Rangers.

Había dos horas de camino en coche hasta el condado de Shelby, sombreado por los frondosos pinos a lo largo de la carretera y los cipreses cargados de agua que salpicaban los arroyos y los *bayous* que desembocaban en el río San Jacinto. Cruzó un puente de hierro oxidado junto a Leggett y luego siguió subiendo unos cuantos kilómetros hasta que vio un trozo de cartón pintado a mano y clavado al tronco de un roble español. El cartel anunciaba cacahuetes hervidos, pero la chica que tenía un puestecito en la caja de su camioneta también vendía peras y gelatina de pimientos casera, y cuando vio la estrella de cinco puntas sujeta a su camisa, le ofreció una calabaza gratis. Tenía una caja de verrugosas calabazas a sus pies. Él declinó la oferta educadamente y le pagó, por el contrario, unos pocos dólares por una bolsa de cacahuetes y dos peras. Se comió ese almuerzo improvisado en la cabina de la camioneta, remangándose y dejando que el jugo corriera por sus antebrazos. En el asiento delantero sonó su teléfono. Era un mensaje de Mack: «¿Qué tal ha ido?».

Técnicamente, a Darren no se le permitía hablar de las deliberaciones secretas del gran jurado, ni tampoco quería arriesgarse a crear más problemas profesionales dejando un rastro digital de contacto con el acusado. Así que llamó a su tío, esperando dejar un sencillo mensaje de voz en el buzón, unas palabras para que se las transmitiera a Mack, pero fue el propio Clayton quien, entre dos clases, cogió el teléfono. Darren oía el parloteo de los estudiantes al pasar y los leves resoplidos de un hombre de sesenta y muchos años que cruzaba el extenso campus. Naomi, la viuda de su hermano, le había regalado a Clayton una pulsera de actividad deportiva las Navidades pasadas. Ahora iba andando de un lado a otro durante sus clases de derecho constitucional en lugar de dictarlas desde el estrado, y caminaba también todos los días que no llovía. «Naomi me ha dado una nueva esperanza en la vida», decía al menos una vez al mes, sin tener en cuenta la incomodidad que eso podía causar a Darren o a los hijos de Naomi de su matrimonio con William, el sobrino y la sobrina de Clayton.

—Esperaba saber de ti antes —dijo Clayton.

Su voz sonaba tan parecida a la de su hermano —suave pero con un ligero tono áspero— que, cada vez que hablaba con Clayton, Darren experimentaba un horrible momento de desconcierto que le hacía albergar esperanzas de que, sin saber cómo, William estuviese vivo todavía. Su asombroso parecido hacía más dolorosa aún la pérdida de aquel a quien realmente quería, el anhelo de algo que ya no podría tener. Supuso que eso también explicaba un poco la presente relación de Clayton con Naomi, que se aferraba a la coincidencia del ADN, una perfección orgánica que compensaba lo que, sin duda, tenía que ser un romance de segunda fila.

—He ido a ver a mamá —dijo Darren.

Clayton ignoró el comentario.

—Bueno, veamos. ¿Qué tal lo ha hecho Vaughn? Como pescar peces en un barril con cualquier gran jurado de Texas, ya lo sé, pero dime que ese hijo de puta ha cometido algún error, algo que pueda salvarle el culo a Mack.

Darren le contó la verdad, que no tenía muy buena pinta, lo del 38 robado y todo eso, y que no estaba seguro de haber hecho lo suficiente después de que el fiscal lo obligara a reproducir el intercambio de palabras que se produjo aquella noche entre Ronnie Malvo y Mack.

—Quizá haya podido convencer a un par de ellos —dijo, pensando en los dos jurados negros.

—Hiciste lo que pudiste, hijo, y estoy orgulloso de ti por eso. Ya es hora de devolver esa placa y apartarte. ¿Has hablado con el decano en Chicago? ¿Sigue siendo el mismo?

—En realidad, ahora es una mujer —dijo Darren. Había llegado hasta la web, que, cuando Darren hizo la solicitud para la Facultad de Derecho, era una página tristona con una lista de números de teléfono a los que había que llamar para obtener más información. Ahora se hacía en línea toda la solicitud, pero Darren no había hecho clic en ningún vínculo más allá de la página de inicio, al menos no estando sobrio.

—Bueno, hijo, de todos modos ya sabes que yo te puedo conseguir una plaza como estudiante de tercer curso aquí en Austin. Solo tienes que rellenar la solicitud. Podrías empezar a principios del año que viene. En fin —dijo, bajito—, Texas quizá sea mejor para ti y para Lisa.

«Así que han estado hablando», pensó Darren.

—Están poniendo en marcha un nuevo Proyecto Inocencia, en la Facultad de Derecho, que se ocupa específicamente de las sospechas de brutalidad policial en el proceso de interrogatorio, y con tus conocimientos en materia de seguridad policial podrías llevarlo tú en unos pocos años. Tienes el talento necesario, y también valor. Todo lo que has intentado hacer, todo lo que no te dejarán hacer, puedes hacerlo aquí, hijo, protegiendo a la gente. Esto de Mack debería enseñarte que...

—He hecho algunos arrestos, papá. He hecho un buen trabajo.

—¿Al servicio de quién, Darren?

Era una discusión que habían tenido docenas de veces, más contando los años en que William, compañero *ranger,* podía intervenir. Clayton evitó estratégicamente seguir por ese camino. Le dijo:

—Ven a casa cuando acabes con todo en Houston. Naomi y yo prepararemos una buena cena. Te enseñaré la Facultad de Derecho, te presentaré a gente que está marcando la diferencia para la gente como nosotros. —Ignoró, como hacía a menudo, la dinámica de clase que hacía que, en su caso, ese «nosotros» fuera bastante complicado—. Lisa habla de un posible traslado a la oficina de su firma en Austin. Eso sería estupendo, Darren. Puedes empezar de nuevo, hijo.

Su madre lo llamó tres veces antes de que pudiera recorrer ochenta kilómetros, y en un momento determinado incluso volvió el teléfono bocabajo en el asiento delantero de la camioneta, y por eso se perdió el primer mensaje de texto de Greg. El segundo apareció en su teléfono mientras llenaba el depósito de gasolina, a unos pocos kilómetros a las afueras de Nacogdoches. Tres palabras: «Mira el correo». Desde su cuenta personal de Yahoo, Greg había enviado a Darren un mensaje de correo resumiendo lo poco que sabía sobre Wright, Michael y Dale, Melissa... o, mejor dicho, Missy. Después de unas cuantas búsquedas en Google y de un profundo rastreo en las numerosas bases de datos del Bureau, Greg había encontrado lo siguiente: Michael Wright tenía treinta y cinco años y era nativo de Texas. Darren se quedó sentado en su camioneta, leyendo. Michael Wright había nacido en Tyler, donde asistió a la escuela primaria; luego se trasladó con sus padres, ambos fallecidos ya, a Chicago. Casado, viajaba solo, al menos según las declaraciones de los pocos testigos a las que Greg había podido acceder. No tenía antecedentes penales y era graduado tanto en Purdue como en la Facultad de Derecho de la Universidad de Chicago; había residido siempre cerca de su hogar adoptivo, en el norte. Ahí Greg había incluido una nota entre paréntesis: «¿Lo conociste en la UC?». Greg se había confundido al calcular los años, claro, porque Michael Wright seguramente todavía estaría en el instituto cuando Darren empezó en la facultad. Pero la similitud de sus experiencias no se le escapó. Había un cierto reconocimiento, un parentesco instantáneo. En la foto adjunta, una foto de la cara de Wright, de su bufete. Michael tenía la piel mucho más clara que la de Darren, que se oscurecía hasta adquirir un intenso color nogal tras pasar solo unas horas al sol, e iba mucho mejor vestido. Aun así, le pareció que conocía a Michael Wright. Aunque se llevaban unos cuantos años de diferencia, podían haberse conocido perfectamente en la UC, contarse su vida y sus aventuras de chicos negros en el este de Texas, beber cervezas juntos y hablar de chicas, de baloncesto y de derecho constitucional.

«Se ha informado a la esposa».

Esa era la nota final de Greg sobre Michael Wright, junto con el nombre de la esposa, Randie Winston, y el hecho de que el paradero de esta en el momento del crimen todavía no estaba claro. No había ninguna foto de la mujer. Pero Darren pensó en Lisa, con su piel de un marrón mantecoso, las mejillas salpicadas de pecas, los rizos suaves que costaba cien dólares a la semana mantener. Ella llevaba años preocupada por recibir una llamada como la que acababa de recibir la esposa de Michael Wright.

El resto del mensaje de Greg era un informe mucho más superficial sobre Missy Dale. Graduada del instituto de Timpson, se había matriculado para un semestre y medio en estudios de cosmética en la escuela profesional de Panola. Era camarera en la Jeff's Juice House, una cervecería que estaba a la salida de la 59, en Lark. Los detalles de su vida cabían en una postal. Lo único que interesaba a Darren casi se lo pierde a primera vista. Era la mención de su matrimonio con Keith Avery Dale, de Lark, actualmente empleado en Timpson Timber Holdings y recién salido de una estancia de dos años en *the Walls,* en Huntsville, por un asunto de drogas, posesión e intento de venta.

Greg había añadido una nota: ¿HAT?

La Hermandad Aria de Texas había nacido en una cárcel del estado, y más de la mitad de sus miembros estuvieron en prisión en un momento dado, aunque eso no les impedía dirigir su organización criminal. De hecho, la cárcel era su criadero: en el interior se aleccionaba bien a los reclutas, que salían deseando entrar en la banda matando a quien fuera necesario. La iniciación en la HAT requería un cadáver negro; no importaba de quién mientras lo hicieras. Lo que insinuaba Greg, que unos pocos meses después de cumplir dos años de condena en una instalación penitenciaria de Texas Keith Dale volvió al pueblo, donde se produjo la muerte de un hombre negro y de la mujer de Dale en menos de un mes, no se le escapaba a Darren. Le irritó pensar que Greg probablemente ya conocía la posible conexión con la Hermandad cuando hablaron por teléfono pero había esperado hasta que Darren estuviera a mitad de camino del condado de Shelby para añadir esa información. Darren todavía podía darse la vuelta, aunque solo fuera por despecho. Pero la mención de la Hermandad lo espoleó un poco. Volvió a la carretera a ciento treinta por hora, sin darse cuenta. Habría hecho bien en bajar el ritmo, en pensar que su disgusto con los Rangers lo estaba impulsando a toda velocidad hacia algo de lo que no sabía ni la mitad. Pero no lo hizo..., al menos, no entonces.

Cuando cruzó la frontera del condado de Shelby, se quitó la placa y metió la estrella de cinco puntas en la guantera. La puso al lado de una botella medio vacía de Wild Turkey que había olvidado que estaba allí y que tintineó suavemente, un canto de sirena al que no respondió por el momento. Se sentía desnudo sin su amada placa, pero también extrañamente protegido por el anonimato de su ausencia. Sin la estrella no atraería una atención innecesaria, ni anunciaría su presencia a cualquier miembro de la Hermandad del condado, perros rabiosos que siempre están de caza. Y no llegarían tampoco noticias a Houston, donde estaba destinado, de que iba husmeando por allí sin autorización de sus superiores, algo que sabía perfectamente que provocaría el enorme interés de cualquier policía, como texano y como hombre. De hecho, mientras no llevase la estrella de los Rangers, no podían impedirle que hiciera nada de todo aquello. Sin placa, era simplemente un hombre negro que viajaba por la carretera, solo.

Segunda parte

5.

La campanilla de latón situada en la puerta delantera de Geneva Sweet's Sweets vibró suavemente cuando Darren entró en la cafetería. Era una antigua campanilla de trineo atada al pomo de la puerta por una cinta vieja de cuadros escoceses rojos y verdes, con los bordes deshilachados como el espumillón navideño, algo que alguien colocó allí un diciembre especialmente festivo al menos una década antes. Al parecer, la Navidad era la época favorita en el Geneva's. Una guirnalda de bombillas de colores rodeaba la puerta que conducía a la cocina, un poco por detrás de una encimera festoneada también con luces de colores, con el cordón retorcido y pegajoso de kétchup y salsa barbacoa secos, grapado a un contrachapado alabeado. Todos los calendarios de la pared trasera, junto a la cocina, estaban detenidos en el último mes del año, con fotos de flores de Pascua y coronas de piñas y Niños Jesús radiantes, amarillentos ya por el sol vespertino que entraba por los amplios ventanales delanteros de la cafetería. Darren había oído cantar *Noche de paz* ya dos veces a Mahalia Jackson en la máquina de discos junto al reservado en el que llevaba sentado la última hora. El local tendría apenas setenta metros cuadrados, pero la verdad es que hacían bastante negocio para ser una cafetería situada en medio de la nada. El letrero de Lark que

Darren acababa de pasar justo en la frontera del estado decía: «Población, 178». Parte del local de Geneva se había convertido en barbería, una rareza en una sala llena de rarezas y chucherías: matrículas de Texas que se remontaban a cincuenta años atrás, una antigua guitarra eléctrica colgada en la pared e hileras de muñecas hechas de ganchillo en un estante elevado. Un hombre de mediana edad, negro y con pecas, estaba sentado en el sillón de barbero leyendo un tebeo.

Darren había estado en sitios así de niño. Mary's Market & Eats, en Camilla, donde compraba helados de cucurucho, de crío, y llevaba a casa bandejas de siluro frito cuando a sus tíos no les apetecía cocinar. Rochelle's, en Coldspring, vendía una limonada tan dulce que te dolían los dientes, y en verano la cola llegaba hasta el juzgado. Durante generaciones, las mujeres negras de Texas levantaban cuatro paredes, preparaban su receta favorita y hacían dinero con la gente de color que venía de todas partes solo para tener un sitio donde sentirse a gusto. Lo de Geneva era una vuelta al pasado, y Darren se preguntaba si dentro de veinte años existiría ya algún local como ese. Quizá sí, pensó, si la comida era tan buena.

No había comido nada desde el piscolabis que tomó junto a la carretera.

Ocupaba un asiento junto al ventanal, por el cual miraba el pueblo, y tenía a medio comer un plato de frijoles. No había gran cosa, al menos eso le pareció a Darren. Estaba la cafetería de Geneva, y en un ángulo al otro lado de la carretera 59, una casa coronada con una enorme cúpula, vallada por todos lados, con la madera blanquísima e inmaculada. Unos quinientos metros al norte, en el mismo lado de la carretera que el Geneva's, había pasado junto a una cervecería de estilo tradicional, un chiringuito casi todo exterior, con un porche que ocupaba tres de los lados del edificio bajo y cuadrado, con el tejado plano, de madera ya grisácea, negra y podrida en algunos puntos. Las paredes del bar estaban cubiertas de revestimiento de aluminio pintado de un color ocre apagado, y el letrero de neón que lo anunciaba decía: «JEFF'S JUICE HOUSE». Recordaba aquel lugar por el correo de Greg.

Si el pueblo contaba con otras joyas, estaban muy ocultas en medio del campo o bien a lo largo de las estrechas carreteras entre granjas que discurrían casi como cauces hundidos de arroyos secos saliendo de la carretera principal, con sus caminos de tierra roja que serpenteaban entre los pinos y conducían a casas o a caravanas escondidas entre los pinares. Se podía recorrer todo Lark en lo que duraba un estornudo. Darren se había acercado en coche hasta allí y se había dado la vuelta dos veces antes de comprender que no había nada más. Vio dos coches patrulla aparcados frente al edificio del Geneva's cuando se internó en el pueblo, de modo que pensó que la cafetería debía ser su primera parada. Sabía que el *bayou* Attoyac, que formaba el borde más occidental del condado, corría entre los bosques por detrás del restaurante de Geneva.

Un camión blanco se había desviado de la carretera. A través del ventanal, Darren vio su matrícula repleta de bichos: «OHIO, EL CORAZÓN DE TODO». El hombre apareció en la puerta quitándose una gorra de visera del pelo sudoroso y miró a su alrededor, asombrado al ver la media docena de caras negras que lo contemplaban a su vez.

—¿Qué le pongo? —dijo Geneva.

—¿Es esta la única parada de camiones que hay por aquí?

—Hay otra en Timpson, si quiere ir hasta allí.

El camionero se volvió a mirar su vehículo, que bloqueaba la mitad del aparcamiento. El solitario surtidor de gasolina de Geneva quedaba empequeñecido a su lado. Dudaba.

—Pero parece que le vendrá bien comer algo; venga, pase. No se preocupe, le dejaremos sentarse en la barra.

Sonrió y miró a Darren, guiñándole un ojo. Él le devolvió la sonrisa, a su pesar. Habían intercambiado solo unas pocas palabras cuando encargó algo de comer, pero ella le gustó de inmediato. El camionero pidió un bocadillo de carne de cerdo para llevar. Y Darren aprovechó la oportunidad para acercarse a conversar. Se sentó en el otro extremo de la barra, junto a un hombre negro de unos sesenta años y otro más joven que llevaba una camiseta de nailon que decía «Trans-west Allied Trucking».

—Si no le importa que se lo diga… —le dijo Darren a Geneva—. No he podido evitar fijarme en que hay muchos hombres con uniforme por aquí. ¿Va todo bien?

El hombre sesentón silbó entre dientes, cerrando de golpe el periódico que tenía delante, pero no dijo nada. Geneva levantó la vista de la bolsa de papel que estaba llenando con sobrecitos de toallitas húmedas envasadas. Ella tampoco hizo ningún comentario. El que habló fue el joven negro.

—Ha aparecido una chica muerta ahí atrás —dijo, levantando la vista de su móvil y echando un solo vistazo a Darren. Luego, decidiendo que Darren merecía que le contaran toda la historia, añadió—: Una chica blanca.

El camionero de Ohio levantó la vista.

—¿Va a tardar mucho ese bocadillo?

—Tenía un bebé, ¿verdad, Geneva? —dijo el chaval negro.

—¿Quién? ¿Missy? —preguntó el cocinero de Geneva, un hombre con delantal blanco que salía de la cocina con un bocadillo envuelto en papel blanco con el lateral manchado de finos churretes de salsa barbacoa. Colocó el bocadillo dentro de la bolsa de papel.

—Cuatro noventa y nueve —se dirigió Geneva al camionero, ignorando a todos los demás.

El de Ohio dejó un billete de cinco ante la caja registradora y Geneva lo guardó. Unos segundos más tarde, Darren oyó el rugido del motor del camión; el hombre aceleró y volvió a la carretera. Geneva ignoró a Darren y se centró en una pila de correo situado en un cuchitril que hacía las veces de despacho, colocado contra el muro posterior.

—Huxley, ¿tienes algo que quieras enviar por correo?

—Hoy no —respondió el hombre más viejo.

El joven dijo:

—Sí, tenía un bebé, eso dijiste.

—Ya basta, Tim —dijo Geneva. Ordenó pulcramente el correo saliente y lo rodeó con una goma del pelo de color naranja. Parecía decidida a evitar la mirada de Darren. No era uno de ellos, y por lo tanto no tenía derecho a conocer ninguno de los secretos del pueblo.

De acuerdo.

Darren pagó su comida en efectivo, dejando una propina exageradamente grande.

La campanilla sonó tras él cuando salió y se dirigió a su camioneta. Detrás del asiento delantero tenía una bolsa de deporte azul marino. Dentro llevaba una muda, doscientos dólares en efectivo, munición extra para el Colt, un poco de cecina de ciervo que un compañero de trabajo había preparado y ahumado, un cepillo del pelo y un paquete de cigarrillos. Darren no fumaba, pero se había dado cuenta de que la gente suele hacer menos preguntas a un hombre que anda merodeando si lleva un cigarrillo en la mano. Sacó un Camel del paquete y se dirigió a la parte trasera de la cafetería. Detrás del Geneva's había un solar lleno de hoyos, con tierra y malas hierbas, de unos cien metros de largo, que corría hasta la orilla herbosa del *bayou* Attoyac, una extensión plana de agua de tres metros de ancho, color verde musgo en algunos lugares y de un marrón óxido, como un penique viejo, en otros, dependiendo de cómo se inclinasen los árboles bajo el sol. Ni una sola ondulación arrugaba su superficie, y el agua estaba tan quieta como un cristal de color. Era imposible saber la profundidad que tenía el *bayou*, o la vida salvaje que se podía alojar bajo su superficie. Recordó las palabras «estado del cuerpo» y se preguntó lo que significarían, si alguna criatura se habría alimentado quizá de Michael Wright.

La idea le revolvió el estómago, y el rabo de toro y los frijoles se le subieron a la garganta. Volvió la cabeza y vomitó en la hierba, haciendo esfuerzos por contener las arcadas. Entre el olor a pescado del *bayou* y el hedor fétido, enfermizo y dulzón de la descomposición humana, Darren tuvo la sensación de que se iba a desmayar. Se tapó la boca y la nariz. No serviría de nada, nunca servía, pero era un instinto que no se podía evitar. El cadáver ya estaba tapado, pero sabía que era ella. Tenía que serlo. Michael Wright estaba en la mesa de un forense en Dallas. Este era el último lugar de descanso de Missy Dale. Darren calculó la distancia entre la orilla del agua y la puerta trasera de la cafetería, donde el cocinero del Geneva's, el hombre del delantal, se apoyaba contra la jamba, manteniendo los ojos clavados en la escena. Había también una caravana de un tamaño considerable aparcada. Era blanca con ribetes verdes, y mucho más grande que el remolque de su madre, quizá tuviera hasta tres dormitorios.

Quienquiera que viviera allí era probablemente la persona que la había encontrado.

—Dígale a Geneva que tendrá que mantener a su gente fuera de aquí —le dijo un hombre con unos pantalones muy apretados y una placa de sheriff sujeta en su camisa blanca.

Le hablaba a Darren, que se había acercado demasiado al lugar de los hechos. Por instinto, Darren abrió la boca para explicarse, pero se lo pensó mejor y recordó que allí no era más que un hombre corriente. Durante toda su carrera se las había tenido que ver con sheriffs de pequeños pueblos. Más de la mitad del trabajo de los Rangers era al servicio de los cuerpos de seguridad locales, que carecían de recursos para llevar a cabo las investigaciones en profundidad que podían hacer los Rangers de Texas. Algunos daban la bienvenida a los Rangers, en particular a Darren, porque notaban que se manejaba bien con sospechosos y testigos de piel oscura; otros, como aquel hombre gordo de metro setenta de altura que tenía delante, sospechaban de todos los forasteros. De los Rangers todo les parecía mal, desde su holgado presupuesto estatal hasta su jurisdicción entre condados, y su libertad para vagar por ahí, así como el fervor y la admiración que despertaban.

A Darren se le daba bien hacerse el mirón despistado. El día había refrescado, y también su mal genio. Se dio cuenta de que estaba cansado, de que la comida pesada estaba jugándole una mala pasada a su sistema nervioso. En realidad, se permitió a sí mismo pensar en su hogar.

Su casa, en Camilla. O Houston, si Lisa lo aceptaba.

Sabía que la que hablaba era su sed.

Se había desbocado e iba muy por delante de la carreta que se había comprometido a conducir, como un semental salvaje que de alguna manera se hubiera apoderado de las riendas y estuviera llevando a Darren cogido del cuello. Necesitaba una puta copa. Quizá más que resolver un misterio. Podía quedarse por allí hasta que anocheciera, averiguar lo que pudiera para Greg y luego volver a Houston, como le había dicho al teniente Wilson. Quizá sí que fuera interesante la oferta de su tío de una cena y una vuelta por la Universidad de Austin. Quizá no se pudiera permitir rechazar de plano la Facultad de Derecho. Ya casi notaba el sabor del *bourbon* que le esperaba cuando terminara aquel maldito día inacabable. Sería su recompensa por tener una actitud tan abierta hacia su futuro, algo que ni siquiera Lisa podía reprocharle. Notaba la presión de la rendición.

Retrocedió ante una línea invisible en la tierra, justo a unos pocos metros de la puerta trasera de la cafetería, y el sheriff asintió, aprobador. Alguien dijo:

—¿Tiene otro de esos?

Darren se volvió y vio a una anciana negra de pie junto a él. No era más alta que un alumno de primaria, pero iba vestida como un hombre mayor que acaba de descubrir el concepto de género fluido. Al llegar Darren, la mujer estaba viendo trabajar a los ayudantes del sheriff. Entonces levantó la mano, señalando hacia el cigarrillo que él llevaba. Ni siquiera lo había encendido, de modo que se lo tendió, galante. Ella hizo una mueca y Darren buscó el paquete que llevaba en el bolsillo, y sacó uno nuevo para ella.

—Eso es —dijo la mujer. Ni siquiera le pidió que lo encendiera, sino que sacó un encendedor de su propio bolsillo. Era pequeño, de plástico, con un cocodrilo bailando impreso en un lado. Se encendió el cigarrillo y luego hizo señas a Darren de que se acercara para encender también el suyo. Lo miró por encima de la llama y dijo:

—¿Quién es usted?

—¿Perdón?

—No le había visto antes por aquí.

—Estoy de paso.

—Pues ha elegido un buen día —dijo ella, señalando hacia la macabra escena.

—Ya lo veo —asintió—. ¿Qué ha pasado?

La mujer escupió una hoja de tabaco descarriada al suelo y luego tiró de los dos costados de su chaqueta, arreglándoselos con mucho cuidado, como si estuviera a punto de dar las noticias de las diez.

—Un horror, eso es lo que ha pasado. Primero fue aquel que vino por aquí la semana pasada, el miércoles, creo que dijo Geneva, y que acabó muerto el viernes, dicen que ahogado. Y ahora esta chiquilla, alguien le ha hecho Dios sabe qué barbaridad —dijo, señalando el cuerpo, un bulto de metro cincuenta tapado con un plástico blanco. Mechones pegoteados de pelo rubio asomaban por un extremo.

—¿Estuvo aquí Michael Wright? —preguntó.

No se le había ocurrido pensar que iba precisamente siguiendo los pasos al hombre. Si a la mujer le parecía raro que Darren conociera su nombre completo, no dijo ni una palabra.

—Lo encontraron mucho más al norte. Detrás de la cervecería.

—Pero estuvo aquí. Usted dijo algo del Geneva's.

—¿Dónde si no iba a ir un hombre negro en este pueblo?

Darren asintió, señalando hacia la caravana.

—¿Quién vive ahí?

—Geneva —dijo la mujer, dando una calada al tabaco—. Alquila alguna habitación a veces, porque está a diez kilómetros del motel más cercano, y guarda algunos artículos ahí y algunas de las cosas de Joe, de cuando hacía la carretera.

—¿Joe?

—Será mejor que no le diga a nadie de por aquí que no ha oído hablar nunca de Joe Sweet.

Una sombra cayó sobre su rostro al tiempo que Darren sentía una presencia a su espalda, un olor a loción para después del afeitado y a tónico para el pelo que llegó flotando por encima de sus hombros. Al volverse vio a un hombre blanco muy corpulento que se había acercado a ellos. Medía casi metro noventa con botas, tenía la cabeza ancha y el pelo negro peinado con un tupé que clareaba un poco y canas en las sienes. Llevaba un cigarrillo en la mano y una sonrisa vaga adornaba su rostro, incapaz de ocultar su perversa excitación por los horribles hechos que acababan de producirse en el pequeño pueblo.

—Parece que tenemos un asesino en serie entre manos —dijo, sacudiendo la ceniza de la punta de un Marlboro Red. Llevaba un anillo de casado con un diamante incrustado más grande que el de Lisa. Dirigió una mirada de reojo en dirección a Darren, no vio nada de interés en él y siguió mirando a los ayudantes del sheriff.

—¿Quién ha oído hablar alguna vez de un asesino en serie negro? —dijo la mujer.

—¿Así que cree que el asesino es negro?

—¿No es eso lo que piensa usted? —Dio una calada a su cigarrillo hasta apurarlo del todo.

—Aparece una chica blanca a cien metros del lugar con más negros del condado de Shelby. ¿Qué le parece?

—Creo que eso explica por qué el sheriff ha venido aquí a toda pastilla.

—Es una chica de la localidad, Wendy. Es distinto.

—Es una chica blanca. Por eso es distinto.

Geneva los miraba a todos desde la puerta de atrás, de pie detrás del cocinero, que tenía los brazos cruzados ante el delantal manchado y los labios muy apretados, formando una línea, lleno de irritación, mientras contemplaba al sheriff y a sus hombres. Los ayudantes del sheriff tomaban notas: miraban de vez en cuando al Geneva's y apuntaban cosas. Darren había visto la expresión de la cara del cocinero en otros hombres negros, ese cansancio y esa impaciencia por terminar con todo aquello, con los cacheos, las amonestaciones, los interrogatorios, el inevitable momento en primera plana. Lo que siempre supiste que iba a pasar.

Y efectivamente el sheriff subía entonces, haciendo señas primero al hombre blanco que estaba al lado de Wendy.

—Wally, va a tener que dejar que hagamos nuestro trabajo aquí fuera.

—Claro, Parker —dijo Wally.

Los hombres se llamaban todos por el nombre, y la deferencia parecía ir en el sentido equivocado. A Darren le pareció indecorosa la forma que tuvo el sheriff de inclinar la cabeza hacia Wally, como un colegial nervioso que comprueba si no ha pisado ningún pie. El sheriff hizo entonces una seña hacia la parte trasera de la cafetería y dijo:

—Geneva...

Esta le dedicó un gesto escueto.

—Sheriff Van Horn.

—Será mejor que me haga esa lista en cuanto pueda, mientras aún lo tenga todo fresco en la memoria. Los que recuerde que estaban aquí anoche, y si a alguno no lo conoce por su nombre, puede hacernos una descripción. Pero necesitamos esa lista ya.

Wendy habló.

—Joder, todo el mundo sabe que Missy salió de la cervecería de Wally anoche.

—No sabemos nada en este preciso momento.

—Wendy, déjales que hagan lo que tienen que hacer ahí detrás —dijo Geneva—. Cuanto antes terminen aquí, mejor será para todo el mundo. ¿Ha llamado a sus padres, sheriff? —dijo, en voz baja—. Tiene un hijo, ¿sabe?

—Ya lo sé. —El sheriff Van Horn suspiró y se pasó la mano por el pelo escaso. Tendría unos cincuenta y tantos años, era achaparrado y parecía un jugador de béisbol envejecido, con el cuello grueso y la espalda ancha—. Su gente está en Timpson, pero mis hombres están intentando contactar con ellos. Keith ha salido de la fábrica en cuanto lo ha sabido. Necesitamos una identificación como es debido del cuerpo, así que...

Geneva tembló un poco, pero su voz sonó firme.

—Es ella.

—De la familia, señora. Necesitamos que la identifique la familia.

—Claro —asintió Geneva, con la cabeza tan pesada como si cargara un haz de leña en el cuello, y Darren supo de inmediato que había sido ella quien la había encontrado. Van Horn volvió al trabajo que tenía entre manos, incluido atender la camioneta del forense, que acababa de llegar dando una vuelta ante la cafetería y que tocaba la bocina para avisar a los ayudantes del sheriff de que se apartaran del camino, mientras avanzaba dando botes por el terreno desigual. Wally miró la macabra escena que se desarrollaba ante él, y luego se volvió y se dirigió hacia la cafetería.

—Siento mucho todo esto, Geneva, de verdad. No había ninguna necesidad de todo este jaleo —dijo, sugiriendo que habría jaleo seguro, obedeciendo a unas normas que ninguno de ellos había escrito—. Ya sabes que intentaré protegerte todo lo que pueda.

Y se dirigió hacia la puerta trasera del café.

Geneva levantó una mano para detenerlo y le dijo:

—No, no vas a entrar por la puerta de atrás como si esto fuera tuyo. Da la vuelta por delante, como todo el mundo. Me da igual quién fuera tu padre.

6.

Darren entró por la puerta delantera de la cafetería unos pasos por detrás de Wally, que cogió el único asiento libre ante la barra. Pero no se sentó, solo se quedó allí de pie, como un oso que hubiera encontrado comida en el bosque. Había algo de terrateniente en su postura firme, sus botas de avestruz plantadas en el suelo de linóleo y separadas medio metro, sus manos gruesas, con manchas de vejez, agarrando el borde de la barra. Tim, el camionero joven, se alejó de él todo lo que pudo, deslizando su taburete hacia un reservado abierto junto al ventanal, y dejó al viejo Huxley mirando a Wally a través de los cristales de sus gafas de leer. Geneva, sin hacer siquiera una seña a Wally, le puso una taza de café vacía delante y le sirvió con una jarra con la tapa naranja que estaba junto al expositor de cristal, que contenía pastelitos, madalenas y empanadillas fritas que a Darren le recordaron las que compraba de niño, gorroneando cinco centavos. Wally le dio las gracias por el café y Geneva le dirigió un gesto ligero pero amistoso. A Darren le sorprendió mucho la peculiar sintonía que había entre los dos. Mientras Wally buscaba la cartera para pagar, Geneva ya había contado el cambio para los veinte que sabía perfectamente que se materializarían en la pinza de plata para billetes de Wally. Todo respondía a una familiaridad a la vez muy gastada y reservada.

Wallace Jefferson III, como averiguaría al final Darren, era el dueño de aquella casa de ladrillo rojo que estaba al otro lado de la carretera y que tenía vistas a Geneva Sweet's Sweets desde su salón delantero.

—Es una lástima todo esto —dijo Wally, con la voz envuelta en nicotina—. Esta carretera está empezando a atraer todo tipo de desechos. Ya te digo que a Van Horn y sus hombres no les gusta nada que esa chica haya aparecido en tu jardín. Aquí viene gente de toda clase, camioneros que llegan de muy lejos, Chicago, Detroit, y bajan a Laredo. Cualquiera puede haberlo hecho. Dicen que es posible que hayan violado a Missy...

—¿Puede prestarme un teléfono? —preguntó Darren.

—¿Y qué le pasa al que tiene en la mano? —dijo Geneva, señalando su móvil. Su afecto anterior, que tan generosamente le había entregado cuando le sirvió la comida, había desaparecido. Ahora lo miraba como si no consiguiera entender por qué seguía allí todavía. Había comido y había pagado, y no era pariente suyo, ni amigo. Estaba muy ocupada rellenando con sal y pimienta unos saleros, presa de un repentino mal humor, como una riada instantánea. Le dijo:

—No tengo batería.

—Algún día se nos quedará el cerebro sin batería con todas esas cosas —dijo Wendy, saliendo de la cocina. Había entrado con Geneva por la puerta trasera y tomó asiento en una de las sillas de vinilo con respaldo que estaban en un rincón, detrás del mostrador, con un suspiro. Geneva señaló con un pimentero un teléfono público que estaba escondido en un rincón de la cafetería, detrás de una cortina de poliéster con dibujos de patos. Darren le dio las gracias y atravesó la sala, y tuvo que decir «perdón» dos veces antes de que Tim moviera sus botas de trabajo, que sobresalían de su reservado, para dejarlo pasar. Tim había captado la frialdad que mostraba

Geneva hacia Darren, y quizá decidió respaldarla o algo por el estilo. Se tomó su tiempo para despejar el paso y que Darren pudiera seguir.

Detrás de la cortina, en un pequeño estante de madera, se encontraba un listín telefónico de Timpson y alrededores, muy delgado, como un álbum anual de la escuela primaria, tal y como Darren había supuesto que sería. Era mejor consultar un listín que alertar al pueblo entero de que estaba buscando a alguien. Fue pasando las páginas en busca de Keith Dale, marido de Missy Dale y antiguo residente de la prisión estatal de Huntsville, en Texas, una de las más peligrosas cunas de la Hermandad Aria de Texas. Era una pista muy poco sólida para un homicidio doble, más una especulación que algo que justificase una orden de búsqueda. Allí no podía hacer gran cosa sin la placa, y entonces echó de menos su poder.

Recordaba la primera vez que había visto una de cerca.

Darren tenía doce años cuando William Mathews se convirtió en uno de los primeros *rangers* negros de Texas en los casi doscientos años de historia del cuerpo. Un día que estaba jugando con pistolas de agua con los chicos de los Gatney, los vecinos de al lado, su tío apareció con su camioneta GMC azul y le hizo señas. Tenía que recoger un par de archivos de documentación de la oficina del sheriff, en el cercano Shepherd.

—Ven, acompáñame, hijo.

Las piernas húmedas de Darren se pegaban al asiento de vinilo del coche. Miraba el arma que llevaba su papá al costado, un 357 con la empuñadura de nogal auténtico, tan pulido que reflejaba el sol que entraba por la ventanilla del pasajero mientras recorrían la parte sur del condado. William estaba recién casado y lo habían destinado a Huntsville, mientras él y Naomi criaban a su familia en Houston. Clayton, enamorado de Naomi desde que los tres estaban en la facultad, la cortejó durante años, pero perdió aquella competición romántica ante su gemelo idéntico, que estaba en la Facultad de Derecho. «Lo siento, Clay», le dijo Naomi cuando William y ella anunciaron su compromiso. Clayton dejó de hablar a su hermano y casi echó a William de la casa de Camilla, donde ambos habían nacido. William añoraba a su primogénito, como llamaba a Darren, a quien no se le había permitido asistir a su juramento con los Rangers.

Escuchaban una cara de un álbum de John Lee Hooker en la pletina, y William le prometió una Coca-Cola helada de la tienda del pueblo. Darren estaba muy orgulloso y saludaba a la gente cuando pasaban, a esos chicos que no tenían por tío a un *ranger*. Pero se puso visiblemente tenso cuando pasaron ante el cartel de la carretera de Shepherd: «POBLACIÓN, 1.675». Toda su vida le habían dicho que debía evitar aquel sitio, que desde que sus tíos podían recordar había sido un reducto del Klan en el condado. Advirtieron a Darren de que no se le ocurriera siquiera aventurarse en bicicleta por ninguna carretera que condujese a Shepherd.

Pero la placa lo cambiaba todo.

Los ayudantes blancos del sheriff del pueblo se quedaron pasmados cuando William entró en la oficina. Y le mostraron una deferencia que Darren jamás había visto en hombres blancos. No tenían elección: William los superaba en rango a todos ellos, hasta el último. Darren seguía creyendo que su tío lo llevó a aquella pequeña excursión para demostrarle el poder de la placa de los Rangers. William suponía incluso que ganaría la batalla contra Clayton para que Darren asistiese a la Facultad de Derecho, igual que había ganado la batalla de Naomi.

Darren le oyó decir a Tim:

—No dejaremos que nos carguen con esto.

—¿Quién es ese «nosotros», chico? —dijo Wally—. Tú eres de Houston, ¿no?

—Ojo con llamarme «chico»...

—Sois muy susceptibles —se quejó Wally, mirando a la media docena de negros que estaban en la cafetería—. Eso es lo que se teme Van Horn, que uno de vosotros se haya callado algo sospechoso sobre ese otro tío, el que se ahogó...

—Querrás decir el que fue asesinado —dijo Geneva.

—No hay ni una puñetera prueba de eso, y lo sabes.

—No sabemos nada. No nos cuentan nada.

Darren encontró una dirección de Keith Dale, pero al no tener orden judicial, no había forma legal de entrar en la casa de ese hombre. Un negro curioseando por allí sin placa era allanamiento de morada seguro. Notó otra punzada de incertidumbre por haber acudido a aquel lugar. ¿Qué demonios pensaba que podría conseguir? Estaba inhabilitado, por el amor de Dios. Sin placa no era nadie. «Vuélvete a casa».

Pero la sed también le susurraba. Se presentaba a las cinco en punto, y no estaba seguro de poder hacer todo el camino hacia Houston sin tomar algo para hacerlo más llevadero. Un trago, quizá dos, como máximo.

—No hemos tenido nada parecido por aquí desde que murió Joe —dijo Huxley.

—¿Cuál de los dos?

—Ya vale, Tim —lo acalló Geneva rápidamente.

—Un asesinato —dijo Wally—, y luego un montón de gente husmeando por aquí para echarte de mala manera. Hazme saber que estás dispuesta a hablar. Mi oferta sigue en pie. Me aseguraré de que sigues formando parte de todo esto.

—Si hubiera querido venderte este local, lo habría hecho hace mucho tiempo.

Darren la interrumpió, ocupando el espacio entre Huxley y Wally, con los codos en la barra de formica. Intentó mirar a los ojos a Geneva antes de irse; su educación se lo exigía, por su tiempo y su comida. Además, si ella estaba haciendo listas de clientes que salieron o entraron de su local en los últimos días, quería que lo recordaran como alguien absolutamente inofensivo. Para ser un hombre que viajaba sin el permiso de sus superiores, ya había atraído más atención de la que le habría gustado.

—Gracias, señora.

Geneva no respondió.

Wally dijo:

—Le he dicho a Laura que le llevaría algo.

—Tenemos de melocotón y de manzana con mantequilla. —Geneva señaló las empanadillas fritas que estaban en el expositor—. ¿Cuántas quieres?

—Cuatro de melocotón y dos de manzana con mantequilla.

Ella levantó la gruesa tapa de cristal del expositor.

—Las de manzana con mantequilla son un experimento. No te las cobraré.

De nuevo Geneva tenía ya el cambio contado y preparado antes de que Wally pudiera sacar otro billete de veinte, que elegía siempre, parece ser, fuera cual fuese el importe de la cuenta. Darren se preguntaba si no tendría una montaña de billetes de cinco y de diez sin usar en la cabina de su coche de setenta mil dólares, con la pegatina del concesionario todavía en el parabrisas, con el que había recorrido los veinte metros que había más o menos desde su puerta hasta la cafetería de Geneva. Fuera, Darren pasó junto al Ford negro F-250 de Wally, tan brillante que veía su propio reflejo, su expresión demacrada al final de un día que había empezado con gran rectitud moral. Se subió a su Chevy de nueve años, puso en marcha el motor y enfiló la carretera 59, en dirección a la cervecería. La chica, Missy Dale, trabajaba allí, de modo

que Darren todavía podía convencerse de que estaba intentando hacer algo positivo, de que seguía buscando hasta debajo de las piedras.

7.

Se aseguró de llamar a Lisa antes de tomar la primera copa.

Estaba en su camioneta, en el aparcamiento de la cervecería, y el sol poniente calentaba la ventanilla trasera de la cabina de la Chevy. Al día siguiente empezaría de nuevo. Esas palabras eran las que pensaba decirle a su mujer. Practicó mientras contaba los pitidos que le perforaban el oído sin saber si ella lo cogería al final. Estaba todavía en el trabajo, una excusa muy buena para ignorarlo. Pero Darren sabía que Clayton probablemente habría llamado a Lisa en cuanto acabó de hablar con él aquella mañana, y que su tío le habría contado de inmediato a Lisa lo de Darren. «Está listo». Darren solo tenía que decirlo en voz alta. Su relación había sido así desde el principio, una línea recta entre dos personas que a menudo se convertía en triángulo, por lo que respectaba a su tío Clayton. Su tío dio su aprobación a Lisa casi desde el momento en que Darren la llevó a cenar en su Toyota Tercel de segunda mano a la casa de Camilla, cogiéndola de la mano en cuanto puso el coche a toda velocidad. Darren quería que Lisa viera quién era él cuando estaba en su ambiente: un chico de campo criado a la sombra de los pinos que nunca había tenido caballo propio, pero sabía montar cualquiera que le pusieran delante; un chico que había jugado con el barro en el porche trasero con su prima Rebecca cada Navidad; un chico que ya sabía disparar con una escopeta del 12 años antes de que le cambiara la voz. Los padres de Lisa tenían una segunda residencia en Santa Fe. La familia de Darren tenía la antigua casa de Camilla, y estaba tan orgulloso de compartirla con su chica como los pavos reales salvajes que corrían por los bordes de la propiedad. Lisa sonrió y comió cerdo al estilo local, unas partes del animal que hasta entonces ella desconocía, y quitó el polvo del banco de metal verde del porche antes de sentarse a comer; él la quiso mucho por el esfuerzo que estaba haciendo, confundiéndolo con una semilla que germinaba, con una pasión por vivir en el campo que había brotado bajo su cuidado. Años más tarde ella se rio cuando él sugirió que vivieran allí algún día. Clayton, que había acudido en coche desde Austin, donde vivía durante los semestres de otoño y primavera, pensaba que Lisa era perfecta para Darren. Y si hubo alguna duda durante la accidentada carrera de Lisa y Darren hacia el matrimonio (estudios en universidades distintas), Clayton siempre le dijo a Darren que aguantara los tiempos difíciles. «No encontrarás otra chica como ella». Darren lo aceptaba como un cumplido hacia Lisa, pero también como una leve duda del potencial de Darren como marido. Él también creía que nunca encontraría a nadie que lo quisiera como Lisa.

—Darren… —dijo ella al responder.

Dijo su nombre como un suspiro, pero era un sonido que estaba más cerca del alivio que de la exasperación. Él oyó que algo resonaba contra el teléfono, luego el beso del silencio, y supo que ella se había quitado el pendiente. Se estaba preparando para hablar con él, un hecho que lo dejaba completamente desarmado.

—Te echo de menos —dijo, y las palabras salieron solas, como cuentas que se hubieran deslizado entre sus dedos torpes, esparciéndose por todas partes. En el silencio que siguió, ambos parecían contener el aliento.

—Vuelve a casa —exclamó ella.

Lo dijo con tanta facilidad que él no supo qué decir, ni si podía confiar en ello.

—Fue un error pedirte que te implicaras menos con Mack de lo que habías jurado hacerlo por cualquiera que te necesitara. Es el trabajo —dijo ella. Acabó sonando más como una acusación que como una concesión—. Es que estaba asustada. Sigo estando asustada. No quiero perderte.

Pero eso no era verdad, él había llegado a esa conclusión en aquellas semanas que habían pasado separados. Lo que no quería Lisa era «compartirlo»: con el deber, con las llamadas nocturnas, con todo el estado de Texas, con desconocidos a los que él había jurado proteger.

Él sabía que no debía amarla más por eso, por ese nudo de mezquindad que tenía su mujer en el corazón, por esos aspectos de su vida que quería solo para ella, pero lo hacía.

—Si te pasara algo… —dijo Lisa, incapaz de acabar la frase.

—Es mi trabajo —repitió las palabras de ella.

—He sido demasiado rígida. Lo sé.

En el fondo sabía que ella solo lo decía porque pensaba que había acabado con los Rangers, pero no le importaba. Llevaba semanas esperando oír esas palabras, incluso podía cambiar su placa por ellas.

—Te quiero, Lisa.

Ella no era la única mujer con la que había estado; fue un universitario hambriento de sexo durante muchos años, con una novia a más de mil seiscientos kilómetros de distancia. Ocurrieron cosas que ambos estuvieron de acuerdo en no comentar nunca. Pero ella era sin duda la única mujer a la que había amado. Tampoco hacía ningún daño que Clayton la adorase también.

Se sintió algo violento al darse cuenta de lo mucho que le importaba.

—Lo de beber no me gusta nada —dijo ella, ofreciéndole una condición.

—Lo tengo controlado —respondió él, sentado en el aparcamiento de un bar.

Quería echar un vistazo a su alrededor, por su propia paz mental, antes de abandonar aquel pequeño pueblo. Y no se puede entrar en un bar y no beber nada. Necesitaba algo de atrezo, al fin y al cabo. Un *bourbon* delante era como el cigarrillo en el jardín de Geneva, solo que esta vez sí que iba a tragarse el humo.

—Hay algo aquí que tengo que terminar.

—¿Dónde estás?

—Haciendo un trabajito para Greg.

—Greg —dijo ella, una sola sílaba, dura como una piedra.

Darren no se molestó en indagar qué ocultaba aquel tono helado. Estaba demasiado cerca de conseguir sus propósitos. Le explicó sus planes: devolvería su placa al día siguiente, como esperaba el teniente Wilson, y ya verían lo que pasaba luego, si Mack era acusado o no, y qué suponía eso para Darren. Lisa no dijo una palabra sobre la Facultad de Derecho, no mencionó nada más allá del día siguiente, y la quiso mucho por eso. Le dijo:

—Yo también te quiero.

Estaba tan contento que casi pensó en renunciar a entrar en el bar y volver en aquel mismo momento. La carretera 59 lo conducía directo hasta Houston. Podía llegar a tiempo para ver uno de esos programas que le gustaban a Lisa, *Scandal* o *Real Housewives* o lo que fuera. Pero no, tenía una copa esperándolo.

Había estado en baretos de mala muerte muchas veces en su vida: se enamoró de la capitana de un equipo de animadoras en segundo curso, antes de que Lisa y él fueran en serio, y pasó casi todos los fines de semana de aquel semestre de otoño quemando gasolina para acudir a un bar de *country* en Victoria, casi a dos horas de distancia del pueblo, donde los chicos de su instituto podían beber sin que nadie les hiciera preguntas. No aprendió nunca los bailes en línea ni consiguió nada más que un besito en la mejilla por parte de la chica, que le dijo que era muy mono pero que su padre la mataría si le llevaba a casa a un tipo negro. Los chicos blancos de su instituto, sin embargo, se portaron bien con él. Lo dejaban sentarse a su mesa, incluso lo invitaban a alguna cerveza. El problema era todo lo demás. Las mujeres que ponían gesto de fastidio si se acercaba demasiado en la pista de baile, los hombres que se aseguraban de darle un pequeño empujón cada vez que pasaban, murmurando «negro» o «moreno» en un tono de voz lo suficientemente alto para que él pudiera oírlos, las miradas que recibía, los ojos amenazadores atisbándole por debajo de la visera de sus gorras y del ala de sus sombreros vaqueros. Sintió esos mismos ojos en aquel momento, al entrar en la Jeff's Juice House.

Se estaba jugando una partida de billar.

Al menos era así hasta que entró Darren.

Absolutamente todos los jugadores que se encontraban en torno a la mesa de fieltro, vestidos con vaqueros manchados de grasa (uno de ellos con una camiseta de Ted Cruz 2016), se quedaron muy tiesos y quietos, con los tacos en la mano, mirando al hombre negro que acababa de entrar en el bar. El interior de la cervecería era como una sala de juegos enorme, con una mesa de billar, dos máquinas del millón de fútbol, un tablero de dardos y una gramola que, a diferencia de la antigua del Geneva's, funcionaba con CD. Y música *country*, claro. George Strait cantaba: «Easy come, girl, easy go». La bandera *Dixie* se exhibía por todas partes, sujeta a las paredes junto a carteles de la carretera y de los espectáculos de Luke Bryan y Lady Antebellum en Houston y Dallas. La clientela era exclusivamente masculina, y había una camarera pechugona de guardia. Era una mujer de más de cuarenta años, con el pelo escaso color castaño oscuro y una cara atractiva estropeada por lo que parecía un acné tardío o bien un signo revelador de la metanfetamina. En el este de Texas había una expresión para referirse a las mujeres como ella: «Muy trabajada».

Se acercó a la barra y pidió un *bourbon* solo, y ella no perdió ni un momento en expresar con palabras la animadversión que procedía de todos los rincones del bar.

—¿Se ha perdido? —preguntó.

—En absoluto —respondió él, levantando la cadera izquierda para subirse a un taburete de la barra, asegurándose de enseñar la pistolera en la que llevaba la 45. La camarera transigió, con una mueca. Darren la observó mientras le servía el licor, asegurándose de que no se desbordara ni una gota. Después de que ella empujara la copa hacia él, él levantó el vaso y dijo:

—Por el derecho a llevar armas.

Dejó un billete de veinte en la barra para demostrar que pensaba quedarse un rato y luego se volvió y buscó un sitio en el fondo de la sala.

Había otra chica sirviendo, una camarera vestida con unos vaqueros cortados y una estrecha camiseta de la Jeff's Juice House, el mismo uniforme que seguramente llevaba Missy cuando estuvo trabajando allí la noche anterior. Echó un vistazo a los hombres congregados en el bar, con edades entre los diecinueve y los cincuenta, y pensó en la energía que llenaba aquella sala, el olor a cigarrillos y a sudor, la exhibición de tetas y culos. Tetas en bicicleta, en el capó de un Corvette. Había fotos de chicas semidesnudas por todas partes. Quizá ninguna mujer estuviera a salvo si se quedaba allí sola. Había que tener en cuenta, le diría a Greg, que, si conseguía una copia de las autopsias, seguramente podría hacer mucho más por Michael Wright y Missy Dale de lo que podía hacer Darren pateando el polvo de aquel pueblo. Se arrellanó en el asiento y dejó que el *bourbon* fuera corriendo por sus venas como mantequilla caliente; todo se suavizó. Detrás de él se abrió la puerta del baño, y como no le gustaba tener expuesta la espalda, se volvió y, para su gran sorpresa, vio, conmocionado, no solo que la cervecería tenía un baño de mujeres, sino también que la mujer que salía de él era negra.

Se limpiaba algunas gotas de agua de la cara. Las gotas oscurecían hasta un tono caramelo el color crema del abrigo que llevaba, una prenda que, si uno tenía un poco de sensatez, no llevaría jamás en un lugar como aquel. Estaba pálida, casi gris, y llevaba un bolso negro Furla apretado contra el costado mientras avanzaba entre las mesas pegajosas, sin establecer contacto visual con nadie, ni siquiera con Darren, que ni por un instante apartó la mirada de ella. Solo unas pocas veces en la carrera de un policía se tiene la certeza que en aquel momento invadió a Darren.

«Se le ha notificado a la esposa».

Se sentó sola en una mesa del otro lado de la sala y no habló con nadie, sino que se limitó a mirar a su alrededor (las banderas confederadas, los hombres blancos que se daban codazos unos a otros en su presencia, los platos llenos de cerdo, judías y tostadas del tamaño de un libro de texto) como si estuviera intentando leer los letreros de la calle en un país extranjero, como si no supiera dónde estaba, o cómo había llegado hasta allí. Darren se levantó de inmediato, casi sin pensar. Hasta que llegó a su mesa y ella levantó la vista hacia él no con alivio, sino confusa, no recordó que no llevaba la placa, y que su papel allí era limitado.

—¿Está usted bien? —le preguntó.

Su respuesta se perdió entre la música, los juegos electrónicos y los dos televisores en que ponían *Monday Night Football*. Él se sentó frente a ella y la vio estremecerse. Dijo su nombre desnudo, sin título alguno. Ella asintió y dijo algo que él tampoco pudo entender, de modo que se inclinó hacia delante, lo bastante cerca para apreciar la piel flácida bajo sus ojos, que estaban rojos y húmedos. Ella meneó la cabeza y dijo:

—No sé por qué estoy aquí.

Y se puso de pie a toda prisa, tirando un vaso de agua con el borde de su bolso. El agua formó pequeñas olas a través de la mesa y aterrizó en el regazo de Darren.

—No tendría que haber venido —dijo ella, dirigiéndose hacia la puerta que conducía al porche y al aparcamiento. Darren le cogió la mano y se puso de pie para seguirla al exterior.

—No me toque —dijo ella, soltándose de un tirón.

A esas alturas ya habían montado una escena.

La camarera hizo una seña a un tipo con camisa negra y gorra de los Steelers en el extremo de la barra. Este descruzó sus brazos enormes y tatuados y se dirigió hacia ellos. La mujer de Michael Wright pasó junto a Darren y se dirigió a la puerta delantera. Él la siguió unos pasos por detrás, persiguiéndola a través de una sala llena de hombres que los miraban.

Fuera, la música se fue desvaneciendo; un camión que se dirigía hacia el sur pasó rugiendo junto a la cervecería y envolvió el aparcamiento en una nube de gases del tubo de escape. El sol había desaparecido, el letrero de neón del bar pintaba el suelo con un color ámbar y blanco azulado, y el nombre de la cervecería se reflejaba en los parabrisas de las camionetas aparcadas delante.

Darren estaba en el último escalón del porche cuando oyó el sonido de las botas tras él. Se volvió y vio al tipo grandote con la gorra de los Steelers, que ahora custodiaba la puerta principal.

—Fuera —dijo, con una pronunciación cerrada, ahuyentándolos como si fueran perros callejeros—. Los dos, váyanse de aquí cagando leches.

Darren recorrió con la mirada el aparcamiento, buscándola.

—No quiero problemas —se dirigió al hombre de la camiseta negra.

—Pues está en el lugar equivocado.

El hombre dio un paso al frente, justo para que le alcanzara la luz del letrero de neón, lo suficiente para que Darren viera los tatuajes que llevaba en los brazos. Contó al menos tres marcas que auguraban problemas. Emblemas gemelos en ambos bíceps, subrayados con negro, coronados con las letras H y A y atravesados por una daga en forma de T de la que caía una gotita de sangre. Un par de relámpagos de las SS en la muñeca.

La puerta que estaba detrás del tipo grandote se abrió y aparecieron cuatro hombres más en el porche. Darren reconoció al menos a uno de ellos de la partida de billar interrumpida. Dos de ellos eran robustos. También lo era Darren, claro, pero le superaban mucho en número. Sabía que cualquier gesto hacia su pistolera haría que lo mataran a él y quizá también a la mujer de Michael Wright en cuestión de segundos. Entonces ella apareció detrás de él.

—Quiero saber qué pasó —dijo, con una voz más recia que antes. Hablaba a los hombres que hacían guardia frente a la cervecería. En su frase había implícita una acusación. Darren se dio cuenta y supo que la gente del porche también lo había hecho. Levantó un brazo para evitar que ella se acercara más a los hombres, que la cortarían en pedazos en cuanto le echaran la vista encima.

—Alguien sabe algo —dijo ella.

Chicago, recordó Darren.

«No tiene ni idea de dónde está».

Iba vestida con una ropa que, como sabía Darren al vivir con Lisa, costaba mucho dinero, incluyendo el abrigo de cachemir color crema. Hacía frío para ser octubre, según los estándares de Texas, pero el abrigo era demasiado, y ella estaba empezando a sudar; aquel tono grisáceo de su piel se le extendía por el rostro desde el pelo. Lo llevaba suelto, formando ondas, en una melena corta que se ahuecaba con la humedad. Él la miró directamente a los ojos, que eran redondos y grandes, y del mismo tono ámbar que él encontraba muchas noches en una botella.

—No lo haga —susurró Darren.

—Alguien tiene que haber visto algo —dijo ella. Ya habían aparecido las lágrimas, dos ríos gemelos que bajaban a los lados de su rostro—. ¿Qué le hicisteis?

Pasó al lado de Darren y se dirigió al pie de la escalera, donde se encontró con uno de los hombres que jugaba al billar. Tenía treinta y pocos años, con los ojos de un azul hielo bordeados de rojo y desesperados, disparando su propia rabia y sus lágrimas bajo la visera de su gorra de béisbol. No permitiría que ella siguiera hablando, y para evitarlo tenía que ponerle las manos encima. Levantó la mano como si fuera a cogerla.

—¡Keith!

El hombre robusto de negro bajó las escaleras con estruendo, acercándose a él por detrás, y le puso una mano en el hombro al hombre más menudo para sujetarlo. «Keith». Aquel nombre hizo que se le erizara el vello a Darren. ¿Sería Keith Dale?

—Señora, tiene que dejar de chillar y escuchar a su marido —dijo el hombre tatuado y vestido de negro, haciendo suposiciones precipitadas sobre la pareja que tenía delante. Detrás, uno de los hombres armados levantó el faldón de su pistolera mientras bajaba también los escalones. Según los cálculos de Darren, la noche estaba a unos sesenta segundos de coger un cariz muy malo. Aquella mujer no parecía comprender en absoluto qué significaban aquellos tatuajes. Pero sí que vio y comprendió las armas, y, por primera vez, Darren notó que retrocedía tras él. Tenía que sacarla de allí inmediatamente, alejarla de aquellos hombres, así que saltó con precipitación, provisto de repente de un objetivo físico para su rabia, una mujer negra que hablaba demasiado. La camioneta de Darren estaba lo bastante cerca, y le dijo:

—Entre.

La cogió por el codo, guiándola a la Chevy.

—Tengo un coche alquilado.

—¿Dónde?

—He aparcado...

Examinó el terreno, como si no recordara cuál de aquellos turismos americanos era el suyo. Ford, Chevy, Chrysler..., todos le parecían iguales. Estaba aterrorizada y confusa y no sabía hacia dónde ir porque las lágrimas lo emborronaban todo.

—Déjelo.

Al abrir la puerta del pasajero de su camioneta, ella le dijo:

—No pienso meterme en un coche con usted.

Le temblaban las manos mientras buscaba las llaves del coche alquilado.

Él se inclinó en el interior de la cabina de la Chevy y abrió su guantera para que, a la luz de la cervecería, su placa brillara. Desgranó las palabras familiares, y notó la misma oleada de reafirmación que la primera vez que las dijo.

—Me llamo Darren Mathews, señora. Y soy *ranger* de Texas.

8.

Se llamaba Randie Winston, y había recibido la llamada tres días antes. La había llamado su agente, en realidad, que la había encontrado en Saint Albans, a las afueras de Londres, donde trabajaba haciendo unas fotos a doble página para la edición británica del *Vogue*. Desde entonces viajaba sin parar: tren a Londres, luego un vuelo de cuarenta y ocho horas a Nueva York, donde tuvo que cambiar de avión para seguir hasta Dallas porque le habían dicho que estaba más cerca de la oficina del sheriff del condado de Shelby, donde tenía que reunirse con el sheriff Parker Van Horn. Pero no fue el sheriff quien la saludó en la diminuta estación de Center, en Texas (un viaje de tres horas, además de las doce que llevaba ya viajando), sino un ayudante de sheriff que no podía tener más de diecinueve años, con el anillo del colegio en la mano derecha, clavado en el dedo por los kilos que había ganado desde la graduación. Se estaba comiendo un perrito caliente con chile de la gasolinera cuando ella llegó, y casi se atraganta cuando ella dijo su nombre.

—La esposa de Michael Wright —dijo, y la última palabra casi se la tragó un sollozo que le salió de la garganta.

Michael y ella llevaban separados más de un año, pero ella se portó como una esposa leal hasta el final, lo dejó todo y acudió solo con lo puesto, lo que llevaba en el trabajo. Era fotógrafa de moda, muy solicitada internacionalmente, y el cachemir y la joyería buena que en su mundo eran adecuados allí la señalaban como una forastera. Sus cámaras seguían en el coche de alquiler, y Darren le dijo repetidamente que iría a buscarlo, que recorrería andando los diez kilómetros que había hasta la cervecería si era necesario. Reservaría unas habitaciones para aquella noche en un motel junto a la carretera, cerca de Lark. Ella temblaba cuando la camioneta se incorporó a la carretera, dejando la cervecería en el retrovisor de Darren. En el asiento delantero de la camioneta, se derrumbó debido al cansancio y el dolor. Estaba completamente exhausta.

El motel era un edificio en forma de herradura con diez habitaciones que exhibía un letrero de neón encima de una torre de seis metros hecha con neumáticos viejos. Se llamaba Lucky Ten. La empleada que estaba en la recepción les ofreció dos habitaciones sin que Darren tuviera que pedirlas, desplazando los ojos desde el anillo de casado que llevaba él en la mano izquierda hasta el vacío que mostraba claramente la de Randie. La recepcionista lucía lo que solo podía ser una permanente casera, con unos rizos apretados y secos del color de la plata deslustrada. Tenía unos sesenta años y llevaba una cruz dorada en torno al cuello, lleno de manchas, y se aseguró de que cada uno de ellos tenía solo una llave. Darren le había dejado a Randie la habitación con la cama más grande. Y allí estaba ella ahora, sentada en el borde, frente a las gruesas cortinas amarillas.

Darren se encontraba sentado en una silla tapizada de respaldo recto, de vinilo verde oscuro. Tenía ambas botas plantadas en la gruesa moqueta de pelo, mantenía las manos donde ella pudiera verlas y no tomaba notas. Quería que ella supiera que estaba a salvo.

—De modo que el sheriff no habló con usted en ningún momento, ¿no?

—No estaba en su despacho —dijo ella.

Se había quitado el abrigo y estaba allí sentada, vestida con vaqueros y una camiseta gris, y Darren vio lo delgada que estaba. Estaba encorvada y se había echado el pelo hacia atrás, de modo que ahora le veía mejor la cara. Darren sabía que Van Horn estaba en Lark aquella tarde, pero no dijo nada. No había mencionado la otra muerte ni el nombre de Missy Dale, y no pensaba hacerlo..., al menos, todavía no.

Oía pasar los camiones articulados cada pocos minutos por la 59, chillidos nocturnos que recorrían la carretera, seguidos por momentos de paz en los que nada se movía, allá fuera, y no se oía sonido alguno excepto el zumbido de las ranas de San Antonio en los bosques circundantes. Ella dijo:

—Me reuní con uno de sus ayudantes. Sacó una bolsa de plástico que contenía las cosas de mi marido mientras decía «lo siento» y «el cuerpo está en Dallas», y muchas otras cosas de las que en realidad no me acuerdo. Y luego me pidió que lo identificara en una foto.

—¿Qué cosas?

Ella se volvió y buscó su bolso encima de la colcha. Del interior sacó una bolsa de plástico pequeña, empañada por la condensación, preparada con más torpeza de la que usaría nadie para envolver su almuerzo, y no digamos una posible prueba. «Ahogado», decía la autopsia oficial. Pero, según Greg, el forense había errado en la «manera» de la muerte si lo que le había ocurrido a Michael Wright era un homicidio. Darren notaba que la pregunta flotaba en el ambiente. Estaba en el hedor que procedía de la bolsa de plástico, ese mal olor del *bayou* que apestaba todo aquel caso. Llevaba guantes de látex en su camioneta, una caja entera. Pero no pensaba dejarla sola en aquel momento. Así que inspeccionó lo que pudo a través del plástico. Dentro había una cartera de piel negra, hinchada y empapada de agua; una alianza de oro, no muy distinta de la que llevaba Darren en la mano y que se había puesto como un guiño para el tribunal aquella misma mañana, y un llavero de un BMW, con una hoja de árbol negra y desgarrada metida en los surcos del aro plateado del que colgaban media docena de llaves. Todo ello pesaba menos de medio kilo, y era lo único que quedaba de Michael Wright.

—Esto es lo que encontraron en el cuerpo —dijo ella—. Llevaba unos días en el *bayou,* antes de que lo encontraran, y estaba tan hinchado que casi no se lo reconocía. —Se le estranguló la voz. Tragó saliva e intentó continuar—. Fue la cartera... Así supe que era Michael —siguió—. La compramos juntos la pasada Navidad.

Empezó a llorar otra vez, en voz baja y con una sensación de desánimo, y el oxígeno fue saliendo lentamente mientras ella se hundía y derramaba lágrimas saladas.

Darren se dirigió al baño, donde encontró una caja de pañuelos de papel gruesos y rasposos dentro de una funda de plástico con muchas calcomanías de rosas de color rosa y rojo. La cogió y se la dejó a Randie al lado, en la cama, y luego volvió a situarse enfrente de ella. Con las botas bien asentadas en el suelo, las manos visibles, sentado ante un cuadro que representaba un rancho, con los novillos pintados de negro y marrón.

Randie se sonó la nariz.

—Es que lo que me dijo no tenía sentido.

—¿El ayudante le dijo algo más, aparte de que se había ahogado?

—Dijo que el sheriff cree que atracaron a Michael.

Era la primera vez que Darren oía semejante cosa.

—¿Que lo atracaron?

—Que salía de la cervecería aquella noche. El ayudante del sheriff dice que a lo mejor estaba borracho.

«¿Basándose en qué?», pensó Darren, y recordó que, según lo que le había contado Greg, no habían dicho ni una palabra de un nivel de alcohol en sangre inusual en el informe de la autopsia, al que Darren de repente quiso poder echarle el guante.

Ella cogió otro pañuelo.

—Pero lleva las tarjetas de crédito en la cartera...

—¿La ha tocado? —dijo él, aunque un vistazo a la bolsa le dijo que no importaba. Cualquier prueba que hubieran podido contener esos artículos estaba destruida.

—La abrí delante del ayudante. Las tarjetas de crédito y más de cien dólares en efectivo. Quizá alguien le quitó el reloj, o a lo mejor se le cayó en el agua. Pero ¿cómo es posible que le robaran si no le habían tocado la cartera?

—El coche —dijo él, no porque lo creyera necesariamente, sino porque cualquier otro policía habría tenido que considerarlo. Randie lo miró, sorprendida de que lo hubiera adivinado.

Ella asintió.

—Michael llevaba un coche «realmente bonito», como decía el ayudante, como si en sí mismo eso fuera un crimen, y me dijo que quizá alguien le había atracado para quitárselo.

—Pero las llaves están aquí —dijo Darren.

—Llevaba unas de repuesto en la guantera. Y cualquiera podría haberlas cogido —explicó Randie—. Michael no era de por aquí, así que creen que se perdió..., probablemente yendo a pie, por entre los bosques, y se cayó en el *bayou*. El coche acabará por aparecer, dicen. —Ella negó con la cabeza—. Pero ya ha visto este sitio. Michael nunca iría andando por un lugar como este.

«El mismo lugar donde trabajaba Missy Dale», pensó Darren.

—¿Cómo era su matrimonio? —le preguntó, bruscamente.

—¿Y el suyo? —replicó ella.

Era la primera vez que veía a la mujer que estaba detrás de las lágrimas, la forma de sus ojos —que aunque eran grandes se podían entrecerrar hasta convertirse en dos rendijas de indignación—, cómo apretaba la mandíbula a la luz de la lámpara. La pregunta la había ofendido. A él tampoco le hacía demasiada gracia verse empujado en aquella dirección.

—Dijo usted «separados», por eso lo pregunto —dijo.

—Él me engañaba.

Lo dijo con total naturalidad, y luego dejó que él llenara el incómodo silencio.

—Lo siento —dijo él con rapidez, dándose cuenta demasiado tarde de que era la primera palabra de pésame que pronunciaba, y que se debía al hecho de que su marido estuviese follando con otra mujer—. Lo siento —repitió, esta vez para compensar la torpeza anterior. Pero ella hizo un gesto displicente con la mano y luego se quedó quieta, mirándose el dedo anular desnudo—. ¿Así que lo dejó?

—No —dijo ella. Ya no lloraba, pero su voz estaba sofocada por la pena—. Yo no hice «nada». No me divorcié de él, pero tampoco lo perdoné. No lo dejé, pero tampoco me quedé. Trabajé muchísimo durante meses y meses, cogí todo el trabajo que me cayó entre manos y me mantuve lo más alejada que pude.

—¿Lo amaba?

—¿Importa eso acaso?

Era, ahora lo veía con mayor claridad, una mujer muy bella, y él no podía comprender un universo en el cual un hombre que era amado por una mujer como aquella se fuese por ahí a follar con otra. Pero tenía que hacer la pregunta. Todavía no sabía por qué había venido Michael a Texas solo.

—¿Seguía viéndose con otras mujeres?

—Michael y yo llevábamos meses sin hablar —dijo ella, con una formalidad que antes no existía, una pared de hielo ante Darren.

—¿Sabe por qué vino hasta aquí en coche? ¿A más de mil quinientos kilómetros de Chicago?

Ella miró el borde de la cama, donde descansaba todavía la bolsa de plástico con las posesiones de su marido. La respuesta no estaba allí. No estaba allí, en absoluto.

—¿Qué había en Lark?

—No tengo ni idea —dijo ella. En los siete años que habían pasado juntos, dijo Randie, ni una sola vez la había llevado Michael a su ciudad natal, que ella pensaba erróneamente que estaba unos cuantos pueblos más allá, ya que había confundido Timpson con Tyler.

Darren le dio las gracias, le dijo que tenía un poco de cecina de ciervo y galletitas saladas en su camioneta y que se las traería, si quería, ya que la encargada de la recepción había dicho que las máquinas expendedoras estaban cerradas después de medianoche. Randie dijo que se moría de hambre y que no se iba a poner exquisita.

—Gracias.

Consiguió esbozar una sonrisa tenue, una expresión refleja de gratitud que las mujeres suelen utilizar, aunque estén sufriendo mucho. Cuando Darren se levantó de su silla y se dirigió hacia la puerta, ella saltó de la cama al momento y le cogió el brazo, con una expresión de pánico terrible en el rostro, como si temiera que él no fuera a volver. Le clavó los dedos en los músculos por encima del codo.

—Averigüe lo que le ha pasado. Porque yo lo quería…, sí, lo quería —dijo, suplicando que la creyera, como si él no fuera a ayudarla si pensaba lo contrario—. Va a averiguar usted quién hizo esto, ¿verdad? Quiero decir que por eso lo han enviado, ¿no?

Darren no pudo decirle en aquel momento que en realidad nadie lo había enviado ni le había pedido nada, y que ella era la única persona en este mundo que quería que él estuviese en aquel lugar.

Porque en aquel momento ya era demasiado.

—Descanse un poco. —Le dio unas palmaditas en el brazo—. No pienso abandonarla.

Le mandó un mensaje de texto a Lisa cuando supo que estaría dormida. Tendrían que esperar al día siguiente para hablar de si él iba o no a casa. Randie se había dormido después de zamparse un paquete de galletas saladas, y él cerró la puerta de su habitación con cuidado, con las llaves del coche de alquiler en la otra mano. Luego esperó. Montó guardia junto a la puerta de la habitación 9, apoyado contra el estrecho fragmento de estuco que quedaba entre las dos habitaciones, y paseando la mirada por el aparcamiento, en el que solo estaba su camioneta, y la carretera de cuatro carriles que quedaba detrás, hasta que quedó tranquilo al ver que no había nadie a la caza, los matones del bar o alguna otra persona que por aquel entonces supiera que la esposa se encontraba en el pueblo. Estaban a salvo hasta que saliera el sol, lo sabía, pero aun así esperó una hora más para estar bien seguro, imaginando, correctamente, que ningún bar del este de Texas seguiría abierto más allá de la hora de las brujas, las 2 de la mañana. Luego salió por la carretera.

Fue a pie, con la linterna en la mano, el revólver del 45 en la cadera y un frasco medio lleno de Wild Turkey metido en el bolsillo trasero. Era el *bourbon* justo para quedarse con ganas, pero eso era mejor que nada. Hacía que el cielo de la noche pareciera más bajo, con las estrellas empolvando la copa de los pinos como nieve. A esas horas el aire era fresco y mordiente, y lamentó no haber cogido la chaqueta, pero necesitaba que la camisa blanca lo mantuviese vivo, que fuese un reflector del tamaño de su torso para los faros que pudieran pasar a más de cien por hora. Siguió andando por la cuneta, sobre todo, pisando la grava y la tierra, y con los oídos bien abiertos a los posibles ruidos de la fauna inquieta en los bosques que flanqueaban la carretera. A aquella hora de la noche los tráileres eran muy escasos y pasaban muy distanciados entre sí, y en el silencio del campo su mente se iba aclarando. Dio un sorbo o dos al *bourbon,* sobre todo para calentarse y para reunir valor, lo reconocía. Quedarse en Lark le costaría algo, sabía que sería así. Pero no sabía exactamente el qué. Ni tampoco entendía qué significaban aquellos crímenes que tanto lo inquietaban. Había algo en su aparente sencillez, en esas teorías de homicidio que aparecían sin esfuerzo alguno, arrastradas por las olas de centenares de años de historia, que hacía sospechar a Darren.

Empezaba por el orden de los asesinatos: muere primero el hombre negro y después la chica blanca. No encajaba con el guion americano habitual, ni con las advertencias que le habían hecho sus tíos de que no fuera por ahí tonteando con chicas blancas, o que no hiciera ningún comentario inconveniente con respecto a ellas, y sugería una especie de venganza por el asesinato de Michael, forastero en Lark, por parte de los negros del pueblo, cosa que no tenía demasiado sentido. En el Geneva's no había notado ninguna inquina de los clientes hacia nadie salvo los representantes de la ley que merodeaban por detrás de la cafetería, y no había oído ni una sola palabra negativa hacia Missy Dale. De hecho, Geneva había hablado con ternura del hijo de la joven. Tim, el camionero, parecía también muy preocupado. Francamente, solo Wally dijo que Missy había muerto como consecuencia del resentimiento por parte de los negros de Lark, y que el hecho de que su crimen se hubiera producido después del de Michael Wright establecía una causalidad, y no era casual. Bueno, Wally y también el sheriff Van Horn, que había pedido a Geneva una lista de los hombres y mujeres que estuvieron en su cafetería aquella noche, pensaban lo mismo. Oyó la voz de Greg en su cabeza y recordó la poca disposición de su tribu a ceder al poder vano de la «coincidencia». La tribu de los representantes de la ley, claro. Pero unos policías excavando donde no se había enterrado nada podían provocar también una serie de problemas. Y cuanto más pensaba en ello, más se convencía de que era perfectamente posible que alguien hubiera visto un BMW último modelo y hubiera atacado a Michael para quitárselo, dejándolo solo y confuso en una noche oscura como aquella. Era posible que se hubiera perdido. Al menos había que considerar la posibilidad. Y el asunto de Missy y la forma horrible en que la encontraron podía no tener nada que ver con Michael Wright y sí en cambio con la clientela de la cervecería, esos personajes duros con los que trabajaba, cualquiera de los cuales podía tener un historial repleto de acusaciones de violación. «Hay que considerarlo», se dijo a sí mismo de nuevo, aunque seguía albergando dudas.

Estaba a cerca de ocho kilómetros de la cervecería y le dolían los pies en el interior de sus botas, un par de botas vaqueras de cuero color nuez que se rajarían por completo si las forzaba otra vez a dar ese paseo. Se alegró de ver el coche de alquiler, un Ford azul de dos puertas, solo en el oscuro aparcamiento. El letrero de neón se había ido a dormir, y las luces del interior estaban igualmente oscurecidas para pasar la noche. Se había mentalizado para encontrar el coche destrozado, pero todo parecía en orden, y a través de las ventanillas su linterna iluminó las bolsas de Randie en el asiento trasero, incluyendo la funda negra de una cámara. Debido a la caminata estaba sudando, y en cuanto puso en marcha el motor bajó las ventanillas y dejó que el aire le diera en la cara mientras iba conduciendo.

Pero no volvió al hotel de inmediato.

Salió del aparcamiento y circuló en el sentido opuesto, con las rodillas prácticamente pegadas al pecho en el diminuto coche, avanzando por la 59. Encontró la salida para la FM 19, la pista rural que atravesaba los bosques e iba desde la carretera hasta el *bayou* Attoyac, que discurría por detrás de la cafetería de Geneva y la cervecería de Wally, con una distancia de solo unos cuatrocientos metros entre los dos establecimientos y sus dos mundos diferentes. Desde la pista rural, Darren fue dando tumbos por la escasa parte asfaltada, que no tenía ni siquiera línea divisoria, ya que la gente de los pequeños pueblos estaba acostumbrada a cederse el paso por cortesía. A través del suelo del coche iba notando todos y cada uno de los baches de la carretera y todas las grietas del asfalto, y su cabeza casi tocaba el techo cada pocos segundos. Avanzó unos cincuenta metros por aquella carretera y paró. La portezuela del lado del conductor gimió al abrirla, el único sonido en la oscuridad excepto los grillos y las ranas de San Antonio que entonaban su canción al unísono. A ambos lados lo rodeaban pinos altísimos, que los empequeñecían a él y al diminuto Ford, y los mosquitos bailoteaban a la luz de los faros del coche. Como experimento, metió la mano por la ventanilla y apagó los faros. La oscuridad era extraordinaria, tan espesa que casi se podía tocar, como un manto de terciopelo negro en el que se hubieran bordado algunas estrellas, diminutos nudos de luz que brillaban apenas lo suficiente para que te vieras la mano si la ponías delante de la cara. Darren sabía que habían encontrado allí a Michael, a un tiro de piedra de la cervecería, pero ¿qué estaría haciendo Michael en aquella carretera?

Si la teoría del sheriff tenía algún fundamento, era imposible que hubieran robado el coche de Michael del aparcamiento de la cervecería. Michael era un hombre inteligente, graduado en una Facultad de Derecho, por el amor de Dios. Lo normal sería que hubiera vuelto andando hacia el Geneva's, por el camino relativamente bien iluminado. No, algo había forzado a Michael a recorrer aquella pista rural, y allí fue donde lo obligaron a bajarse del coche. «Tenía que ser así». A esa hora, si no pasaba ningún coche por la carretera con los faros indicando el camino de salida de aquellos bosques, era posible perder la orientación en la oscuridad, confundirse y empezar a dar vueltas, sobre todo después de haber tomado unas copas. Darren calculaba que en ese momento debía de tener un 0,10 de alcohol en la sangre, y estaba lo bastante afectado para que un hombre de sus costumbres fuera consciente de que debía parar pero no lo bastante borracho, según sus normas, para no apreciar los fallos que tenía la teoría del sheriff. Si se quedaba callado el rato suficiente, podía oír el agua.

El *bayou* estaba delante de él, se dio cuenta, quizá a unos cien metros de donde se encontraba de pie. Si dejaron a Michael sin vehículo, allí solo y perdido, ¿por qué caminar hacia una corriente de agua que no veía? Nadie en su sano juicio haría lo que Darren estaba haciendo ahora mismo: meterse en un bosque negro y espeso que no conocía. Pero caminar hacia lo desconocido era precisamente lo que se había comprometido a hacer, y todavía no había devuelto la placa.

Siguió avanzando, dejó atrás la pista rural cuando giraba al sur y continuó adelante, hacia un bosque agreste; seguía el sonido cantarín del *bayou*. Se agachó bajo las ramas de menor altura, empujando las más grandes para apartarlas de su camino, con una mano ocupada todavía por la linterna, cuyo débil rayo no tenía nada que hacer contra aquel bosque espeso. Pensó en volver por donde había venido y encender los faros del Ford para tener alguna guía, lo que un hombre con un porcentaje del 0,5 habría sabido que era muchísimo más sensato que andar a ciegas por la oscuridad. Mientras volvía al coche, no tuvo cuidado al apoyar el pie izquierdo y resbaló. La caída no fue grave, pero la sorpresa le hizo imposible evitarla. Retorció el cuerpo al caer, y se volvió para agarrarse a la tierra y evitar deslizarse en el agua, pero no pudo aferrarse y perdió la linterna. Cayó en el *bayou* con las botas por delante, deslizándose horizontalmente, y notó que el agua empapaba la parte delantera de su cuerpo.

Cerró los ojos justo a tiempo, pero aun así, el agua quemaba.

Cerró firmemente la boca y notó tal ansiedad por respirar que tuvo que dominar el pánico haciendo un enorme esfuerzo de voluntad. «No voy a morir aquí esta noche». Agitó los brazos imitando más o menos el movimiento de la braza, y mantuvo su cuerpo a flote. Solo tuvo que dar una patada con el pie derecho para tocar el fondo del *bayou*. Darren notó que el dedo gordo chocaba contra la bota. Con el dolor, llegó la súbita comprensión. «Ponte de pie, hombre, ponte de pie». Al cabo de unos segundos Darren estaba de pie, el agua del *bayou* no le llegaba más que a la parte superior de los muslos, y supo de ese modo que Michael Wright no había podido caerse en el *bayou* y ahogarse sin más.

Tercera parte

9.

Se despertó con la boca algodonosa y los ojos todavía escocidos. El teléfono móvil le chillaba desde la mesilla de noche, donde se encontraba junto al arma que había desmontado la noche anterior y dejado encima de una toalla del motel para que se secara. «Lisa», pensó.

Pero era peor, mucho peor.

Su teniente, Wilson, lo llamaba desde el cuartel general en Houston, y estaba al aparato antes de que Darren pudiera siquiera aclararse la garganta para decir «buenos días, señor».

—¿Qué demonios es eso que estoy oyendo de un doble homicidio en Lark?

Darren se incorporó y farfulló:

—Señor...

El otro lo cortó de inmediato.

—En primer lugar, nadie en el condado de Shelby ha llamado para pedir ayuda. En segundo lugar, es el coto de Tom Randall. Y en tercer lugar, y lo más importante, maldita sea, es que está usted inhabilitado, *ranger.*

Darren miró el reloj. Eran más de las siete. Tenía que haberse levantado hacía horas. Pensó en la mujer que estaba en la otra habitación, dio vueltas a la cabeza un minuto, intentando recordar su nombre, y se preguntó si estaría bien, si se habría despertado asustada y sola. Randie. Casi lo dice en un susurro.

—Dígame que no está en el condado de Shelby ahora mismo —dijo Wilson—. Por favor, dígame que no tengo que llamar al capitán y decirle que no se preocupe demasiado por su futuro, sino que simplemente lo despida por insubordinación.

Wilson lo había contratado ocho años antes, defendiendo su ascenso de policía a *ranger* de Texas, poniéndose incluso de su parte en contra de altos mandos que no creían que Darren tuviera corazón de *ranger*, que la facultad de Princeton lo había cargado con un peso intelectual y una conciencia propia que no le servirían en el terreno, donde el instinto a veces es lo que reina y la conclusión más sencilla suele ser la correcta, especialmente en lo que respecta a los crímenes en la Texas rural, que casi siempre vienen precedidos por una declaración de alguien, a quien quiera oírle, de que «a algunos hay que matarlos».

Wilson sirvió en la Compañía A con el tío de Darren cuando William se convirtió en uno de los primeros *rangers* negros de Texas en el departamento. Admiraba muchísimo a William y el apellido Mathews, y presionó para que le dieran el ascenso a Darren, sugiriendo que la compañía lo mantuviera en el cuartel general, en Houston, donde podría trabajar en la Unidad de Corrupción Pública del departamento, investigando delitos para los cuales el papeleo era fundamental. Darren se aburría mucho y estaba inquieto, y rogó que le permitieran integrarse en el grupo de trabajo de la HAT, y siempre tuvo la sensación de que Wilson lo trataba de una forma distinta después de aquello, y de que, de alguna manera, había decepcionado a su mejor valedor al proclamar de una manera tan clara su interés por la comunidad negra, su sensación de que algunos crímenes importaban más que otros. La metanfetamina y las armas eran importantes, pero en su fuero interno sabía que quería destruir la Hermandad Aria de Texas por motivos diferentes. Y Wilson también lo sabía.

—Teníamos un trato, Mathews —dijo Wilson, con la voz tan tensa que casi le faltaba el aliento. A Darren se le ocurrió que Wilson estaba intentando no levantar la voz en el despacho, que la noticia todavía no se había hecho pública y que Darren quizá pudiera salvarse—. Esperaba verlo entrar en mi despacho esta mañana.

—¿Y cómo lo ha sabido? —le preguntó Darren.

Tuvo la idea repentina, que le provocó mucho pánico, de que Greg hubiera contado algo. Era una idea paranoica y desleal hacia él, algo propio de la resaca. Se puso de pie y se dirigió al lavabo de la habitación, que se encontraba fuera del baño. Cogió agua con la mano derecha y se la bebió, y las gotas le mojaron la parte delantera de la camiseta.

—La esposa —dijo Wilson—. Tiene algunos contactos en los medios.

—Es fotógrafa.

—Eso es. Bueno, pues ha hablado con alguien del *Chicago Tribune,* y he recibido una llamada esta mañana, hace menos de diez minutos, de un reportero que me ha preguntado por una muerte sospechosa, y yo no sabía de qué demonios me estaba hablando, excepto que ha mencionado su nombre y ha preguntado si los Rangers estaban investigando un crimen de odio, algo que el sheriff local está intentando encubrir. ¿Qué demonios ha hecho, Mathews?

—Hay un ahogado que en realidad no se ha ahogado, eso es lo único que le puedo decir.

—Yo conozco al sheriff de ahí. Parker. Es un buen policía.

—Entonces déjeme que hable con él —dijo Darren—. Déjeme que haga mi trabajo. —Le estaba pidiendo algo más que una charla de diez minutos con Van Horn, y ambos lo sabían. Era de esas cosas que no había discutido por teléfono con su mujer el día anterior, el hecho de que quizá su conciencia no pudiera abandonarlo, de que quizá la placa era aquello en lo que se había convertido, el único estilo de vida que podía llevar su vida como texano—. No es solo ese —dijo—, el hombre negro. Hay otro cadáver, una chica blanca de la localidad. Apareció en el mismo *bayou* unos días después. La noche que desapareció, Michael Wright estaba en la cervecería donde trabajaba la chica.

Se hizo el silencio en el lado de la línea correspondiente a Wilson, y Darren supo que estaba reflexionando sobre todo aquello: ningún policía podía oír todos esos detalles y no preguntarse si aquella historia no ocultaba algo más. Darren decidió hacer una jugada arriesgada:

—Y escuche, si el *Tribune* ya cree que hay un *ranger* negro por ahí investigando la muerte inexplicable de uno de los suyos, quedará fatal que de repente yo abandone lo que ya estará despertando la curiosidad de la gente. Déjeme que investigue por aquí, que vea lo que puedo averiguar sobre ambas muertes. Le informaré a diario, se lo prometo.

—¿A diario? —se quejó Wilson—. Pero ¿cuánto tiempo se propone quedarse por ahí?

—Todo el que haga falta.

—Quiero que salga de ahí en una semana. Me informará a diario, Mathews. Si no sé nada de usted, le explicaré todo esto al capitán para que él se ocupe de usted.

—¿Y qué pasa con el gran jurado? ¿Se ha enterado de algo?

Wilson suspiró ante lo que consideró un grado de interés inadecuado por parte de Darren en el caso de Rutherford McMillan, que, según pensaba, desde un principio había causado muchos problemas a Darren. «No tenía que haber aparecido por allí, hijo». Se lo dijo más de una vez. A diferencia de los demás, él no creía que Darren hubiese ocultado pruebas para proteger a Mack, o si lo creía, no lo decía. Darren era el chico de William Mathews, y valía la pena concederle siempre el beneficio de la duda.

—No hay acusación... todavía —dijo Wilson—. No han dicho nada.

Darren sintió alivio y temor en igual medida. Se preguntaba cómo lo estarían llevando Mack y Breanna. Incluso antes de que testificara Darren, Mack ya hablaba de vender su casa y le pedía a Darren que cuidara a su nieta si lo mandaban lejos de allí. «Asegúrate de que acaba los estudios. —El dinero de la casa y el coche serviría para el curso superior de la chica, decía—. Prométemelo, Darren».

—Llamaré al sheriff Van Horn, del condado de Shelby —dijo Wilson—. Le haremos saber que solo está ahí para ayudarles.

—Necesitaré una copia de la autopsia.

—Pídala a través del sheriff —ordenó Wilson—. Siga los protocolos y rebaje el tono. No vaya por ahí agitando los puños y armando ruido con lo de los crímenes de odio y cosas por el estilo hasta que sepamos con toda seguridad de qué se trata. Hablo en serio, Darren —dijo, y luego añadió—: Y controle a la esposa.

Para eso primero tenía que encontrarla.

El coche de alquiler había desaparecido del aparcamiento, y el silencio fue absoluto cuando llamó a la puerta de su habitación. La recepcionista no contestó ninguna de sus preguntas, incluyendo la más básica: ¿Cómo había conseguido Randie las llaves del coche de alquiler que estaban en su habitación si la única persona que tenía acceso, además de Darren, era la propia recepcionista?

—Yo no me meto en los asuntos de la gente, pero si una señora dice que un hombre le ha cogido las llaves de su coche y que no se puede ir, bueno, pues no creo que tenga que quedarme sin hacer nada. Veo *Dateline*.

Al parecer había entrado, con Randie esperándola justo al lado de la puerta, y había buscado en los pantalones de Darren mientras este estaba dormido.

—Quiero que saque todas sus cosas de la habitación ahora mismo. No lo quiero por aquí —dijo la mujer, y la cruz de oro que llevaba al cuello reflejó el sol matinal que entraba por la ventana delantera. Él pensó en sacar la placa, en organizar un escándalo, pero acababa de prometer a su jefe que no haría nada semejante. Pagó la noche que debía, intentó pagar también la habitación de Randie, pero la encargada no le dejó.

—¿Se ha ido ella, entonces? —preguntó, alarmado por la idea de que fuera por el pueblo sola.

—No pienso decírselo —dijo la mujer—. Tiene usted diez minutos.

Darren se dio una ducha caliente y rápida para quitarse el hedor persistente del *bayou;* luego se vistió y volvió a montar el Colt 45, se metió en su camioneta y se fue a buscarla.

El aparcamiento de la cervecería ya estaba medio lleno a las ocho y media de la mañana, pero el Ford azul no se hallaba allí, ni tampoco vio el coche por la carretera ni en el terreno que estaba frente a la cafetería de Geneva. Cuando aparcó junto al surtidor de gasolina para dar la vuelta a la camioneta, vio una imagen familiar a través de los ventanales delanteros del café: Geneva detrás del mostrador, Wendy vestida con mucho colorido, en uno de los taburetes de vinilo rojo, y Huxley con su periódico. El brillo de los adornos cromados de la Chevy de Darren llamó la atención de Geneva. Levantó la vista, vio a Darren detrás del volante del coche y frunció el ceño. Darren metió la marcha atrás y volvió a la carretera. Había cubierto ya la reducida calle principal de Lark. Lo único que le quedaba eran las carreteras secundarias. En cuanto lo pensó, supo adónde había ido la viuda. A la tumba sin nombre de su marido.

Volvió a la 59 y luego a la FM 19, la carretera que iba de las granjas al mercado y que conducía al agua. Encontró el Ford tan rápido que tuvo que frenar en seco para evitar chocar contra la puerta trasera. Aparcó la camioneta y salió de un salto, con las suelas de las botas todavía húmedas por la caída de la noche anterior. No había nadie en el asiento del conductor, y tampoco la encontró hasta que dejó la carretera asfaltada a pie y caminó por entre los mismos árboles junto a los que había pasado la noche anterior. A la luz del día, vio claramente la línea donde la orilla caía abruptamente, y el agua del *bayou* que lamía y suavizaba la orilla un poco por debajo. Randie estaba demasiado cerca del borde para el gusto de Darren. Llevaba una cámara negra en la mano, con una lente apuntada, tanto literal como figuradamente, hacia la orilla opuesta, como si la cámara fuese el único recurso que tenía la mujer para comprender lo que estaba viendo.

Darren aplastó unas ramas con el tacón de la bota, asegurándose de que ella oyese que se acercaba. Le dijo:

—Me había asustado, saliendo de esa manera.

Randie se volvió hacia él, con los ojos rojos y rabiosa. Llevaba el mismo abrigo blanco y absurdo, ahora manchado por las hojas y la tierra tras haber caminado a través de los matorrales. También llevaba los mismos vaqueros negros y la camiseta gris, y los mismos botines de tacón, que ahora estaban cubiertos de barro y húmedos. Ella le dijo:

—Me mintió.

—Escuche, Randie...

—Ni siquiera es policía.

—Eso no es cierto.

—Tengo un contacto en el *Tribune* que me ha dicho que no han asignado a nadie de los Rangers a investigar lo que le ocurrió a Michael. He llamado yo misma a la oficina de los

Rangers y me han dicho que Darren Mathews «ahora mismo está inhabilitado».

—No, ya no es así —dijo él, sintiendo una gratitud culpable hacia esta mujer cuya pérdida había vuelto a enderezar su propia vida—. He hablado esta mañana con mi teniente, y ahora estoy asignado al caso. Investigo la muerte de su marido.

Ella pasó a su lado, volvió al coche de alquiler, hundiendo los tacones en la blanda tierra.

—¿Y qué le ha hecho a mi coche? El asiento estaba mojado esta mañana. He encontrado una botella en el suelo, y huele fatal. —Darren le tendió la mano para estabilizarla en aquel terreno desigual—. Apártese de mí —dijo ella.

—Michael no se ahogó, Randie.

Ella se detuvo y se volvió hacia él, a menos de un palmo de distancia, en el terreno lleno de piñas y barro. Se levantó algo de viento en torno a ellos, pero Randie se quedó absolutamente quieta, endurecida en los puntos que se habían mostrado vulnerables la noche anterior. Darren supuso que ella necesitaba descargar su ira en algo, y que él era un objetivo tan bueno como cualquier otro. Ella continuó andando hacia su coche, como si no le hubiera oído. Él la siguió de cerca, deseando que confiara y creyera en él, que supiera que era algo más que el hombre que tenía delante, más que aquellos pantalones arrugados y manchados y la botella vacía en el coche.

—Michael no se ahogó.

—Me está diciendo que lo mataron...

Ella ya lo sabía, pero decir aquellas palabras parecía que le estaba produciendo heridas nuevas.

Darren asintió, muy serio.

—Y hay una mujer.

—¿De qué está hablando?

—Otro asesinato.

Ella se quedó asombrada, pero también aterrorizada, temblando al apretarse el abrigo contra el cuerpo. La mañana era todavía muy fresca, el cielo era como una pizarra gris, y la escasa luz dejaba el mundo en blanco y negro.

—La sacaron del *bayou* detrás del Geneva's ayer...

—¿Cómo?

—Que también mataron a una chica blanca.

—¿Y usted lo sabía y no me lo había dicho?

—Acababa de llegar, no sabía muy bien a qué me enfrentaba.

—Y Michael... —durante unos segundos no supo cómo seguir—, ¿la conocía?

—Pues no lo sé —dijo Darren—. Pero trabajaba en la cervecería donde el sheriff dice que estuvo bebiendo su marido el miércoles por la noche. No sé si esas dos cosas están relacionadas, pero llevo el tiempo suficiente dedicándome a esto para suponer que la respuesta es sí.

Randie se quedó callada. Darren podía oír el suave murmullo del viento a través del *bayou,* el beso de las hojas de los árboles al caer y rozar la superficie del agua.

—¿Y cómo sé que está diciendo la verdad? —dijo ella—. ¿Que los Rangers le dejan investigar?

—Puede llamar, si quiere. Al teniente Fred Wilson, Compañía A, en Houston. Ya me ha preparado una reunión con el sheriff.

Ella se puso tensa de inmediato.

—Yo también quiero ir.

Darren empezó a poner objeciones, pero Randie se mantuvo firme.

—Voy —insistió.

«Controle a la mujer».

Pero Darren tenía una idea distinta. «Que la mujer esté protegida. Que la mujer tenga algo de ayuda. Que la mujer tenga las respuestas que merece». Si hubiera sido Michael Wright, a Darren le habría gustado que alguien hiciera lo mismo por su esposa. Dijo:

—Yo conduzco.

10.

El sheriff Parker Van Horn había establecido temporalmente una oficina satélite justo en el salón de Wally Jefferson, donde le habían dicho a Darren que les esperaba. Pero cuando llegaron a la enorme casa, Darren no vio ningún coche patrulla en la entrada circular, entre la fila de lujosos coches aparcados allí, que incluía dos Lincoln, un Cadillac y un Chrysler. El terreno en el que se encontraba la casa de Wally ocupaba varias hectáreas, y la parte frontal estaba muy cuidada, con un césped verde perfecto y bancales de hortensias rojas plantados a lo largo de la fachada de la casa, pero la parte de atrás era bosque salvaje.

Darren aparcó junto a la camioneta de Wally y oyó que Randie resoplaba un poco. No llegaba a risa, pero casi.

—Tiene que ser una broma… —exclamó, mirando la casa. Darren volvió a mirar a través de su parabrisas lleno de mosquitos, estirando el cuello para ver en su contexto todos los ladrillos rojos y las columnas blancas. La casa, ahora se daba cuenta, era una réplica perfecta del Monticello de Thomas Jefferson. Randie abrió la portezuela del pasajero, cogiendo su cámara por instinto. Sin inmutarse, Darren bajó de la camioneta. Había visto cosas más raras aún en las carreteras rurales de Texas: faros en medio de campos de maíz, casitas de chocolate de tamaño real, un granero con la cara de Donald Trump: gente del campo que ofrecía un espectáculo a los camiones que pasaban por algunos trechos de la carretera, algo que rompiera la monotonía de kilómetros y kilómetros de bosques de pinos y cedros.

Le interesaba mucho menos la casa que las vistas. Desde la parte delantera de la casa de Wally, que se encontraba a solo unos pocos metros de la verja, se veía perfectamente el café de Geneva, hasta el punto de que se podía leer el menú a través de sus ventanales. Le sorprendió y le pareció muy raro que con toda la tierra que tenían a cada lado de sus respectivas propiedades, esos dos hubieran acabado siendo el peor tipo de vecinos, esos que no te gustan pero que estás condenado a ver todo el puñetero día. Quizá eso explicara los esfuerzos de Wally por comprarle el local y echarla, aunque solo fuera por mejorar sus vistas. Darren se preguntó qué habría sido lo primero, si el café de Geneva o la casa de Wally.

—Está viendo esto, ¿verdad? —dijo Randie.

Darren se volvió y vio que ella miraba una parcela algo más pequeña situada detrás de la casa. En la parte trasera de Monticello se encontraba una caseta de perro de cinco o seis metros de altura, un modelo a escala perfecta de la Casa Blanca. Un labrador negro estaba echado perezosamente en la puerta, pero cuando vio a Randie y la cámara, saltó y se puso de pie, gruñendo. Darren se colocó delante de ella, por si el perro atacaba. El labrador fue a por su pierna, y Darren dio una pequeña patada en el suelo con la punta de la bota solo para asustarlo. El labrador retrocedió unos pocos pasos, pero cuando se dio cuenta de que en realidad no le habían pegado, volvió con más ganas. Acababa de morder la pernera derecha del pantalón de Darren cuando se abrió la puerta de la casa.

—¡Butch! —gritó Wally, dirigiéndose a los escalones delanteros. El perro soltó los pantalones de Darren, trotó amistosamente al lado de su amo y lamió las yemas de los gruesos dedos de Wally.

—Llega tarde.

Si Wally recordaba a Darren de haberlo visto en el Geneva's el día anterior, no lo demostró, ni tampoco reaccionó de ninguna forma visible a la placa que se había vuelto a colocar este en el pecho. Wally llevaba una camisa tipo polo metida por dentro de los vaqueros, que estaban bien planchados, con raya y todo. La piel que tenía en torno al cuello estaba flácida, pero su color era rubicundo e intenso. Darren era incapaz de calcular la edad de aquel hombre, ni de imaginar a qué se dedicaba, en realidad. No había vacas ni fardos en la propiedad, que pudieran ver al menos, ni campos de trigo o algodón, ni señal de industria alguna. La parte de policía que había en Darren notó la presencia de una extrema riqueza y la ausencia de la más mínima prueba del trabajo duro que la había hecho posible.

—Soy Darren Mathews.

—Ah, sí, ya lo sé —dijo Wally, complacido por ir unos pasos por delante.

Volviéndose a Randie, añadió:

—Siento mucho lo de su marido, señora. Pero debe saber que nadie de por aquí ha tenido nada que ver con eso.

—Bueno, eso no lo sabemos todavía —dijo Darren.

Wally lo miró ligeramente divertido mientras echaba de nuevo a Butch hacia la Casa Blanca, y luego se volvió y abrió la puerta delantera.

—El sheriff vendrá en cualquier momento.

Dentro las paredes eran totalmente blancas, y la gruesa moqueta era del color de la mantequilla. Wally señaló el sofá con un gesto y les dijo a Randie y Darren que tomaran asiento.

—¡Laura! —gritó hacia el interior de la casa. Randie se hundió en el sofá, tapizado con un estampado de rosas, pero

Darren, entrenado como *ranger* y hombre, al fin y al cabo, se quedó de pie. Los ojos de Randie examinaron aquel salón, observando los adornos de latón y las figurillas de porcelana de ángeles y de caballos de carreras, así como fotos de Wally y una mujer blanca de cincuenta y tantos años con el pelo de un castaño rojizo que solía vestir conjuntos de jersey y chaqueta color turquesa. Esa misma mujer apareció en carne y hueso unos segundos más tarde, con un niño a la cadera que no paraba de retorcerse. Parecía sorprendida al ver a Darren, igual que él lo estaba al ver que llevaba un niño en brazos. No había ni una sola foto de niños o de nietos en el salón. Ella se alisó la camisa, que había quedado algo arrugada en el torso por el peso del niñito, rubio y muy pequeño, que probablemente acababa de empezar a andar.

—*Ranger* —dijo la señora, educadamente. Luego miró a Randie, pero no dejó que su mirada se detuviera en ella, como si la viudez súbita pudiera resultar contagiosa. Empezó a retroceder para salir del salón, pero Wally la detuvo.

—Laura, por favor, tráeles a estas personas un vaso de agua, una Coca-Cola o algo.

—¿Puedo ofrecerle algo, *ranger*? —preguntó Laura—. ¿Señorita?

—No se moleste —dijo Randie.

Darren deseó que hubiese añadido «señora» o «gracias», deseó que ella comprendiera que allí podía resultar útil conocer a gente blanca respaldada por un sólido beneficio de la duda. Ya se enterarían de sus verdaderas intenciones enseguida, así que no venía mal ser educado, como prevención para no cabrear a aquellos que podían estar de tu parte.

—No, gracias, señora —dijo a la mujer de Wally.

Cuando Laura salió del salón, Darren oyó que los gritos del niño se iban amortiguando.

—¿Es suyo? —le preguntó a Wally.

—Es el chico de Missy, Keith hijo —dijo el hombre—. Laura lo cuida mientras la familia de Missy está preparando el funeral. No sé si a ella la enterrarán aquí o en Timpson, pero Keith no es capaz de ocuparse de muchas cosas ahora mismo, y menos aún de su hijo. Está borracho como una cuba, según dicen.

—¿Y dónde está el sheriff? —preguntó Randie, impaciente.

Darren le dedicó una mirada antes de intervenir.

Dijo a Wally:

—¿Es suya la cervecería de la carretera?

—Michael estuvo allí —dijo Randie, y sus palabras sonaban como una pregunta que escondía una acusación. Darren deseó que le dejara manejar las cosas a él.

—¿Vio usted algo? —le preguntó.

—No estuve en el bar el miércoles.

—¿Y cómo sabe que fue el miércoles?

—Porque Parker me ha mantenido informado —dijo Wally—. Soy un hombre bien considerado en esta comunidad, propietario y hombre de negocios, y llevo cuatro generaciones en esta tierra. No hay fuerza policial en Lark, de modo que me gusta estar al tanto de lo que pasa en mi ciudad, saber qué forasteros vienen, esas cosas. Parker me informa de todo.

Justo entonces Van Horn apareció en la puerta principal, haciendo una pausa para limpiarse las botas de barro en la alfombrilla que estaba dentro del umbral, antes de seguir avanzando con sus piernas cortas.

—*Ranger* Mathews… —dijo, acercándose a él, pero se detuvo antes de llegar a la distancia para poder darle la mano—. Voy a ser muy claro en este asunto desde el principio. No quiero que esté usted aquí, y no he pedido que viniera. Pero la esposa me ha metido en este lío, y está haciendo mucho ruido diciendo que aquí hay algo más que lo que se ve a simple vista...

—Parker... —dijo Wally.

Van Horn detuvo su parrafada el tiempo suficiente para ver a Randie en el sofá y comprender su metedura de pata, pero no se arredró y siguió hablando. Llevaba dos días sin cambiarse el uniforme y tenía las axilas húmedas. Parecía exasperado y enormemente sobrepasado por las circunstancias.

—Vamos a hacer bien las cosas. Voy a ser cordial y a aceptar su presencia en mi condado. Pero quiero dejárselo muy claro: este es mi territorio. El teniente Wilson prácticamente me dijo lo mismo. Usted está aquí para que cuando Chicago o Nueva York o quienquiera que sea se rebaje a venir aquí para ver a estos paletos fuera de sus jaulas, vean su cara y sepan que todo funciona a la perfección en la investigación de la muerte de un afroamericano en este condado —dijo, trabándose con las sílabas extra que le obligaban a ser políticamente correcto—. Usted no es más que un elemento decorativo.

—Bueno, pues entonces a este elemento decorativo le gustaría acceder, ya que tiene derecho, a las copias de todos sus informes relativos a la muerte de Michael Wright, empezando por la autopsia.

Van Horn suspiró y miró a Wally, que se encogió de hombros, reprobador, como diciendo: «Tú eres el que tiene que vérselas con esto». El lío era competencia de Van Horn, y él tenía que arreglarlo.

—Yo también quiero verlo —dijo Randie.

No se había presentado, ni tampoco Van Horn había preguntado quién era, pero no había sido necesario. El sheriff se disculpó por sus frases anteriores y le ofreció sus condolencias por su pérdida. Luego le dijo a Darren:

—Veré lo que se puede hacer. Tienen el cuerpo en Dallas —dijo, suavizando un poco su lenguaje—, ejem..., a su marido, señora. No creo que el forense haya acabado la autopsia todavía.

Darren sabía que Van Horn estaba intentando hacerles perder el tiempo, que la autopsia ya estaba hecha cuando Greg lo llamó el día anterior, pero tenía la orden de Wilson muy presente: «Juegue siguiendo las normas». De modo que dijo, con toda la amabilidad que pudo:

—También me gustaría solicitar formalmente a su departamento una copia de la autopsia de Missy Dale cuando esté completa.

—Quizá no he sido lo bastante claro. Wilson le ha puesto a trabajar en el caso de Wright. Pero Missy es una chica de aquí, nacida en el condado de Shelby. —Detrás de él Wally asentía, aprobador—. Y nosotros nos hacemos cargo de los nuestros.

—Me imagino que ya sabrá que los dos asesinatos están relacionados —dijo Darren.

—Ah, sí, ya lo sé. Y también sé cómo están relacionados —resopló Wally—. A uno de los de Geneva se le metió en la cabeza que había habido una especie de linchamiento cuando en realidad no había ocurrido nada por el estilo. Y cogieron a una de los nuestros a cambio de uno de los suyos. Parker, sabes que Geneva trae todo tipo de problemas por aquí. Las dos últimas muertes que hubo en esta ciudad estaban relacionadas con ella.

El sheriff frunció los labios, pero no demostró estar de acuerdo en un sentido u otro.

—Michael no era uno de los «suyos» —dijo Darren—. Ni siquiera era de por aquí.

—Hacía años que no pisaba Texas —intervino Randie, que no tenía respuesta a la pregunta de por qué había recorrido más de mil quinientos kilómetros en coche para venir a Lark. La pregunta era como una puerta cerrada cuya llave —era consciente— debería tener, y en su rostro se reflejaba la misma mirada de culpabilidad que la noche anterior, cuando Darren le preguntó «por qué». ¿Cómo es posible que no conociera a su marido lo suficiente para saber lo que lo trajo aquí?

Darren miró a Van Horn y luego al propietario de la Jeff's Juice House.

—¿Trabajaba Missy Dale el miércoles por la noche? —preguntó a Wally.

—Estoy repasando los registros del personal ahora mismo —dijo Van Horn, como si comprobar quién trabajó en un bar en un pueblo de menos de doscientos habitantes fuera una tarea que costara semanas. Darren notó que el calor le invadía desde el interior, enrojeciendo su cuello donde le apretaba la camisa.

—Mire —dijo, manteniendo en su tono un difícil equilibrio entre la indignación y la deferencia debida, tratando de controlar la ira—: la noche que desapareció, Michael estuvo en la cervecería donde trabajaba Missy Dale. Y ahora esas dos personas están muertas. No me dirá que no resulta significativo.

—Bueno —dijo Van Horn—. ¿Cree que algunos gilipollas vieron a Michael y Missy hablando aquella noche y los siguieron al salir de la cervecería?

—No he dicho que Michael y Missy hablaran, pero es interesante que lo haya dicho usted —aclaró—. Y yo estoy hablando solo de «un» gilipollas.

—¿Michael estaba con esa chica? —preguntó Randie.

Miró a Darren dolida, o bien por Michael o bien por pensar que era otra cosa que Darren le había ocultado.

Sonaba mucho más abatida que furiosa cuando dijo:

—¿Darren?

Era extraño oírla llamarlo por su nombre de pila, cosa que nadie en Texas haría jamás, no mientras llevase la placa. Era señal de una falta de respeto tremenda. Pero procediendo de sus labios le hacía sentir más él mismo, lo convertía todo en algo más personal.

—No importa si lo estaba o no —dijo Van Horn—. Todo nos indica que lo atracaron. Tal y como usted dice, si alguien le dio al chico una paliza en los bosques, entonces tendríamos que haber encontrado el coche junto a la FM 19. Alguien lo habría visto cuando salió el sol. Pero probablemente a estas horas ya habrán despiezado el coche en Dallas o por ahí.

—Se había puesto algo rojo.

—Keith Dale —apuntó Darren—. ¿Dónde estaba el miércoles por la noche?

Van Horn se cruzó de brazos.

—Pienso hablar con él sobre Missy, pero es algo que a usted no le importa. Una cosa y la otra no tienen nada que ver, hijo.

—*Ranger* —exclamó Darren, corrigiendo a Van Horn.

Van Horn apretó la mandíbula.

—*Ranger* —dijo, tenso.

—¿Es de la HAT? —preguntó Darren—. Sé que Keith estuvo una temporada en Huntsville.

Randie miró a Darren y luego al sheriff.

—¿HAT?

—Hermandad Aria de Texas.

—Este condado está limpio de esa basura —intervino Wally. Van Horn se puso algo blanco, pero no dijo nada. La mención de la HAT cambiaba las cosas y lo silenciaba.

—¿Hermandad Aria? —exclamó Randie. Su cara se había distendido, tenía los ojos muy abiertos, alarmada. De repente parecía mucho más joven, casi una chiquilla, al darse cuenta de que algunos monstruos son reales—. ¿Está hablando del Klan?

—Peor aún. Es el Klan con dinero y armas semiautomáti-
cas —explicó Darren.

—Están controlados en mi condado —dijo el sheriff—, y
ya le he dicho a Wilson que no pienso abrir la puerta para
que un puñado de federales se presenten por aquí en busca de
la Hermandad. Ahora tenemos que concentrarnos en la chica, mi prioridad número uno.

Captó la mirada de la viuda, pero no se la devolvió.

—Déjeme hablar con Geneva —le dijo Wally a Van Horn—.
Sabe que ella tiene una larga historia con mi familia. Me pro-
pongo ayudar todo lo que pueda, y ella confía en mí.

—Deja en paz a esa mujer.

Darren se volvió y vio que Laura había vuelto a entrar en
la habitación. El niño estaba en la moqueta, arrastrando el
culo metido en un grueso pañal junto a los tobillos de ella.

—Aquí estamos hablando de cosas serias, Laura —le dijo
Wally—. Vete.

El niñito se incorporó y se puso de pie, y fue andando pa-
tosamente hacia el sofá y Randie. Laura se inclinó para cogerlo en brazos. Wally le dijo al sheriff:

—Déjeme ver si puedo sacar algo en limpio sobre algunos
de los personajes tan curiosos que estaban en su cafetería y
que quizá salieran a buscar problemas el domingo por la noche.

—No es normal esa forma que tienes de acosarla —le dijo
Laura.

El niño le dio un manotazo a uno de sus pendientes y luego se llevó la mano a la boca para tentar sus encías, que estaban echando los dientes, y la baba cayó sobre la camisa a
cuadros de Laura. La mirada que esta le dirigió a Wally estaba a medio camino entre la reprimenda y la súplica. Darren
observó ambas cosas y vio que Wally apartaba la mirada, volviéndose rápidamente hacia el sheriff.

—El café de Geneva está corriente abajo desde su cervecería, Wally —dijo Van Horn, haciéndoles saber a ambos que su investigación ya había empezado. Recordaba las palabras de Wendy del día anterior: «Todo el mundo sabe que Missy salió de la cervecería de Wally»—. Missy Dale pudo morir también allí, pudieron haberla dejado en el *bayou* y que el cuerpo acabara arrastrado por la corriente.

Wally miró a Van Horn, quizá esperando que escupiera alguna teoría alternativa. Darren sacó una tarjeta de su cartera y se la tendió al sheriff. Dijo:

—Espero esa autopsia.

11.

Cuando llegaron a su camioneta ya había localizado a Greg por teléfono.

—Necesito esa autopsia. Y la de Missy también, si puedes conseguirla. —Randie cerró la portezuela del pasajero mientras Darren encendía el motor de la Chevy—. El teniente me ha encargado el caso, pero me vendría muy bien una ayuda externa mientras el sheriff se toma su tiempo.

—¿Qué ha hecho cambiar de opinión a Wilson? —dijo Greg.

—La esposa... —empezó Darren. Consciente de que Randie estaba en el asiento de al lado, empezó de nuevo—: Un periodista ha empezado a hacer preguntas. Y con eso ha bastado.

—¿Voy yo? —preguntó Greg—. Así podría hacer que mi supervisor aprobase una investigación rápida... Si estás teniendo una respuesta negativa por parte de los agentes de la ley locales...

—Yo soy el agente de la ley local ahora mismo. —Echó un vistazo a Randie en el asiento del pasajero. Se lo decía a ella tanto como a Greg. Le estaba haciendo una promesa—. Este es mi caso ahora, lo sepa Van Horn o no.

—El Bureau también podría tener intereses ahí —dijo Greg.

Darren recordó cómo había comenzado todo: Greg buscaba una mejora profesional. Quería abandonar aquel escritorio, y Darren lo sabía muy bien. Pero no pensaba darle prioridad frente a la necesidad de manejar bien aquella situación, y eso no incluía traer a un agente federal.

Así que dijo:

—No creo que sea buena idea que venga otro forastero más ahora mismo…, y federal, además. Ya sabes cómo puede ser esta gente de campo. Pero necesito que me averigües más cosas sobre la estancia de Keith Dale en Huntsville: en qué celda estaba, los asociados más conocidos, cualquier comentario, y cualquier conexión que hubiera con la Hermandad.

Greg murmuró algo, no sabía si un «sí» o un «no», que Darren no pudo oír por el ruido del motor. Lo que sí estaba claro era la decepción de Greg. Su rabia incluso, al verse expulsado de un caso que él mismo había abierto, un caso para el cual Darren ahora mismo le estaba pidiendo que le hiciera recados, manteniéndolo detrás del escritorio que odiaba. Irritado, pareció disfrutar de las palabras que pronunció después:

—Me ha llamado Lisa.

—¿Y qué le has dicho?

—Que no sabía dónde estabas.

—Mierda. —Ya le había dicho a ella que estaba haciendo un trabajo para Greg.

Ahora creería que le había mentido.

En cuanto le colgó a Greg, quiso llamarla.

Pero Randie arremetió contra él antes de que pudiera marcar su número.

—¿Y ha tenido acceso a la autopsia de Michael todo este tiempo? ¿Por qué entonces no se molestó siquiera en hablar con este sheriff de pueblo? ¿Por qué ir allí con el sombrero en la mano suplicando información?

—Porque las cosas se tienen que hacer de una manera determinada, es más inteligente seguir un cierto protocolo cuando tratas con estos sheriffs del este de Texas.

Randie reprimió una risa amarga.

—Es usted igual que Michael —dijo, mientras Darren se asomaba a la carretera, esperando a cruzar con seguridad. Ella miró por la ventanilla lateral el paisaje rural, los pinos, la tierra roja, las camionetas que iban por la carretera, los rifles amontonados en la ventanilla de atrás, y Darren notó un calor salvaje que venía desde donde ella se encontraba—. Siempre decía: Texas esto, Texas lo otro. Y que no era tan malo en realidad. Michael siempre ponía excusas para esos racistas, sentía una especie de extraña nostalgia por haberse criado en esta tierra, y eso le hacía estar ciego a todas las mierdas que pasan aquí.

—No son excusas —dijo Darren—. Es saber que «yo también soy de aquí». Yo también soy de Texas. No son ellos los que tienen que decidir qué lugar es este. —Señaló con la cabeza hacia la mansión de Wally que estaban dejando atrás—. También es mi hogar. —Hablaba por un hombre que ya no podía hablar, pero también por sí mismo—. En cuanto a Van Horn, no es malo que piense que estamos siguiendo las normas.

Pero Randie no se dejaba convencer, invadida por una furia silenciosa.

—Él no tendría que haber venido nunca aquí —dijo, con los puños apretados y colocados encima de los muslos, como si estuviera sujetando bien fuerte una boya invisible, como si creyera que su ira contra Michael podía evitar que se hundiese en la marea de dolor que solo había empezado a lamerle los pies—. ¿Qué demonios pensaba que iba a ocurrir en un sitio como este?

—Venir a casa no significa que quieras nada de eso.

—Esta no era su casa —dijo ella.

Pero sí, lo era, y Darren lo comprendía, aunque Randie no. No Lark, por supuesto, sino ese trozo de estado que ambos habían construido, Darren y Michael. La tierra roja del este de Texas corría por las venas de ambos. Darren sabía la fuerza que podía tener el hogar, sabía lo que significa pisar un suelo donde tus antepasados forjaron tu futuro a base de tierra, sabía el enorme poder que tenían las cosas hechas a mano y con amor, que una cosecha podía cambiar un destino. Sabía lo que era estar en el porche trasero de su hogar familiar en Camilla y notar el aliento de sus antepasados en los árboles, la fuerza de la gratitud en cada ráfaga de brisa. Quería decirle todo eso y mucho más a Randie. Pero para entonces esta se había cerrado en banda; estaba muy rígida, con la barbilla alta y hacia delante, ofendida y con una ira que parecía que no iba a ceder nunca. «Que Dios se apiade de ella —pensó Darren— cuando caiga esa barrera y aparezca el dolor».

Si Darren tenía la esperanza de evitar una caza de brujas racial contra el asesino de Missy Dale tenía que volver al Geneva's, y volver allí también era la mejor oportunidad que tenía de conseguir justicia para Michael Wright, y de obtener respuestas sobre sus últimas horas en esta tierra.

Michael había estado en el café, dijo Wendy.

Darren siguió esa pista, y fue en coche directamente desde la casa de Wally hasta el aparcamiento de la cafetería, al otro lado de la carretera. Acababa de aparcar en un espacio en el otro extremo del surtidor de gasolina cuando le sonó el móvil. La foto de Lisa apareció en la pantalla, una instantánea de un viaje que hicieron a México cuando ella se licenció en la Facultad de Derecho. Sus ojos, maquillados con kohl, lo miraban desde debajo del ala ancha de un sombrero de paja.

Randie también vio la imagen. La miró demasiado rato, y luego asintió cuando él le pidió que le diera un minuto. Salió del coche para atender la llamada, apoyándose en la caja de la camioneta y con el tacón de la bota derecha apoyado en uno de los neumáticos traseros de la Chevy.

—¿Qué estás haciendo, Darren? —le dijo Lisa. Parecía cansada, de una forma que no presagiaba nada bueno para él; se le estaba acabando la paciencia. Él había agotado todas las reservas de buena voluntad de que disponía al no haber ido a Houston la noche anterior.

—Wilson me llamó para que me ocupara de algo.

—Te han quitado la placa, Darren.

—No, no es cierto. —Se negó a añadir el equívoco «todavía».

—Pensaba que Clayton y tú habíais hablado —dijo ella—. De la facultad.

—Si quieres preguntarme algo, pregúntamelo, Lis. No tienes que poner como excusa a mi tío.

Ella suspiró y dijo:

—No quiero pasar por esto otra vez.

—Ni yo tampoco —replicó él, pensando que se refería a tener otra vez la misma pelea—. Tengo dos cadáveres, Lisa. La gente espera que haga algo aquí.

Echó una mirada a Randie, a la que veía a través de la ventanilla trasera de la camioneta. Ella miraba hacia delante, al ventanal del café, con sus cortinas drapeadas y el letrero que anunciaba las empanadillas.

—Y tienes una mujer viva aquí.

—Me echaste de casa. ¿Qué querías que hiciera?

—Bueno, pues ahora te pido que vuelvas.

—No.

La respuesta fue inmediata, y era lo que quería, pero tuvo la sensación de que había traspasado un límite más allá del cual no podía respirar bien, ya que el aire a su alrededor era escaso e inútil, como si no pudiera inhalar la cantidad suficiente.

—Lisa...

Ella colgó justo cuando Randie abría la portezuela y salía de la camioneta.

Wendy estaba sentada en una silla de jardín entretejida, cuya trama deshilachada de color amarillo y azul flotaba con la brisa otoñal. Estaba partiendo nueces pecanas encima de una bolsa de papel. A sus pies tenía un puñado de objetos colocados sobre una manta: una máquina de coser, unas botellas de Coca-Cola polvorientas, una vieja guitarra acompañada de un cartel que decía «CUERDAS NO INCLUIDAS», unas cuantas latas y unos pastilleros de nácar. Encima de un Mercury aparcado allí cerca se veía otro letrero: «LLÉVESE UN PEDACITO DE TEXAS A SU CASA». Randie estaba examinando el improvisado mercadillo cuando Darren salió después de dar la vuelta en torno a su camioneta. Wendy hizo un gesto al ver la cara familiar y luego se percató de la placa que llevaba al pecho.

—¿Es de verdad? —le dijo—. Si no, le pago treinta dólares por ella.

—Es de verdad —respondió él—. *Ranger* Darren Mathews, señora.

—Bueno, esta sí que es buena...

Se volvió y vio a Randie mirando una latita redonda y plana, con la etiqueta verde oxidada en algunos puntos. Wendy la señaló y le dijo:

—Perteneció a mi madre.

—¿Y la vende? —le preguntó Randie.

—¿Para qué demonios voy a querer una lata de brillantina para el pelo de 1949? —dijo Wendy, metiéndose la carne de la nuez pecana en la boca. Iba vestida de rojo de pies a cabeza, y su pintalabios color carmesí le había manchado los incisivos—. Una señora que vino la semana pasada me pagó diez dólares por una lata igual que esa. Joder, creo que a mamá le costó diez centavos. —Empezó con otra nuez pecana y abrió la cáscara con un cascanueces plateado—. Si ve algo que le gusta, dígamelo.

—Estamos aquí por Michael Wright —dijo Darren.

—¿Quién?

—El hombre negro al que mataron.

—Oh, no —dijo Wendy, examinando a Randie—. No será usted familia suya, ¿verdad?

—Era mi...

Darren la interrumpió, porque solo quería dar la información estrictamente necesaria.

—¿Lo vio cuando estuvo aquí, alguien habló con él? —preguntó a Wendy.

—No. Fue Geneva —dijo, mientras algo en la carretera llamó su atención. Puso mala cara, la piel se le quedó flácida y colgante, y entonces Darren vio que a lo mejor era más vieja de lo que pensaba. Su expresión cambió de puro miedo a indignación. Él se volvió y siguió su mirada.

—Mira lo que tenemos aquí... —dijo. Era una camioneta Dodge azul que recorría la 59 a paso de tortuga, apenas a sesenta kilómetros por hora, y pasaba por delante del café. El conductor era blanco, pero como lo veía de perfil, Darren no podía distinguir bien su cara.

—Ya van tres veces —dijo ella.

—¿La camioneta?

Wendy asintió.

—Keith Dale.

—¿Ese es Keith Dale? —dijo Randie, volviéndose a tiempo para ver desaparecer la camioneta carretera arriba al coger velocidad y pasar a toda prisa ante el Geneva's—. Estaba en la cervecería anoche —dijo, volviéndose a Darren, intentando comprender qué significaba aquello, lo de ver a Keith allí. Nada bueno, de eso Darren estaba seguro.

—No es el único —dijo Wendy—. Un puñado de esos, de donde Wally, han venido desde la cervecería, mirándolo todo y procurando que Geneva viese que miraban. Le he dicho que podía quedarse con mi pistola hasta que acabe todo esto, pero ella tiene su escopeta del 12 cargada debajo de la caja registradora.

Darren vio desaparecer el camión, preguntándose si daría la vuelta.

Pensó: «¿Por qué no están interrogando a Keith Dale ahora mismo?».

Cogió a Randie por el brazo.

—Vamos adentro.

Él le abrió la puerta y luego se volvió hacia Wendy. También quería que ella entrase, pero la respuesta de la anciana a su preocupación estaba oculta tras un pliegue de la falda, que se levantó para revelar el 22 que tenía en el regazo. No parecía que pudiera matar ni a un mosquito, pero era lo único que necesitaba para decir: «No conseguirán echarme de mi lugar de trabajo». No pensaba abandonar su rincón del aparcamiento del Geneva's sin luchar. Darren esperaba poder resolver aquel caso antes de que hubiese otro asesinato en Lark.

Geneva estaba detrás del mostrador, envolviendo una bandeja con papel de aluminio. La metió en una caja de cartón que tenía en la encimera, con las palabras «Heinz kétchup» impresas. Se secó las manos en el delantal, que tenía un dibujo estrellado amarillo y naranja, y luego levantó la tapa de la caja de los dulces. El café se llenó de calidez con el olor de la mantequilla, el azúcar y la fruta en conserva, melocotones y peras.

Huxley estaba en su asiento habitual, con su periódico. Junto a él se encontraba una chica negra joven, de veintipocos años. Su tono de piel era lechoso, de un moreno muy claro, y estaba enfrascado en una revista de novias. Mientras Geneva envolvía unas cuantas empanadillas en papel de aluminio, la chica señaló un traje de alta costura de la revista y dijo:

—Abuela, ¿qué te parece este?

Geneva le echó un vistazo somero y se encogió de hombros.

—Parece un tablón de anuncios blanco.

La chica aspiró aire entre los dientes y volvió la página.

Geneva vio a Randie y dijo:

—¿Qué desea?

La chica se volvió e inmediatamente se fijó en la desconocida. Examinó a Randie de pies a cabeza, los vaqueros negros, la camiseta fina enrollada por los codos, los aros de oro diminutos que llevaba en las orejas. Le dijo:

—Me gusta su pelo.

Randie le dedicó una breve señal de asentimiento, pero Darren no estaba del todo seguro de que hubiese oído a la chica. Estaba mirando el interior de la cafetería. Los calendarios de Navidad y las placas de matrícula oxidadas. La gramola iluminada de color azul. Lightnin' Hopkins hacía llorar a su guitarra, y al otro lado de la cafetería, con su suelo de linóleo, el barbero, un hombre negro de mediana edad y piel bastante clara, pasaba una maquinilla por el nacimiento del pelo de un adolescente. El olor a brillantina se mezclaba con el olor a grasa de beicon procedente de la cocina, y Darren sintió que se le espesaba la lengua y casi podía notar cómo le llenaba la boca la grasa de cerdo. Por motivos que él no comprendía, Randie todavía llevaba la cámara colgada del hombro, la mantenía muy cerca. Darren notó que la mano de ella se movía hacia la cámara, que sentía el instinto de poner un filtro entre ella y las cosas que tenía justo delante, creando distancia entre su persona y la gente de aquel pequeño pueblo del este de Texas. Parecía una turista, pero Geneva sabía muy bien que no era así.

—¿Es usted de Dallas? —dijo la chica, ansiosa.

—No, Faith, no es de Dallas —respondió Geneva, mirando no tanto a Randie como al hombre que había entrado en su local detrás de ella—. ¿Verdad, *ranger*?

Darren asintió en dirección a ella, y dijo:

—Señora.

—No sé a qué están jugando ustedes, pero no me caen nada bien las personas que me mienten en mi propia cara, joven, en mi lugar de trabajo.

—Yo solo hago mi trabajo, señora, como puedo.

—Podía haber dicho usted algo cuando estuvo aquí ayer, pero no, entró sin placa y no dijo una sola palabra de que era un *ranger*, sabiendo que yo lo tomaría por un cliente. Dejó que lo enviaran aquí para mezclarse con nosotros, pensando que diríamos algo delante de usted que no diríamos delante de Van Horn.

—No me envió nadie, señora —dijo Darren—. Y si quiere contestarme unas cuantas preguntas, quizá pueda ayudarla a dejar al sheriff al margen de esto y mantenerlo lejos.

—Missy Dale no estuvo por aquí el domingo por la noche, y Van Horn lo sabe muy bien. Esa es mi declaración, y punto.

—Puede hablar usted con él o conmigo.

—Pues prefiero lo malo conocido, la verdad —dijo Geneva.

Le dolía, Darren lo admitía, que aquella mujer, a la cual solo intentaba ayudar, lo tuviera tan mal considerado. El delantal, el aroma de la comida que rodeaba a Geneva, su mirada exigente, era todo un retrato de calidez materna negra, que despertaba un apetito en Darren que a veces olvidaba que sentía. Lo máximo que le había servido su madre en su cocina era una lata de cerveza Pearl. Había tomado su primera bebida alcohólica a sus pies, de hecho, en las escaleras de la caravana. Tenía trece años, y por aquel entonces Clayton enseñaba derecho constitucional en la Universidad de Texas, en Austin, y pasaba la mayoría de los días laborables de la semana allí. Completamente solo durante muchos días, él iba en bici a ver a su madre, algo que a Clayton no le habría hecho la menor gracia. Bell le dejaba tomar una cerveza por cada cuatro o cinco que se tomaba ella, y hablaban, hablaban del colegio, y ella fingía que lo escuchaba, y de chicas, cosa que a ella le interesaba mucho más. Bell era una romántica, y quería que su hijo fuese un caballero. «Asegúrate de pagarle la cena antes», le decía repetidamente, pensando en una futura novia que Darren ni siquiera podía imaginar por aquel entonces. Clayton le envió al instituto en Houston tanto para darle una educación de cuatro estrellas como para alejarlo todo lo posible de la influencia de su madre. Pero siguió yendo igual. La noche que tuvo relaciones sexuales por primera vez, con Lisa, que era su novia entonces, se gastó hasta el último céntimo que había ahorrado en un restaurante de una cadena en el centro comercial West Oaks. «Lo que quieras».

Oyó una voz tras él que decía:

—¡Esa es mía!

La exclamación había salido de la boca de Randie, y tanto Darren como Geneva se volvieron, Darren sin comprender lo que acababa de ocurrir, por qué parecía que Randie hubiese visto un fantasma, por qué tenía la respiración alterada.

—Es mía —dijo de nuevo. Miraba el reservado que se encontraba más lejos de la puerta, que tenía su propia decoración. La pared de encima estaba empapelada con carteles de conciertos de *blues* de cincuenta años de antigüedad. Lightnin' Hopkins en el Eldorado Ballroom, en Houston. Albert

Collins encabezando una revista en Third Ward. Bobby «Blue» Bland, en escena con una nueva banda en Dallas. Una actuación en el Club Pow Pow en la que aparecía Joe «Petey Pie» Sweet. Y justo encima del reservado, en un estante bajo, se encontraba una guitarra Gibson Les Paul de 1955, con la madera clara rayada y desteñida por un lado. Era eso lo que había alterado a Randie, lo que hacía que le temblaran las manos, como Darren pudo observar.

—¿Perdone? —dijo Geneva.

—Es de mi casa. Es mía. Quiero decir, era de Michael.

Fue hacia el reservado y tendió la mano hacia la guitarra que estaba en el estante.

—¡Ni se le ocurra!

Randie notó algo en la voz de Geneva que la detuvo en seco.

—Perteneció a mi marido —dijo la mujer anciana—. Y se va a quedar aquí.

Puso unas bolsitas de condimentos en la caja de comida, luego lo cogió todo y se dirigió hacia la puerta. Le preguntó a Huxley si tenía algo de correo que quisiera enviar, y luego, de camino hacia la puerta, le preguntó a Faith a gritos:

—¿Vienes o no?

Faith puso cara de fastidio.

—Lástima de comida —dijo, bajito.

—Sigue siendo tu madre —repuso Geneva, a lo cual Faith no respondió.

La campanilla de la puerta tintineó al salir Geneva. Darren cogió a la mujer por el brazo. Notó el hueso por debajo de su piel como de papel.

—Dígame, señora. Solo dígame si Michael Wright estuvo aquí.

Geneva le miró y dijo:

—Ya ha visto la guitarra, ¿no?

Dicho esto, pasó a su lado y abrió la puerta, y la campanilla tintineó tras ella. Fuera oyó el motor de su Pontiac que se ponía en marcha. Se quedó mirando unos segundos mientras ella daba la vuelta con el enorme coche hacia la carretera, salía y se iba por la 59.

—Pero ¿adónde va? —preguntó Darren. Huxley levantó una ceja, pero no dijo nada. Faith suspiró y cerró su revista de novias.

—Gatesville —dijo.

—¿Gatesville?

Darren no conocía a nadie que fuese a Gatesville por otro motivo que para visitar a alguien que estuviese en custodia del Departamento de Justicia Criminal de Texas. En esa localidad había ocho prisiones, cinco de las cuales albergaban solo a mujeres.

—¿Va a ver a alguien que está en la cárcel?

Faith se puso de pie y dijo:

—Mi madre lleva dos años en Hilltop Unit.

Se dirigió al espejo grande que estaba justo al otro lado de la cafetería, apretándose para pasar junto al sillón de barbero y el hombre que cortaba el pelo, para mirar su reflejo. Se levantó el pelo ondulado y se lo sujetó en la parte alta de la cabeza, y luego se volvió a Randie, la mujer moderna que no era del pueblo.

—¿Qué le parece? ¿Con unas florecitas «velo de novia» encima? Rodney dice que me dará el dinero para que me lo arreglen profesionalmente en Timpson, antes de la boda.

En ausencia de Geneva, Randie fue a coger la guitarra. Cruzó el reservado más alejado, se metió en el asiento y se arrodilló encima para poder alcanzar la Les Paul del estante.

—Yo que usted no lo haría —dijo Huxley, y de nuevo Randie se quedó quieta. Miró a Darren, que negó con la cabeza suavemente. Necesitaban a Geneva. Vio a Huxley cerrar el periódico y metérselo bajo el brazo.

—Betty me va a poner bueno si no voy a casa a comer al menos un día esta semana —dijo el anciano.

Darren le preguntó:

—¿Estuvo usted aquí el miércoles, señor?

—Siempre estoy aquí.

—¿Vio usted a mi marido? —le preguntó Randie.

Huxley se puso de pie y la miró.

—La acompaño en el sentimiento, señora. Pero la respuesta de lo que le ocurrió a su marido no está aquí. Lo único que sé es que vino sobre las cinco o las seis de la tarde y comió algo. Los miércoles hay siluro. Geneva y él hablaron un poco, pero Tim y yo estábamos jugando a las cartas, y no escuchaba demasiado. Oí algo de que quería alquilar una habitación en el tráiler que tiene Geneva atrás, pero se fue y no volvió. Y ahora dicen que estaba en la cervecería… Ahí es donde tienen que buscar.

—Pero ¿por qué? —preguntó Darren, dirigiéndose tanto a Randie como al anciano—. ¿Por qué Michael salió de aquí y se fue a la cervecería?

Pero claro, Darren había hecho lo mismo el día anterior porque quería tomar algo más fuerte.

—No lo sé —dijo Huxley—. Pero Lil' Joe iba mucho por ese bar y mira lo que le pasó.

—Deja a mi madre en paz —saltó Faith.

—¿Quién es Lil' Joe? —preguntó Darren.

Desde el espejo, Faith dijo:

—Mi padre.

Antes de que Darren pudiera preguntar qué le pasó al padre de Faith y qué tenía que ver su madre con todo ello, el móvil le vibró en el bolsillo de los pantalones. Era un mensaje de Greg: «Te mando autopsia».

12.

Le dijo a Randie que tenía que hacer una llamada, murmurando algo sobre su teniente, algo que le permitiera estar unos pocos minutos a solas para leer el informe del forense. No podía recibir la información y al mismo tiempo proteger a Randie de ella. Le contaría lo que fuera necesario, no más. Salió cuando el disco de John Lee Hooker cayó en la máquina y Randie se hundió en el reservado debajo de la guitarra, mirando la Les Paul. «Bluebird, bluebird, take this letter down South for me», cantaba el Boogie Man mientras Darren abría la puerta delantera de la cafetería y la campanilla resonaba tras él. El aire en el exterior hizo arder el sudor que le caía por la frente. Entró en la cabina de su camioneta, caliente por el sol del mediodía. El archivo iba adjunto a un mensaje de correo que informaba de que el examen final de Missy Dale todavía estaba en progreso en la oficina del forense del condado, en Dallas.

Darren abrió el archivo de Michael Wright.

Las fotos le asaltaron nada más empezar. La piel de un gris amoratado y ceroso, el cuerpo hinchado e irreconocible de un miembro de esa especie que conocemos como humana. Los dos días que Michael había pasado en el agua antes de ser descubierto por un granjero blanco al otro lado del *bayou*, mirando desde la cervecería, habían destruido el cuerpo, así como gran parte de las pruebas físicas, como se observaba en la primera página del informe escrito. Pero todavía quedaba un trauma visible en el lado izquierdo de la cabeza de Michael, en el momento del examen forense, con la piel desgarrada y magullada al lado del ojo y una gran brecha por encima de la oreja. Lo habían golpeado con saña, lo suficiente para fracturarle el cráneo por dos sitios, con una fuerza brutal y con un objeto que podía ser, según la hipótesis del forense, de la anchura de un bate de béisbol, pero con los ángulos más definidos, lo bastante agudo como para cortar la piel y con la fuerza suficiente para romper el hueso. La forense, una doctora llamada Aimée Kwon, observaba que había fibras de madera incrustadas con tanta profundidad en el tejido en torno a las heridas que, aunque el cuerpo llevaba días sumergido en el agua, se requirieron unas pinzas quirúrgicas para poder extraerlas. Tenían una cierta semejanza con la pulpa de pino cruda, pero habría que realizar más análisis forenses para asegurarlo. A causa de la descomposición de la cavidad craneal, la forense no podía estar segura de si el golpe que recibió Michael en la cabeza lo incapacitó de inmediato o bien si pudo andar sin ayuda hasta la orilla del *bayou*. Su nivel de alcohol en sangre era de 0,2, lo que indicaba que se había tomado una sola copa y quizá ni siquiera se la había terminado. Darren no pensaba que el alcohol tuviera nada que ver en la muerte, ni tampoco la forense. Ella lo descartaba por completo. Había el suficiente agua del *bayou* en los pulmones de Michael para concluir que se había ahogado. Pero si cayó en el *bayou* por sí mismo o si fue arrastrado al agua mientras estaba inconsciente, era algo que el informe no podía dilucidar. Al no tener más información de la investigación del condado de Shelby, se establecía que la manera de la muerte era indeterminada. Oficialmente no era ni accidente ni homicidio. Darren, que había caído en el agua poco honda y fangosa, creía que alguien tuvo que arrastrar el cuerpo desmadejado y postrado de Michael y arrojarlo al agua. Y, más que nunca, creía saber quién había sido.

Le explicó todo esto a Randie tan delicadamente como pudo. No le dejó ver las fotos ni la mayor parte del informe escrito. Le sorprendió que ella confiara en él lo suficiente para no presionar más. Se quedó muy callada, como nunca la había visto. Escuchó sus palabras, el resultado de la autopsia que él le recitó de memoria. Asentía, pero hizo muy pocas preguntas. Apoyó la cabeza en la ventanilla del asiento del pasajero, en un momento dado, y lloró. No dijo nada, excepto que creía que iba a vomitar, pero cuando abrió la portezuela e inclinó la cabeza hacia la acera gris, no expulsó nada. No hubo alivio alguno, y se retiró de nuevo al interior de la cabina, secándose un fino hilo de baba del labio inferior. La turbación emocional que llevaba encerrada en su interior siguió agitándola. Puso los botines negros que llevaba en el asiento, levantó las rodillas para poder abrazárselas estrechamente y convirtió su cuerpo en un ancla contra un dolor que la estaba sacudiendo, literalmente. Darren pronunció su nombre bajito:

—Randie.

Fue a tocarle el hombro, pero se detuvo.

—Déjeme que la saque de aquí, ¿de acuerdo? No hay necesidad de que pase usted por todo esto. Llévese a su marido a casa y que descanse en paz. Le prometo que encontraré a la persona que le hizo eso a Michael.

Ella se soltó las rodillas y se incorporó.

—No me voy a ninguna parte.

—Randie, necesito que me deje hacer mi trabajo.

—No me voy hasta que haya un arresto. No lo voy a abandonar —dijo, como si el alma de Michael se fuera a quedar en Lark para siempre si ella no se ocupaba de todo aquello. Se había endurecido de nuevo, y la ira la tranquilizaba y le proporcionaba un objetivo; el temblor se detuvo.

—Bien. Pero tengo que hacer unas cuantas cosas yo solo. —Randie le dirigió una mirada, con una pregunta implícita en su ceja arqueada—. Voy a volver a esa cervecería —dijo—. Y usted no puede entrar allí.

—Ni usted tampoco.

—No voy a entrar.

Como habían dejado el coche alquilado de Randie en el motel, donde ya no aceptaban a Darren, él dejó que condujera su camioneta, con estrictas instrucciones de que volviera a recogerlo en cuanto recibiera un mensaje de texto suyo o al cabo de una hora, lo que pasara primero. Ella lo dejó en la FM 19, a lo largo de la estrecha franja de bosques entre la carretera de la granja y la cervecería. Salió de la Chevy y fue caminando por el espeso bosque de robles rojos y blancos, pasando de costado entre las ramas, cuyas hojas caían con solo tocarlas. Fue andando hasta que llegó a un claro que estaba más o menos detrás de la cervecería. Por las paredes del bar se filtraba la música *country*, que se oía fuera. Waylon Jennings hablaba de volver a empezar en Luckenbach, Texas. Darren escuchó el sonido del motor de la Chevy cada vez más amortiguado, pero no oyó nada más aparte de la canción de amor vibrante. Esperó hasta que le pareció que hacía rato que se había ido Randie.

Había un tanque de propano y un generador detrás de la cervecería, y también un ahumador cubierto de agujas de pino y cuyo fondo se había oxidado años atrás. Junto a una silla plegable de plástico había un cubo de pintura vuelto del revés, encima del cual se veía un cenicero desportillado de cristal, con un borde lo bastante afilado como para cortar la piel. Estaban muy cerca de los bosques y por tanto el aroma de los pinos era dulce, pero el olor competía (y perdía la batalla) con el hedor a basura y a cerveza rancia de las botellas apiladas dentro de un enorme cubo de basura negro, con moscas muertas pegadas a la tapa. Darren se metió un cigarrillo suelto en el bolsillo de la camisa y esperó. Se acercaban las tres de la tarde, y el sol había ido avanzando hacia el otro lado de la carretera. Detrás de la Jeff's Juice House revoloteaba la brisa, levantando unos cuantos recibos de papel que nadie se había molestado en recoger de los matojos de hierba. Había también algunas bolsitas de plástico con cierre zip en el suelo, algunas muy viejas y aplastadas contra la tierra, lo bastante pequeñas para contener botones, o monedas sueltas, o cristales de metanfetamina. Donde estaba presente la Hermandad Aria, normalmente aparecían drogas. Darren se agachó, recogió una con su pañuelo y se guardó aquella posible prueba. Mantuvo vigilada la puerta trasera del bar y esperó.

Para pasar el tiempo sacó el teléfono y buscó a Joe Sweet, cuyo nombre se había mencionado tres veces desde que Darren había llegado al pueblo. Joe «Petey Pie» Sweet, según la página de la Wikipedia, había nacido como Joseph Sweet en una granja a las afueras de Fayette, Misisipi, en 1939, en una familia con once hijos. Su hermano mayor, Nathan, le enseñó a tocar la guitarra, y a los doce años Joe ya tocaba en los garitos donde no tenía edad para beber. Dejó Misisipi con dos de sus hermanos a finales de los cincuenta y se estableció primero en Gary, Indiana, y después en Chicago, la meca del *blues* del Delta, chicos del sur profundo que llevaban su música al norte. Joe pronto dio con Muddy Waters y un joven Buddy Guy, tocó en una banda con Little Walter y trabajaba habitualmente como músico de sesión con los hermanos Chess. Hizo algunas giras, se unió al grupo de Bobby «Blue» Bland, pero nunca consiguió fama propia. Dejó de hacer giras y de grabar a finales de los sesenta, y lo mataron en un atraco en Lark, Texas, en 2010, a la edad de setenta y un años. Estuvo casado desde 1968 hasta su muerte con Geneva Sweet. Solo tuvieron un hijo, Joe Sweet Jr., que murió en 2013.

Por pura curiosidad, Darren entró en otras páginas y encontró unas fotos de un hombre de piel muy oscura que al parecer tenía predilección por las corbatas estrechas y el pelo afro muy corto. A Darren le seguía rondando algo por la cabeza. «No hemos tenido nada como esto por aquí desde que murió Joe». Y Tim a continuación preguntó, provocativamente: «¿Cuál de ellos?». Los dos estaban muertos, el marido y el hijo de Geneva, el padre de Faith.

Sus dos Joes, muertos.

La puerta trasera de la cervecería se abrió de repente; Darren levantó la vista y vio que la camarera de la noche anterior salía, encendía un cigarrillo y luego levantaba la vista y veía a Darren. No se detuvo cuando lo vio, solo exhaló un poco de humo por la nariz y dijo:

—Se supone que usted no debe estar aquí. Si Brady lo encuentra husmeando, le dará una patada en el culo a usted y otra a mí.

—¿Es su jefe?

—El jefe es Wally —dijo ella—. Brady solo es el encargado.

—¿Y sabe él el tipo de gente que viene a este bar?

—Sé que no quiere que usted venga por aquí.

—Hablo de la Hermandad, señora —respondió él, pensando que una mujer como aquella, que hoy llevaba una camiseta de malla encima de un top blanco sucio, con el cuello completamente lleno de llagas y de granos, no solía oír la palabra «señora» de forma habitual, y que un poco de deferencia no le vendría mal—. Hablo de los tipos con tatuajes de la HAT que vienen por aquí, ese grandote que nos echó de la propiedad anoche.

—Ese es Brady —dijo ella.

Miró por encima de su hombro.

La puerta trasera de la cervecería estaba entornada, sujeta con una piedra.

Darren oía el entrechocar de los platos en la cocina.

—¿Y Wally lo sabe? —la pregunta sonó ingenua en sus propios oídos.

—Wally no ha participado en manifestaciones en Washington, precisamente —respondió ella, y él se preguntó qué edad tendría. Si era la meta la que le había dejado aquellas arrugas en la cara, no había forma de saberlo; la droga imponía su propio ritmo. La vio dar una calada al cigarrillo mientras echaba una mirada larga y detenida a su placa. La placa le daba miedo…, mucho más que Brady.

—Si quiere preguntarme algo, será mejor que lo haga y terminemos ya antes de que se me acabe el descanso.

Miró dos veces más hacia la puerta, cambiando el peso de un pie a otro cada dos segundos, tocándose el pelo con una mano o la otra, o la boca, o mordiéndose el pulgar. Llevaba unas zapatillas Keds sin cordones, que estaban tan sucias que tenían un tono marrón grisáceo, y la piel que asomaba por encima de ellas estaba pálida y reseca.

—¿Keith Dale? —dijo Darren—. ¿Está en la Hermandad?

—No soy la secretaria del club.

Darren le dirigió una mirada de complicidad, plantando los tacones de las botas en el suelo como para sugerir que no pensaba moverse de allí.

—Sí, va por allí —reconoció ella, apagando el cigarrillo después de dar una honda calada y soltar una tos. Luego se encogió de hombros—. A este bar viene mucha gente. Es un sitio bonito. Keith no es especial.

—¿Estaba él aquí el miércoles por la noche?

—Yo no lo vi —replicó ella, mirando por encima de su cabeza hacia las copas de los pinos, evitando de forma deliberada el contacto visual. Darren tuvo la sensación de que había algo más, justo debajo de la superficie. Pero como no tenía nada más que fumar, ella se volvió, dispuesta a entrar de nuevo.

Él le ofreció el cigarrillo suelto que llevaba en el bolsillo, entregando la zanahoria y el palo como incentivo. Le dijo:

—¿Brady trafica con cristal aquí? Puede que Van Horn haga la vista gorda, pero yo, como *ranger*, no puedo hacerlo. Porque además los federales nos presionan para que les demos información todo el tiempo. Podría llevar algo encima, ahora mismo.

Y examinó con detenimiento las líneas de su cuerpo, por si veía algún bulto en sus ajustados tejanos. Ella se puso blanca de inmediato, negó con la cabeza y levantó las manos, a la defensiva, con el Camel de Darren entre los dedos. Él se acercó para encenderlo, mirándole los ojos avellana mientras el humo que exhalaba se enroscaba en torno a ambos. Ahora ya la tenía amedrentada. Vio que ella sopesaba cuáles eran sus opciones. Al otro lado del *bayou* alguien estaba ahumando venado, dos semanas antes de la temporada de caza. Darren aspiró el dulce aroma de la madera de pecán quemada.

—Porque se arriesga a que la arresten si los ayuda a esconder drogas aquí.

—No sé nada de eso —respondió ella, cansada. Se pasó una mano por el pelo fino y grasiento y suspiró, rindiéndose—. Mire, Keith normalmente viene de la serrería con tiem-

161

po suficiente para tomarse una cerveza y llevar a casa a Missy cuando ella acaba su turno. Pero si algo lo retiene en Timpson, ella tiene que ir andando a casa. Viven justo al salir de la FM 19, la pista rural que pasa por el otro lado de los árboles. —Y señaló los bosques a través de los cuales acababa de pasar Darren—. Se lo juro por lo más sagrado, por mis niños, que no vi a Keith Dale aquella noche.

—¿Y quién sirvió al forastero?

—¿A quién?

Pero ella sabía de quién hablaba.

—¿Cómo se llama usted, señora? —preguntó Darren. Era directo, pero no rudo. Pero tampoco le dejaba que olvidase que era un representante de la ley. Sabía que en parte aquello no iba a ser voluntario. Ella dudó, y él la volvió a presionar—. Le he preguntado su nombre.

—Lynn.

—Lynn, dígame quién sirvió al hombre negro.

Ella suspiró, y luego finalmente lo soltó.

—Missy.

Ella examinó su cigarrillo como si pudiera calcular el tiempo con la nicotina. Un cigarrillo y medio significaba que su descanso había terminado definitivamente.

—Escuche, no puedo quedarme más tiempo aquí fuera. No quiero ofenderlo, pero me echarán los perros encima si se enteran de que he hablado con un policía.

—¿No habló ya de todo esto con el sheriff?

—Él no me hizo ninguna pregunta sobre el tipo negro hasta después de que muriera Missy —dijo ella, apagando el segundo cigarrillo—. Estuvo aquí esta mañana.

De modo que por eso había llegado tarde a casa de Wally, pensó Darren; había intentado igualar su juego, fingiendo que trabajaba en el caso de Michael Wright desde el principio.

—¿Y qué le ha dicho? —le preguntó.

—Lo mismo que a usted..., que le sirvió ella.

—¿Al hombre negro? ¿A Michael? —dijo él, para dejarlo bien claro.

Ella asintió.

—A muchos no les gustó nada ver hablar a esos dos.

—¿Hablar? —Era lo mismo que había dicho Van Horn.

—Una hora por lo menos. Missy se llegó a sentar un rato en su mesa y todo. Yo le tuve que decir que se fuera. Habían pasado veinte minutos desde que se acabó su turno y todavía no había fichado para salir.

—¿Y se fue sola? —preguntó Darren.

Michael había alquilado la habitación del remolque de Geneva, pero no llegó a volver.

—No era asunto mío —dijo ella, evasiva.

—Necesito que me lo diga, Lynn.

Ella se rascó una llaga que tenía debajo de la barbilla.

—Sí, claro, la vi salir con él.

—¿Está segura?

Ella asintió.

Darren meneó la cabeza para sí. No quería que aquello fuera verdad, le costaba imaginar un mundo en el que un hombre que había estado con Randie pudiera ir tonteando por ahí con una chica de un pequeño pueblucho de Texas que ha dejado los estudios. Y ciertamente, no quería tener que contarle a Randie aquella parte del caso.

—¿Y qué hay de Keith? —dijo él—. ¿Dice que no llegó a entrar en el bar?

—No. He dicho que no lo vi. Pero quizá asomó la cabeza. Si no la ve, cuando se va andando a casa a veces la recoge en la pista rural. A lo mejor había estado buscándola —aventuró, antes de que una fea amargura la invadiera. Escupió sus últimas palabras—: Algunos tipos no aprenden nunca.

Darren no comprendió de inmediato lo que quería decir. Pero ya tenía una imagen, una teoría. Keith podía haber encontrado a su mujer y un forastero, un hombre negro, juntos en la pista rural. Era lo más cerca de Michael Wright que había conseguido situar a Keith. Pero tenía que salir de allí con algo más concreto, en papel si podía ser, si quería influir en Wilson para seguir presionando y que considerase a Keith Dale el sospechoso principal.

—¿Cumple Brady un horario que figure por escrito en algún sitio? —preguntó—. Quiero decir que no necesito ver qué más hay en su despacho —dejó caer como por casualidad la insinuación de un caso de drogas, solo para facilitar las cosas—, pero necesito ese horario, Lynn. Especialmente el del miércoles por la noche. Es muy importante.

No mencionó que ella tenía que entregarle también una declaración jurada testimoniando todo lo que acababa de decirle, por si contaba como prueba. Pero ella asentía mientras volvía al interior, de modo que no la presionó más. Envió un mensaje a Randie para que viniera a buscarlo. Si había aparcado donde Geneva, como él le había dicho, estaría allí en unos minutos.

La puerta trasera de la cervecería se abrió de nuevo.

«Demasiado rápido —pensó—. Demasiado».

Sabía que se avecinaban los problemas antes incluso de levantar la vista y ver no los dedos de Lynn, manchados de nicotina, ofreciendo pruebas con solo pedírselo, sino más bien el puño de Brady viajando a toda velocidad. «Tendría que haber sabido que no iba a ser tan fácil». La idea le estalló como un petardo en el cerebro mientras el primer golpe lo alcanzaba debajo de la barbilla.

Salió propulsado hacia atrás, tirando el cubo de basura de camino hacia el suelo. Soltó el cierre de su pistolera y ya tenía el Colt en la mano antes de volver a ponerse de pie. Pero cuando apuntó, Brady ya tenía un 357 apuntándole. Y no estaba solo. A Darren le costó un momento situar al hombre blanco con una gorra de béisbol manchada de sudor que estaba junto a Brady. Era Keith Dale. Brady le ofreció el tiro mortal con una crueldad que disparó un chute de adrenalina como ácido caliente por las venas de Darren.

—El paquete es para ti, si lo quieres, Keith —dijo Brady, con una sonrisa torcida y extrañamente confiada en la cara—. Después de esto puedo dejar que te unas.

Darren notó un pánico que lo asfixiaba porque reconoció la forma de hablar de la Hermandad. Brady desvió su mirada en dirección a Keith, queriendo que su protegido captara la magnitud del momento, el regalo que le estaba ofreciendo. Keith soltó una basta risotada. Brady se puso serio y dijo:

—Hazlo por Ronnie Malvo.

El nombre rebotó en el cerebro de Darren.

Ronnie Malvo, apodado Redrum, el hombre que había invadido la propiedad de Mack el mes anterior y que acabó muerto dos días después. Por medio de alguna página aria en los medios, siguiendo pistas en Facebook y Reddit, las noticias de la conexión tangencial de Darren con la muerte de Malvo tenían que haber llegado al condado de Shelby. Darren era oficialmente un hombre marcado, que estaba a punto de perder la vida si no actuaba de inmediato.

Le dio una patada al 357, que voló de la mano de Brady y aterrizó al menos a un metro a su izquierda. Brady hizo un movimiento hacia él, pero Darren le estaba apuntando con el Colt a la cabeza en cuestión de segundos. La placa le daba derecho a disparar. Pero si lo habían inhabilitado por ayudar a Mack, disparar a un hombre desarmado acabaría con su carrera. Básicamente, estaba en tablas consigo mismo. Empatado. Su duda lo violentó y lo puso furioso.

Brady se burló de Keith.

—Tenías que haberle disparado al tío este mientras podías.

Pero ahora quien dominaba la situación era Darren, que tenía a ambos hombres al alcance de su Colt. Miró a Keith de arriba abajo, desde el sombrero hasta las botas de trabajo. Tenía los nudillos arañados, y una magulladura en la parte superior de la mano derecha, así como otra en la mejilla, justo por debajo del ojo izquierdo. Esta había ido adquiriendo un tono amarillo intenso con algunos rastros de morado en el centro. «De hace unos cuantos días».

—¿Cómo se hizo esos moretones, Keith?

Keith lo miró con desdén y escupió a los pies de Darren.

—Que te jodan.

—No digas ni una palabra —dijo Brady—. Van Horn se ocupará de esto.

Entonces fue cuando Darren oyó las sirenas.

A unos cientos de metros de distancia quizá, y acercándose.

Bocabajo en el polvo, el teléfono de Darren pitaba repetidamente. Randie lo esperaba al otro lado de aquellos árboles. Al menos, confiaba en que estuviera allí.

Pero no: estaba allí mismo, dando la vuelta a la esquina, al volante de su camioneta.

En realidad, no había vuelto al Geneva's, sino que se había quedado esperándolo nada más salir del aparcamiento de la cervecería. Y ahora asomaba la camioneta junto al edificio achaparrado, casi sin poder maniobrar aquel vehículo tan pesado en el terreno irregular. Pisó los frenos con tanta fuerza que se levantaron remolinos de tierra roja del suelo. Darren apenas podía verle la cara al volante.

Cuando vio las armas, Randie chilló.

Su pánico hizo saltar a Brady. Miraba la pistola que tenía a los pies. Aquello se podía poner muy feo, pensó Darren a toda velocidad, y no quería que Randie quedara atrapada en un tiroteo. Tenía que salir de allí inmediatamente. Darren siguió apuntando con su 45 a Brady y Keith mientras cogía su teléfono y corría hacia la camioneta, y las sirenas se acercaban cada vez más al subir al coche junto a Randie. Brady fue a coger el arma y Darren le chilló a Randie:

—¡Arranque! —Ella estaba tan nerviosa que aceleró, y el coche dio un salto hacia adelante. Unos pocos metros más y lo habría hundido en el *bayou*. Para dar la vuelta a la Chevy tuvo que retroceder hacia la cervecería. Durante un breve y terrorífico instante se vieron cara a cara con Brady de pie ante la Chevy, con el cañón del arma apuntando directamente hacia ellos. Randie lo vio a través del parabrisas y se quedó completamente helada, en medio de su maniobra, con los dedos agarrados al volante—. Quite el pie del freno, Randie —dijo Darren, intentando persuadirla para que superara su miedo mientras tiraba del volante para apuntar las ruedas delanteras hacia la carretera—. Vamos, ahora —insistió—. ¡Dele!

Ella apretó el acelerador y saltaron hacia adelante, Darren agarrado al salpicadero. Ella se encorvó encima del volante e introdujo la ancha camioneta por el hueco que quedaba entre el bosque y el lateral de la cervecería.

Detrás de ellos, Darren oyó dos estampidos inconfundibles.

Uno dio en el espejo del lado de Darren.

El otro dio en uno de los neumáticos traseros.

Al salir a toda velocidad del aparcamiento pasaron junto a Van Horn, que venía de la carretera. Cuando su coche patrulla pasó por encima de la grava, clavó sus ojos en los de Darren. Al ver a un policía, Randie dudó, pero Darren le dijo que siguiera avanzando antes de que Brady les acertara con un disparo, antes de que los matara a los dos.

13.

No pararon hasta atravesar la frontera del condado. Darren dio instrucciones a Randie de detenerse en el aparcamiento de una bolera en Garrison. Era un policía que huía de la ley, y por muy ridículo que resultara aquello, por mucha rabia que le diera, no estaba dispuesto a parar y explicarse ante un sheriff al que técnicamente superaba en rango. Un enfrentamiento verbal con un representante local de la ley por una cuestión de jerarquías molestaría mucho al teniente Wilson, y marcaría negativamente su nombre, cosa que Darren no podía permitirse cuando acababan de devolverle la placa. Que Van Horn se las arreglase con el insensato tiroteo del bar de Wally. Darren no pensaba permitir que cuestionasen la forma de llevar una investigación que el sheriff prácticamente había arrojado a sus pies.

Le dijo a Randie que saliera del coche. Estaba aterrorizada y le temblaban todos los miembros como el azogue. Tuvo que decirle dos veces que se apartara de la Chevy mientras cambiaba la rueda trasera que una bala había atravesado limpiamente. En el suelo, colocando el neumático en su sitio, se rascó el hombro derecho con el cemento y se hizo un agujero pequeño en la tela de la camisa. Con el esfuerzo transpiró también, y regueros de sudor le corrieron por la espalda. Randie temblaba más a medida que iba haciéndose de noche.

Se había dejado el abrigo blanco y solo llevaba la camiseta y los vaqueros. Él cambió la rueda en menos de quince minutos y se puso al teléfono con su teniente poco después. Quería una orden de registro basándose en posible posesión de drogas con intento de venta, usando la conexión con la Hermandad como causa probable. Mientras registraba el bar de Wally, se haría con el horario de trabajo de Missy. Era de esos cebos y trampas que suelen usar los policías constantemente. Pero Wilson estaba furioso.

—*Ranger*, le quedan menos de doce horas antes de que algún corresponsal de Chicago aterrice en el suelo de Texas, husmeando por ahí, ¿y ya está jodiendo con lo de la venta de meta? Prácticamente me ha suplicado que le dejara hacer esto, ¿se acuerda? Está ahí para reunir pruebas sobre el homicidio de Michael Wright, y eso es todo.

—Y yo le digo que está relacionado con el asesinato de Missy Dale.

—Eso no lo sabe.

Darren le explicó su estrategia: podían usar el tema de las drogas para meterse dentro; podían incluir una petición de los horarios de los empleados en la orden de registro. Era una posible prueba, que podía situar juntos a los dos muertos la misma noche, la noche que Michael Wright desapareció. Pero Wilson no quería.

—Este no es un caso de drogas.

—Espere —dijo Darren—. Cuando yo trabajaba en el grupo de investigación, no me permitieron perseguir delitos raciales, y ahora estoy en medio de un delito racial, ¿y no quiere que saque el tema de las drogas?

Randie estaba de pie al otro lado de la cabina de la camioneta, apoyada en la portezuela. Estaba oyendo todo lo que decía.

—No sabe si esto es o no un delito racial —dijo Wilson.

—¿Me está tomando el pelo?

—Cuidado, Darren.

—¿Por qué le resulta tan difícil admitir lo que tiene delante de sus mismísimas narices? Estoy en un pueblo repleto de miembros de la Hermandad Aria, y dos de ellos casi se han llevado mi culo como trofeo esta misma noche.

—¿Cómo?

Darren calló. No le había contado a su teniente lo del tiroteo; en parte, no confiaba en que su departamento lo respaldara en la situación presente. Si decía algo de Ronnie Malvo, con el veredicto del gran jurado todavía en el aire, Wilson lo sacaría de allí en el acto y Randie se quedaría sola. Wilson, por su parte, permanecía callado, y solo se oían los leves timbrazos de los teléfonos de fondo. Darren recordó la tranquilidad que reinaba en el cuartel general de Houston, cómodamente enmoquetado, lo civilizadas que parecían las investigaciones por corrupción pública y delitos fiscales en aquel mundo de cuello blanco, mientras que ahora estaba de pie sobre un asfalto agrietado, en un pueblo de mierda de las afueras del condado de Shelby, donde lo acababan de tirotear dos miembros de la Hermandad Aria. Le dijo al teniente Wilson que iba a seguir unas cuantas pistas y luego colgó el teléfono en cuanto pudo, maldiciendo entre dientes. Randie cruzó los brazos encima del pecho.

—¿Y ahora qué?

Darren le dijo la única verdad que sabía en aquellos momentos:

—Necesito una copa.

Dejó sus herramientas en el estrecho asiento trasero y luego se dirigió a la entrada de la bolera. Randie parecía confusa al principio, pero de todos modos lo siguió. Como el bar que estaba dentro de la bolera solo servía vino y cerveza (¡joder!), hicieron un rápido viaje en coche y acabaron en un tugurio con el tejado de hojalata, en la carretera. A este lado de la línea del condado, podía respirar un poco más. Sonaba un *blues* cuando Darren abrió la puerta para que pasara Randie, una canción de Koko Taylor que llenaba el espacio único que era a la vez bar y discoteca. Sobre todo se veían negros, que tomaban las últimas copas de la tarde. Había unos cuantos hombres en camiseta preparando alguna actuación para aquella noche, metiendo baterías y altavoces.

Darren intentó recordar qué día era y el tiempo que había pasado desde que Greg lo llamó para contarle lo de los dos asesinatos en Lark. En su fuero interno sabía que estaba cometiendo un error al entrar en aquel bar, que el acaloramiento de la refriega con Brady y Keith Dale le nublaba el juicio. No eran ni las seis todavía: el sol aún se estaba poniendo cuando salieron del aparcamiento. Si Randie no tomaba nada, creía que podría aguantar solo con una copa. Pero ella pidió un martini con vodka cuando él pidió el *bourbon* y, sin saber cómo, acabaron sirviéndoles dos vodkas mezclados con Sprite y una cereza al marrasquino dentro. Randie dio un sorbo, hizo una mueca y se bebió la mitad de golpe. Se quedaron un rato sentados en silencio. Sonaba la música mientras dos hombres de unos sesenta años, que llevaban unas camisas de cuadros idénticas, jugaban al dominó en la mesa de al lado, y las piezas resonaban musicalmente sobre el tablero de madera al compás de las notas del *blues* que salía de los altavoces. Darren intentaba pensar en otra forma de volver a entrar en la cervecería, en otra forma de descubrir el paradero de Missy el miércoles por la noche, de verificar la historia de Lynn, cuando Randie apartó su bebida unos centímetros y cruzó los brazos. Hablaba tan bajo que Darren tuvo que echarse hacia delante, apoyando los codos en la mesa pegajosa. Esta se inclinó mucho, sobresaltando a Darren y casi tirando al suelo la bebida de Randie. Pero ella ni siquiera parpadeó.

—Iba a dejarlo. No lo dije nunca, pero él lo sabía. Iba a dejarlo libre. —Levantó su copa y bebió un generoso trago.

Reconocer aquello le pesaba, le hundía los hombros, y le provocaba una vergüenza ardiente que le perforaba el pecho—. No debí casarme con él. En realidad, no quería. El amor…, sí. La vida…, no.

—No es culpa suya, Randie —dijo él—. Usted no fue quien hizo esto.

Lo habían entrenado para ese aspecto especialmente difícil de la tarea policial, y sabía que las personas que deben enfrentarse a una muerte súbita suelen culparse, hasta cierto punto, aunque no tenga sentido.

Él mismo sintió el aguijón de la culpa después de la muerte de su tío William (aunque no estuvo ni remotamente cerca de la señal de stop que le quitó la vida; ni siquiera estaba en el mismo estado), de tal modo que pasó unas cuantas semanas de depresión brutal por la pérdida de su tío favorito, el hombre a quien consideraba su estrella polar, la luz que guiaba su vida. No dormía ni comía con regularidad, y sus notas se resintieron, facilitándole mucho la decisión de abandonar la Facultad de Derecho. A William lo mató un sospechoso al que había parado por llevar las matrículas caducadas; le disparó dos veces en la cara nada más acercarse a la ventanilla del conductor. No era justo, y no era culpa de Darren. Y unirse a los Rangers tampoco le devolvería a William. Todo eso ya lo sabía. Pero años después todavía seguía llevando aquella placa.

—Yo soy el motivo de que él viniera aquí —dijo Randie al final.

—¿Qué quiere decir? —Recordó la escena en el Geneva's de repente, el momento de tensión que se produjo justo antes de que recibiera el informe del forense—. La guitarra… —dijo, intentando seguir el tema—. ¿Michael la traía a Lark?

—Perseguía una historia de amor.

—No lo entiendo…

—Me la debió de contar una docena de veces por lo menos —dijo ella, con una sonrisa agridulce en los labios—. La historia que había detrás de aquella guitarra. La sabía desde siempre. Por eso quería creer en nosotros. Un amor que trastoca tu vida en un solo día, un amor que lo cambia todo. —Ella buscó su copa en la mesa y se bebió lo que quedaba—. Su tío, Booker, le contaba la historia todo el tiempo.

—¿Booker Wright? —había visto aquel nombre en la página de la Wikipedia de Joe Sweet.

Ella asintió y pasó el dedo por el borde del vaso.

—Booker.

Tocaba el bajo en una banda con Joe Sweet. Así es como empieza siempre la historia, dijo ella. En algún momento de 1967, Booker y Joe estaban dando una serie de conciertos con Bobby Bland. Empezaron en Detroit, Gary y Columbus, después fueron hacia el norte, luego bajaron a Misuri, Kansas City y Joplin, y por último a Little Rock. Se dirigían a Houston aquel verano, habían fijado unas cuantas fechas para el Eldorado Room y el Pin-Up Club. Se habían conocido en Chicago a finales de los cincuenta, Joe y Booker, y tocaron juntos la mayor parte de su carrera, o bien haciendo sesiones para sellos locales que producían *rhythm and blues,* o bien haciendo el circuito Chitlin' de música negra como refuerzo para Etta James y Wilson Pickett, Johnnie Taylor y O. V. Wright; incluso una vez aparecieron en una serie de espectáculos con Otis Redding en Atlanta y las dos Carolinas. Eran nómadas, siempre de carretera en carretera, siempre viajando hacia la siguiente ciudad, el próximo concierto, durmiendo en moteles que alquilaban habitaciones a la gente de color o si no en el coche, un Impala del 59 que compartían. Ninguno de los dos estaba casado, aunque Booker tenía chicas en varias ciudades, y ninguno de los dos deseaba estarlo. La música era lo primero, y dónde podían sacar un dólar, lo segundo.

Entraron en la carretera 59 justo a la salida de Texarkana y se dirigieron al sur hacia Houston, atravesando los bosques del este de Texas, donde se había criado Booker. Joe y él iban en el primer coche, y otros músicos más de la banda de Bobby los seguían detrás, persiguiendo también un sueño. Habían enviado múltiples telegramas a Don Robey, y decían que podía conseguirles un hueco en un espectáculo de variedades que estaba preparando, algo regular en la zona de Houston. Creían que Robey realmente lograría que grabaran algún disco y que lo publicaran con el nombre de su propia banda, los Joe Sweet Midnight Revelers.

Parecía que aquella iba a ser su gran oportunidad, la posibilidad de firmar un contrato con Peacock Records. Se habían comprado un par de trajes de «piel de tiburón», y Booker iba limpiando los zapatos Stacy Adams en el asiento delantero del Impala, con todo lo necesario a sus pies y el cepillo y el betún en la mano, mientras Joe conducía por la carretera 59.

Y ahí es donde la historia daba un giro, tal y como la contaba Booker. «Joe nunca llegaría a Houston», le dijo a Michael, que se lo contó a Randie, que a su vez se lo estaba contando ahora a Darren, sentado frente a él en un pequeño garito, no lejos de aquel donde Joe y Booker fueron a parar una noche de julio, cuarenta años antes.

Se llamaba Geneva's, y parecía una cabaña muy bien construida, con listones de madera muy bien lijada y rematada por unas tejas festoneadas, adornada con guirnaldas de bombillitas de colores. La habían construido a mano, y era uno de esos sitios hogareños que al parecer suministraban comida a todos los negros que viajaban por la línea principal del norte al sur, y saliendo y entrando del este de Texas. No había surtidor de gasolina entonces, solo algo que apenas se podía llamar una cocina, una barbacoa fuera y cuatro quemadores en una cocina de porcelana verde menta. Y nada de personal, claro. Solo una chica que se llamaba Geneva y que les abrió la puerta a las once y cuarto de la noche, aunque ya había cerrado. Eran seis en el grupo y estaban hambrientos, y no estaban dispuestos a hacer el resto del camino a través del territorio del Klan, donde la ley de la ciudad deja paso a su prima racista y fea con rostro de policías de los pueblecitos y sheriffs rurales..., o al menos no con el estómago vacío. Geneva frio unas cuantas chuletas de cerdo con cebolla y patatas cortadas muy finas y les dejó que disfrutaran un poco en la parte delantera mientras ella seguía detrás. Por tres monedas de veinticinco centavos podían tomar cada uno un par de cervezas y un buchito de la ginebra que ella no tenía licencia para servir.

No pasó mucho tiempo antes de que empezaran a tocar un poco, en cuanto Geneva dijo que no le importaba escuchar algo de música. Había cumplido los veintiuno hacía solo unos meses, y le apetecía una fiesta. Tenía unos cuantos discos de *blues,* pero nunca había ido más allá de Timpson y por tanto no había visto ningún espectáculo en directo, de modo que aquello le pareció genial. Joe fue el primero en sacar su guitarra, la Gibson Les Paul que influyó en el destino de tantas personas: Joe, luego Michael y ahora Randie y Darren. Geneva se quedó estupefacta cuando lo oyó tocar.

Joe rondaba la treintena. Era un hombre de piel muy oscura, que llevaba una camisa de algodón azul claro con las mangas enrolladas hasta los codos, y los músculos potentes de sus antebrazos bailoteaban con cada nota que tocaba. Estaba interpretando una pieza del número de Lightnin' Hopkins: «Better make it up in your mind, baby... Little girl, do you know you traveling a little too slow», y mantenía los ojos clavados en Geneva mientras ella colocaba un plato humeante delante de él; sus ojos casi completamente negros examinaban los de ella, enormes y ovalados, dorados por la luz de las lámparas de gas que colgaban del techo. Mientras Joe le cantaba aquellas cosas, Booker vio lo que estaba pasando y notó que una corriente alteraba el aire en torno a ellos, que la sala de aquel café se volvía cálida, húmeda, por la respiración de siete personas apretadas en una choza diminuta una noche de verano... Cinco personas de más, por lo que se reflejaba en las caras de Joe y Geneva. Nunca en toda su vida había visto Booker a dos personas volcarse la una en la otra de aquella manera. En cuanto Joe entró, Geneva no apartó los ojos de él, y él la veía moverse mientras cocinaba, cómo inclinaba la cabeza al compás mientras daba la vuelta a la carne y removía las cebollas en la grasa de cerdo. Cuando cogió aquella guitarra, vio que las caderas de ella se balanceaban en el húmedo vestido de algodón que llevaba. Tommy y Bones, fugitivos de la banda de Bobby, tocaban juntos al lado, mientras Booker se emborrachaba a base de bien, bebiéndose sus cervezas, y las intactas de Joe, y el frasco que llevaba en la guantera del Impala, y Houston, poco a poco, se iba perdiendo de vista.

No recordaba haber perdido el rastro de Joe, solo que en un momento dado habían devorado toda la comida y los platos estaban todavía en la mesa. Bones, Tommy y Amon Richmond, otro de los chicos de Bobby, hablaban de volver a la carretera, pensaban que podían llegar a Houston al amanecer, a menos que aquella chica tuviera un sitio donde pudieran alojarse. A causa del alcohol, Booker no recordaba si lo mandaron fuera a preguntarle a Geneva si podían dormir en su suelo o a decirle a Joe que ya era hora de irse. Ni siquiera recordaba cómo supo que estaban fuera (¿dónde podían estar si no?), y de todos modos tenía que aliviarse, la necesidad era imperiosa. Estaba bajándose la bragueta cuando los vio a los dos, apoyados contra un roble, con la camisa de Joe pegada a la piel de su espalda y el sudor corriendo por el cuello de

Geneva mientras Joe le pasaba una mano por debajo del fino vestido de algodón. A Booker le pareció algo raro contemplar aquello con la minga en la mano, de modo que volvió a entrar a hurtadillas rápidamente. Joe entró en el café unos minutos más tarde y dijo que no iba a Houston. Que podían pasar allí la noche (al oír esto Geneva asintió, actuando ya como si la decisión fuera tanto de ella como de él), pero que él se quedaba en Lark.

A Booker se le rompió el corazón de una forma que no entendería hasta pasados muchos años. Primero, y antes que nada, aquello era una traición; ya no habría Joe Sweet Midnight Revelers. Pero también ponía de relieve una deficiencia que Booker experimentaba personalmente: la de todas las mujeres con las que se había acostado, con las que se había juntado por las noches, y a las que no quería ni mirar cuando salía el sol. Esperaba que Joe no se levantara arrepentido, pero de todos modos Booker no se quedaría a verlo, ni siquiera le miraría a los ojos a la luz del día. Joe le dejó que se quedara el coche, y en la prisa frenética por meter las cosas en el Impala (hombres adultos que evitaban cualquier momento de silencio que pudiera llenarse con palabras sobre sentimientos heridos), metieron también la Les Paul de Joe en el coche. Booker estaba a quince kilómetros de Space City cuando se dio cuenta de que la llevaba en el asiento trasero.

A lo largo de los años hubo buenas intenciones, planes de devolverla, pero durante toda su carrera, aunque no fuera una decisión consciente por su parte, jamás volvió a recorrer la carretera 59, o al menos pasando por el este de Texas. De hecho, ninguno de los Wright volvió jamás a Texas. Siempre había otro camino para ir a Chicago, su hogar adoptivo; el corazón siempre encuentra la forma de dar un rodeo. Joe Sweet era como un hermano para él, y fue una pérdida que lo consumió durante años, agravada enormemente cuando supo que Joe había muerto antes de que Booker tuviera la oportunidad de hacer las paces con él. Cuando a Booker le diagnosticaron un cáncer de pulmón en fase 4, dejó la guitarra a su sobrino, junto con una nota sobre una hermosa mujer de color que vivía en el este de Texas y a quien pertenecía por derecho.

—Qué bonito —dijo Darren.

Randie se encogió de hombros. Se estaba tomando la segunda copa, y él se acomodaba ya para tomar la tercera, justo en el límite entre un rato agradable y un error.

—Demasiado bueno para ser verdad —dijo ella, cansinamente. Pero a Darren no le convenció su cinismo. Joe y Geneva habían vivido juntos más de cuarenta años; aquello era real, y ambos lo sabían, aunque no tuvieran ese tipo de devoción amorosa en sus propias vidas.

—No eres muy romántica, ¿no? —dijo él, hurgando por debajo de la superficie de sus dudas y preguntándose cómo podía una mujer escuchar una historia como aquella y darle la espalda.

—Siento celos, eso es todo.

—¿Por qué?

—Al contarme esta historia, Michael me estaba insinuando que yo no lo amaba lo suficiente para dejar la carretera por él —dijo—. Era manipulador e injusto.

Darren adoptó el punto de vista de Michael sin darse cuenta, hasta que salieron de su boca, de que las palabras que decía se parecían mucho a las de Lisa.

—Quizá fuera simplemente amor. Quizá simplemente quería que estuvieras en casa todo el tiempo posible para disfrutar de ti.

Al menos quería creer que eso era lo que deseaba Lisa. Ella había aceptado la idea de que él fuera un *ranger* sentado en un despacho, pero lo de unirse al grupo especial, sus esfuerzos para hacer más trabajo de campo, había cambiado algo entre ellos. Las botas y la camioneta, la brillante estrella de cinco puntas, todo ello formaba parte de la arrogancia de la estrella solitaria, un contraste demasiado fuerte entre el joven estudiante de derecho con el que se había casado y el hombre que la vida le había exigido que fuese. Le aterrorizaba considerar que quizá su matrimonio se hubiese construido sobre unas condiciones en letra pequeña que él nunca se molestó en leer, unos requisitos que su mujer había enterrado bajo miles de besos, repitiéndole miles de veces que lo amaba.

—Quizá él no estuviera obligándote a elegir —dijo, con una expresión anhelante que dejaba traslucir su propia inquietud sobre el tema de la constancia matrimonial. Miró a Randie, que le sonreía tensa al otro lado de la mesa, intentando aligerar el momento pero sin conseguirlo. Por aquel entonces la banda tocaba una canción de Sam Cooke, una melodía lenta que deseaba congelar un momento en el tiempo. «To say it's time to go, and she says, yes, I know, but just stay one minute more».

En ese momento Darren notó que algo doloroso se le clavaba en las entrañas, y vio claramente lo que antes había sido incapaz de afrontar, como si la verdad hubiera tomado asiento en la mesa y se hubiera ofrecido a pagar la siguiente ronda. Sus ojos se humedecieron ligeramente, emborronando los carteles de neón con propaganda de cerveza en las paredes y convirtiéndolos en un caleidoscopio líquido de color. Se sentía como si estuviera en el mar, enfrentado a una marea que subía, y agarró con fuerza la botella de *bourbon* medio vacía.

Randie señaló el anillo que llevaba en la mano izquierda.

—¿Y tú?

Ella estaba abriendo una puerta, él lo sabía; era una invitación a hablar, si quería hacerlo. La mano de Randie se aventuró solo un poquito encima de la mesa y él sintió pánico al pensar que pudiera tocar la suya, que un sencillo acto de amabilidad lo rompiera y le hiciera decir cosas en voz alta que no quería creer todavía. Él y Lisa... No estaba seguro de que consiguieran salir adelante. Se echó atrás en su silla y construyó un dique para contener la emoción creciente que procedía de las piedras sueltas del matrimonio de otro hombre, y volvió al caso que los ocupaba.

—Tengo que contarte una cosa...

Hubo un latido de silencio lleno de *blues* antes de que ella hablara.

—La chica blanca —dijo, encogiéndose de hombros, como si ya supiera lo que iba a venir a continuación.

—No sé si ocurrió algo o no —aventuró él, con precaución.

—No sería la primera vez —dijo ella.

De repente él recordó las palabras de Lynn, en la parte de atrás de la cervecería. «Algunos tipos no aprenden nunca».

—¿Mujeres blancas? —preguntó.

—¿Acaso importa?

—Aquí, sí.

Randie suspiró y apartó la vista. De perfil, curiosamente, parecía más joven. A la luz del día él le calculaba treinta y seis o treinta y siete años, pero en aquel bar oscuro, con la iluminación tenue matizada por el ámbar y el rosa de las luces de neón, la piel de su rostro era tan suave y sus rasgos tan menudos que parecía una chiquilla, y más aún cuando levantó el vaso en dirección a la camarera, una chica regordeta de veinte años más o menos que hablaba por un teléfono y enviaba mensajes de texto con otro. Darren puso una mano en el brazo de Randie para detenerla. No podría aguantar una cuarta copa, pero tampoco podría resistirse si se la ponían en la mesa. Todavía tenía la mano en su brazo cuando Randie dijo:

—Hubo mujeres… negras, blancas, ¿quién sabe? No sé cuántas fueron. Él no me lo dijo, y yo no se lo pregunté nunca. —Se quedó en silencio largo rato, mirando al guitarrista del escenario, un hombre de más de setenta años que llevaba un traje gris con solapas anchas—. Yo estaba fuera mucho tiempo.

—No es culpa tuya, Randie.

—No he dicho que lo fuera.

—No intento hacerte daño. —Pero sí, había estado intentando desviar su propio dolor. Dijo, bajito—: Simplemente, quería que supieras que puede haber alguna conexión entre tu marido y otra mujer.

—Ya sabía que existía esa posibilidad cuando me subí al avión —dijo ella—. Y aquí sigo.

Ella pidió otra copa de todos modos, y él también, mientras le contaba sus sospechas de que Michael había salido del bar con Missy, y que Keith los había encontrado en la pista rural, y ahí es donde debió de producirse el enfrentamiento inicial.

No obstante, algo en la historia no cuadraba.

Él notaba como un miembro fantasma, algo que faltaba en su cuerpo, un cosquilleo que quería rascarse, pero no podía. El *bourbon* y la música, el calor que emanaban los cuerpos en la sala, bailando una canción de Jackie Wilson que tocaba la banda. Todo ello formaba un remolino y no podía ordenar sus pensamientos.

En un momento dado, Randie dijo algo que no pudo oír por encima de la música del bajo, y tuvo que inclinarse hacia ella y acercarse tanto que los mechones de su pelo le acariciaron la mejilla. Ella se volvió y con los labios pegajosos por su bebida dulce le susurró al oído:

—Fui una esposa horrible.

Darren le puso una mano en la espalda. Ella se inclinó para que él pudiera susurrarle también al oído.

—Hay pruebas también de que he sido un marido horrible.

14.

Dejaron de beber poco después de la primera sesión de la banda, porque había mucho ruido y era difícil atraer la atención de la camarera. De modo que los dos andaban todavía sin hacer eses cuando salieron del bar de carretera. De todas maneras, Darren le dio las llaves a Randie y le pidió que condujera ella. Él llevaba una copa de ventaja, y parecía todo bastante lógico hasta que llegaron a la Chevy, estacionada al otro lado del aparcamiento de grava. Ella parecía tan pequeña, de pie junto a la portezuela del conductor, de modo que a él le sorprendió que en algún momento pudiese dejarla sentarse detrás del volante. La Chevy estaba aparcada en el lado norte del edificio, pintado de un azul oscuro que casi se fundía con el cielo nocturno a su alrededor. El bar solo tenía una luz exterior, una diminuta bombilla fija encima de la puerta principal. La luz era demasiado débil para doblar las esquinas, y por eso él no vio la sangre al principio. En realidad, la olió antes de verla. Y no era por su entrenamiento como agente de la ley, sino por su niñez en Camilla, donde sus tíos, si uno de ellos o los dos tenían la suerte de cazar un venado por temporada, solían poner a secar los cuerpos en el porche de atrás, dejando que la sangre rica en hierro empapase la tierra; Darren tenía que coger la manguera para echar todos los restos hacia abajo por el terraplén que había detrás de la casa, un río de sangre que se hundía en la tierra y dejaba una nota de olor a cobre en el aire hasta la siguiente lluvia copiosa.

Aquella noche había un buen reguero de sangre que salía del asiento del conductor de la camioneta. Darren le dijo a Randie que retrocediera. Había perdido su linterna en el *bayou*. Tenía otra dentro de la camioneta, claro, pero no pensaba tocar nada hasta saber de qué se trataba. Usó la linterna de su móvil para iluminar la escena. Unos goterones de sangre secos y casi negros manchaban los guijarros y la grava del lado izquierdo de la camioneta, pero en la puerta en sí no había nada.

—¿Qué es eso? —dijo Randie.

Darren no respondió. Por el contrario, se sacó el faldón de la camisa y usó la tela para taparse la mano antes de abrir la portezuela. En cuanto lo hizo, la cabeza de un zorro rojo cayó por el costado de la camioneta. Le habían abierto la garganta y la sangre empezaba a coagularse al lado de la herida, cuajarones negros agarrados al pellejo del animal. Alguien le había cortado el cuello a un zorro y lo había puesto en la cabina de la camioneta de Darren. Randie chilló al verlo, y de nuevo Darren le dijo que se apartara del coche.

—No toques nada —le dijo. Su mente corría a toda velocidad al volverse y mirar a un lado y otro de la carretera 59, examinando cada centímetro del aparcamiento del bar. No vio a nadie, solo se oía la música del interior del bar, el bajo y la batería resonando contra sus costillas. Estaba menos afectado por el simbolismo del sacrificio animal, el taimado zorro castigado por su astucia, por meterse en unos bosques que no eran suyos, que por el hecho de que los hubieran seguido a Randie y a él, por la posibilidad de que hubieran encontrado su pista. Soltó el cierre de su pistolera, asegurándose de que el Colt estaba preparado, y luego sacó el cuerpo de la camioneta con las manos desnudas, estropeando así la última camisa buena que le quedaba. Se la quitó, se quedó respirando pesadamente, vestido solo con la camiseta interior, y dejó al animal entre la hierba al borde del aparcamiento. Con unos trapos que tenía en un cofre cerrado con llave en la caja de la camioneta, se limpió toda la sangre que pudo. Se confirmaba su sospecha de que habían degollado al zorro en otro sitio y luego lo habían metido cuidadosamente en su camioneta, que abrieron sin dejar señal alguna de su irrupción. Pero alguien del otro lado de la frontera del condado tenía las manos ensangrentadas aquella noche.

A aquella hora de la noche, solo se le ocurría un lugar donde pudieran limpiarle el estropicio del interior de su camioneta, el único lugar en el condado de Shelby donde posiblemente le harían pocas preguntas y donde el color de su piel podía proporcionarle cierta cobertura…, cosa que, aun con la placa y todo, sentía que podía serle de utilidad una noche como aquella. No se sentía con fuerzas para explicar toda aquella sangre a un ayudante de sheriff en un bar de carretera bien iluminado, en Garrison o en Timpson. Dejó que condujera Randie, aunque estaba temblorosa y no sabía si podría, y él fue en la caja de la camioneta. Al aire libre, con el viento silbándole en los oídos a más de cien kilómetros por hora, fue observando la carretera que se perdía en la oscuridad tras ellos. Con el Colt cargado en el regazo, se aseguró de que no les seguía nadie, y rezó para que Randie los condujera a la seguridad.

El café estaba abierto pero vacío, solo se encontraban dentro la nieta de Geneva, Faith, sentada en uno de los reservados y tecleando en un portátil Dell del tamaño de un libro de arte, e Isaac, que estaba quitando algunos mechones de pelo del sillón de barbero verde cuando entró Darren con restos de sangre en la camiseta y los pantalones.

Faith levantó la vista y respingó.

Darren dijo:

—¿Está tu abuela?

Faith miró a Randie, que había entrado tras él, con sus rizos enmarañados como un copo de algodón negro después del viaje; había tenido que viajar con las dos ventanillas completamente abiertas para evitar vomitar el Sprite, el vodka y las cerezas. Ella y Darren respiraban pesadamente, como si hubieran venido corriendo los ocho kilómetros que había desde Garrison hasta el condado.

—Cierra la puerta —dijo Darren. Faith se puso de pie y obedeció, haciendo sonar la diminuta campanilla al girar la llave de latón en la cerradura de la puerta. Darren repitió:

—¿Dónde está Geneva?

Ya estaba casi detrás del mostrador cuando Faith dijo que su abuela estaba en la cocina.

Darren abrió la puerta batiente que daba a la otra habitación, donde Dennis, el cocinero de Geneva, estaba atando una bolsa negra de basura con un líquido oscuro chorreando por el fondo, y Geneva envolvía unas chuletas de cerdo en papel de aluminio y las colocaba dentro de unos recipientes de plástico. Un frigorífico de tamaño industrial ocupaba la mayor parte de la pequeña cocina, casi chocando con el fogón de ocho fuegos. Cuando cerró la puerta del refrigerador, vio a Darren y la sangre.

—¿Qué demonios...? —dijo, dando un paso atrás y mirando ansiosamente a Dennis, mientras Darren examinaba la cocina buscando algo con que limpiarse.

Un segundo más tarde, el estruendo del disparo de un rifle sacudió las paredes.

Oyeron una explosión de cristales que estallaban en la otra habitación, y Faith chilló de una manera que llenó de temor a Darren. Este sacó el 45 de su pistolera y empujó la puerta de la cocina. Faith estaba de pie junto a la puerta del café, que tenía un agujero del tamaño de una pelota de béisbol justo por encima del tirador, en el cual temblaba todavía la campanilla de latón.

—Quita —dijo Darren, empujándola a un lado.

Randie estaba agachada en el suelo, debajo del mostrador. Contuvo la urgencia de ir hacia ella. Por el contrario, levantó la pistola y salió justo cuando un par de luces rojas abandonaban el aparcamiento de Geneva y se alejaban por la carretera. «Hacia el norte», observó Darren. Con el arma en la mano, comprobó el aparcamiento y la zona yerma que rodeaba el café. Se aseguró de que no había nadie agazapado detrás de la cafetería de Geneva, sabiendo que resultaba muy visible en la oscuridad, en aquel desigual trozo de tierra con matojos de hierba, y que no veía nada porque la noche era oscura; además, ni siquiera sabía hacia dónde tenía que mirar. El corazón le martilleaba en el pecho; su aliento salía en ráfagas cortas y desiguales. En el tráiler de atrás las luces estaban encendidas, aunque las habitaciones se hallaban vacías. Pasó junto a ellas una por una. Tres dormitorios y una estrecha cocina, con el frigorífico y los fogones de un verde oliva, y todo enmoquetado en un color naranja rojizo. Aquel era el hogar de Geneva, algo más de cincuenta metros cuadrados, y tenía el mismo aroma que ella, a madera de sándalo y a azúcar.

Recordó que Wendy había dicho algo de Geneva y una escopeta.

De vuelta a la cafetería, le dijo que guardase un puñado de balas en el bolsillo de su delantal y que tuviera siempre preparada el arma del calibre doce, porque así era como se presentaba la noche. A continuación fue a ver a los otros. Isaac murmuraba una y otra vez «No los he visto venir, señor», mientras se retorcía las manos cenicientas. Emitía un zumbido entre cada palabra y se balanceaba de punta a tacón, de tacón a punta, primero apoyado en un pie, luego en el otro. Llevaba unos pantalones que no le ajustaban bien y también unos mocasines de falsa piel pelada por las costuras. Darren se preguntaba si aquel hombre estaría en su sano juicio, y si no estaría, según el argot del este de Texas, «tocado». En cuanto vio a Geneva, Faith corrió hacia su abuela, que la rodeó con los brazos. La mujer mayor acababa de salir de la cocina, con Dennis tras ella. Tenía los ojos iluminados con un intenso fuego y la mandíbula apretada, llena de rabia.

—Ya sabía que pasaría algo así —dijo. Darren se volvió finalmente a Randie. Enfundó el arma y, sin pensar, le puso las manos en los hombros. La examinó para ver si estaba herida. Buscaba heridas, ya fuera por un perdigón de escopeta perdido o por algún fragmento de cristal. Cualquiera de las dos cosas podían sacar un ojo o seccionar una arteria o vena. Pero parecía que no había sufrido ningún daño.

Ella lo abrazó, agarrándose a él como se habría agarrado a un trozo de madera flotante en aguas turbulentas, a un salvavidas que pudiera escapársele de entre los dedos. Se agarró con tanta fuerza que notaba lo deprisa que latía el corazón de Darren a través de la fina tela de algodón de su camiseta, y que sus lágrimas le estaban mojando la piel del pecho, porque algo se acababa de romper dentro de Randie. Aquella noche se había abierto una válvula que iba más allá del simple dolor, había tocado un miedo que se hallaba enterrado bajo la piel de cualquier persona de color por debajo de la sombría línea Mason-Dixie. Estaba aterrorizada y temblaba en sus brazos. Darren le susurró: «Estoy aquí». «Yo también estoy aquí». Como su gente, los hombres Mathews desde hacía generaciones, no pensaba huir. Mientras protegía a la mujer del muerto, Darren redobló su voto de coger al asesino de Michael.

No había pasado ni un minuto de la medianoche y las luces del salón delantero de la casa de Wally todavía estaban encendidas, al otro lado de la carretera. Darren metió a Geneva, Faith y Randie en el tráiler de la parte de atrás y dejó a Dennis apostado delante, con su escopeta, en una silla de jardín. A Dennis le encantó hacerse cargo del papel de protector de Darren. Isaac, a pesar de las muchas protestas de Darren, se fue a su casa a pie. Geneva le dijo a Darren que lo dejara ir, que no había forma de razonar con Issac cuando se asustaba. Darren lo dejó marchar de mala gana, luego se subió a su maldita camioneta e hizo el breve camino hasta el otro lado de la carretera. La verja de Monticello todavía estaba abierta, y el coche patrulla de Van Horn estaba aparcado en el camino de entrada circular.

Darren saltó de su camioneta y llamó a la puerta principal del hombre.

Wally abrió unos segundos más tarde, y Darren pasó junto a él y atravesó el umbral. Wally miró hacia su salón y dijo:

—Parker, tenemos a uno vivo aquí. He olido el *bourbon* ya antes de abrir la puerta.

Van Horn se puso de pie, detrás de la mesa del comedor, donde había documentos y archivos y una taza de café, al lado de un ordenador portátil que estaba claro que había sido colocado allí para que lo utilizara el sheriff. Los cables se desplegaban hacia ambos lados, y acababan en una enmarañada pila a los pies de Van Horn. El sheriff vio la sangre en la ropa de Darren, y también notó que no llevaba camisa ni placa. Wally lanzó un silbido.

—¿No ha oído el disparo? —dijo Darren—. Justo al otro lado de la carretera, y usted sentado aquí bebiendo café y sin hacer nada.

—Cuidado con su tono, hijo.

—*Ranger* —dijo Darren.

—¿Qué disparo? —dijo Wally, pero había vuelto la cabeza en dirección a su ventana delantera, a través de la cual podía ver la cafetería del Geneva's, un gesto revelador.

—No hace ni diez minutos, alguien disparó a través de la puerta principal del Geneva's.

Wally dijo:

—Qué pena.

Pero Van Horn era menos displicente. Se subió los pantalones y fue a coger las llaves de su coche de la esquina de la mesa del comedor.

—Echaré un vistazo.

Darren dijo que el perpetrador se había ido hacía rato, y dio una descripción de la parte trasera de una camioneta abierta y del tamaño y la forma de las luces traseras. Estaba demasiado oscuro para ver la matrícula, pero le pareció haber visto el número 2, o quizás el 5.

—¿Cuánto ha bebido usted, *ranger*? —le preguntó el sheriff.

—Sé lo que he visto.

—Como ya le he dicho, echaré un vistazo.

—Puede buscar un cartucho de rifle, pero si va tras ellos ahora mismo, encontrará alguna escopeta todavía caliente. Sugiero que empiece buscando dentro y alrededor del bar de Wally.

—Es usted el que ha traído problemas aquí —dijo Wally.

—Han sido dos de ellos los que han intentado darme una paliza hoy y pegarme un tiro.

—No es eso lo que he oído.

—Wally, quédate al margen —dijo Van Horn. Y a continuación, dirigiéndose a Darren—: Tenemos un testigo que asegura que fue usted el que sacó una pistola.

—Después de que se atacara a un agente.

El sheriff señaló la camiseta de Darren, manchada con restos de sangre color óxido.

—¿Y se identificó usted como tal? ¿Llevaba una placa visible? Porque todo esto puede ser un simple malentendido. Podría parecer que usted intentaba...

—Esto —dijo él refiriéndose a la sangre que llevaba en la ropa— ha pasado después de que unos mierdas me vinieran siguiendo hasta Garrison y me echaran un animal muerto en la camioneta.

—Bueno, con eso no puedo hacer nada. Estaba fuera de la frontera del condado.

—Cogiendo una cogorza, al parecer —añadió Wally.

Darren se sentía completamente sobrio. Apretó el puño izquierdo y golpeó con fuerza en la madera de cerezo de la mesa del comedor.

—¡Alguien ha impuesto aquí una campaña de terror, intentando evitar que investigue el crimen de Michael Wright!

—El tiroteo en el Geneva's no tiene nada que ver con usted —dijo Wally—. Una chica de la localidad fue asesinada detrás del local, y esto ha levantado unos sentimientos reprimidos durante mucho tiempo sobre el tipo de gente que entra y sale de allí. La gente utilizará este asunto para intentar echarla. Si me lo vendiera a mí, me aseguraría de que viviera bien el resto de su vida, y no tendría que estar de pie doce horas al día. Pero Geneva no sabe limitar las pérdidas.

—¿Le preocupa la gente que entra en su local cuando usted tiene miembros de la banda más violenta del estado en su cervecería? Dos de ellos me han apuntado esta noche con un arma y han mencionado asuntos de la Hermandad Aria con los Rangers.

«Dijeron: Ronnie Malvo».

—Tenemos un testigo que dice que no ocurrió tal cosa —dijo Wally.

«Tenemos», observó Darren. Parece que sabía mucho de un incidente que él no había presenciado. Se preguntó qué más sabría de Brad y Keith. Dijo:

—¿Sabe que son de la Hermandad Aria?

—¿Quiénes?

—Brady, su encargado, y Keith Dale.

Van Horn comprendió dónde podría desembocar aquello y dijo:

—He oído decir a Brady que la discusión ha sido un poco acalorada, pero esa es una acusación muy grave.

—¿Basada en qué? —dijo Wally—. ¿Unos tatuajes?

—Yo formé parte de un grupo de investigación federal de la Hermandad. Sé algunas cosas de sus idas y venidas. Armas y drogas —añadió, mirando a Wally, asegurándose de que no se le escapara la posibilidad de que algunas de esas cosas se estuvieran gestionando en su cervecería.

—Y resulta que yo sé que le echaron de ese grupo de investigación —dijo Wally—. Y que le quitaron su placa hasta que, milagrosamente, llegó a Lark.

«Así que esas tenemos, ¿eh?», pensó Darren.

Parece que Wally tenía suficientes influencias para curiosear en el departamento de Darren y conseguir información personal suya. Se preguntó de nuevo cuáles serían los negocios de Wally, qué lo habría llevado hasta aquella casa de cuatrocientos metros cuadrados, cómo y desde dónde estaba conectado con los agentes de la ley, si por arriba, por la gente importante, o por abajo, por los que se ensucian las manos. ¿Simplemente dejaba beber a la Hermandad en su cervecería o había algo más? Wally tenía un aire de suficiencia cuando dijo:

—Y entra usted aquí borracho, y como un gato callejero. No me extraña que le quitaran la placa.

Desde el otro lado de la casa se oyó llorar a un niño.

El hijo de Keith, recordó Darren. No podía comprender qué hacía allí aquel niño, por qué su padre y sus abuelos lo habían dejado allí.

—No estoy borracho —dijo Darren.

Pero olía como si lo estuviera, y tenía un aspecto horrible. Se volvió hacia el sheriff Van Horn y le dijo:

—Quiero a Keith Dale.

—No voy a arrestar a un hombre porque usted lo diga.

—Quiero que nos sentemos un rato, eso es todo —explicó Darren—. Quiero una entrevista.

Van Horn fingió que consideraba la petición, pero sabía que no podía negarle aquello a un *ranger* de Texas que estaba investigando el caso. Darren ni siquiera tenía que hacer la petición, pero quería un entorno que solo le podía proporcionar el sheriff.

—Lark no tiene fuerza policial —dijo Van Horn—, pero me complacerá mucho que hable usted aquí con el hombre, estando yo presente, por supuesto.

Miró a Wally para confirmar que todo era correcto.

Darren negó con la cabeza.

—Quiero que sea en la oficina del sheriff en Center.

—Mientras yo esté allí también... —respondió Van Horn—. No quiero que las cosas se desmadren. Solo permitiré que lo interrogue siguiendo unas directrices estrictas.

Van Horn podía «permitir» lo que quisiera, a Darren no le importaba en absoluto.

Lo que quería era tener a Keith Dale en una sala de interrogatorios.

15.

Cogió un cubo de plástico y un puñado de trapos de la cocina del Geneva's, llenó el cubo con agua y un poco de lejía y se metió los trapos debajo del brazo. Luego salió. Trabajando a la luz de los faros que se reflejaban en las ventanas delanteras de la cafetería, frotó bien el asiento delantero de la camioneta con el agua con lejía; empapaba los trapos, limpiaba y luego los tiraba al suelo, donde quedaban demasiado empapados para hacer algo más que absorber la sangre que estaba a su alrededor. Era consciente de que el local de Geneva era intocable, y no quería dejar charcos de sangre en su aparcamiento, pero tampoco sabía dónde guardaba ella la manguera. Trabajaba en silencio, con el oído puesto en la carretera acechando los coches que pasaban, con el Colt 45 en el costado. Había dejado la puerta delantera rota abierta, y por tanto no oyó salir a Faith. Vio una luz con el rabillo del ojo y ya tenía la mano en la culata del arma cuando oyó su voz.

—Debería probar con amoníaco en las alfombrillas. —Se acercó más a la camioneta, olisqueó la lejía y dijo—: Pero no se puede mezclar con lejía, o si no es posible que se desmaye. Pero para la sangre en las alfombrillas es mejor el amoníaco.

—No deberías estar aquí fuera —replicó él—. ¿Está bien Randie?

—Ella y la abuela están durmiendo.

Se inclinó y cogió dos de los trapos. No era remilgada, así que fue hasta el extremo del aparcamiento y los escurrió, echando el agua rosada entre las hierbas. Cuando volvió con los trapos listos para volverlos a usar, le miró y le preguntó:

—¿Le gusta?

—¿Randie? —preguntó él, aunque ya sabía a qué se refería.

—No había conocido nunca a una viuda tan joven como ella.

—Es terrible lo que ha ocurrido —dijo él, dejándolo ahí. No estaba totalmente seguro de lo que quería decir ella con su pregunta, ni de cómo podía responderla.

—Tampoco había conocido nunca a un *ranger* de Texas.

Darren se volvió desde la portezuela abierta del conductor y miró a Faith. Era una chica menuda, delgada, con rasgos finos. Los labios y el pelo eran las cosas más grandes que tenía, y le daban un aspecto como de muñeca, aunque debía de tener dieciocho años al menos, si se iba a casar. El pintalabios que llevaba había desaparecido hacía horas y le había dejado una mancha rosa; se mordió el labio inferior, queriendo decir algo más. Él le dio las gracias por escurrir los trapos y ella le dijo:

—Para quitar las manchas de sangre de la ropa hay que usar sal y bicarbonato. Le puedo lavar la suya, si quiere.

—Sabes mucho de limpiar sangre, jovencita —dijo él.

Intentaba bromear para aligerar aquel momento, buscando algo de frivolidad en aquella noche tan oscura, pero Faith puso una cara que le hizo lamentar haber dicho nada.

—He tenido que limpiar bastante.

Él no estaba seguro de si había algo más que decir, o si él quería oírlo.

Así que le hizo una pregunta genérica.

—¿Vives ahí detrás con tu abuela?

—Ahora sí. Antes iba a la facultad de Wiley. Está en Marshall.

Conocía Wiley. La mayoría de los negros del este de Texas la conocían. Wiley, Prairie View A&M y la Universidad del sur de Texas eran los lugares más significativos de la educación universitaria negra, que se remontaba a generaciones atrás. Sus tíos se sacaron el bachillerato en Prairie View; Duke, el padre de Darren, había conseguido ingresar en la Universidad de St. Thomas, en Houston, pero renunció para poder seguir los pasos de su hermano mayor, William, y acudir a la llamada del deber en Vietnam.

—¿Y qué estudiabas?

—Relaciones Públicas —dijo ella—. No pensaba quedarme en este pueblo para siempre. Siempre he pensado que acabaría en Dallas, o en Houston, o en algún otro sitio.

—Pero aún puede ser, ¿no? —Había quitado la mayor parte de la sangre seca del asiento, aunque le había costado una buena cantidad de sudor y de esfuerzo. Quedaban las alfombrillas, y pensó en arrojarlas a la caja de la camioneta, sencillamente, hasta que consiguiera llevar a lavar la Chevy, cuando pudiese—. Con una licenciatura en Relaciones Públicas… puedes ir a cualquier parte.

—No he acabado la licenciatura.

Hubo un breve momento en que él pensó en dejarlo así.

Era una chica amable, pero tenía los típicos problemas de los pueblos pequeños que no le interesaba nada escuchar mientras limpiaba la sangre de su camioneta en mitad de la noche. No quería que le contara su historia. Pidió algo de comer. Habían pasado ocho horas desde que se echó algo al estómago, aparte de *bourbon*. Faith fue a la cocina y Darren la siguió; le preguntó dónde podía dejar el cubo y los trapos y dónde encontrar algo de contrachapado para arreglar la puerta delantera. Faith le dijo que mirara detrás, y eso hizo él, hurgando entre cajas de verduras y una colección de antiguas botellas de refresco (Nehi de uva y Coca-Cola) y periódicos amontonados en una caja de cartón húmeda. Había más cajas de cartón, rotas y apoyadas contra el cubo de la basura.

Darren cogió un puñado y un rollo de cinta adhesiva de un estante situado encima del fregadero de la cocina. Mientras Faith calentaba un par de chuletas de cerdo en el fogón, Darren tapó la puerta delantera con un parche improvisado, dejando la campanilla en su sitio, para que pudieran hacerla sonar los clientes del Geneva's. Notaba el olor de la grasa de cerdo que siseaba pegada a los huesos, y casi se come la carne con las manos cuando Faith le puso un plato en la barra. Se bebió una Dr Pepper. Le apetecía mucho una cerveza, pero ahora consideraba que estaba de servicio, y quería mantenerse alerta. Faith se apoyó en la barra desde el otro lado, en la caja registradora, y lo miró comer. Acabó y aún quería más, pero no quiso molestar otra vez a la chica.

—Esa mujer, mi madre, me arruinó la vida —dijo ella súbitamente, con un cierto dramatismo y bastante despecho. Parecía complacida de tener a Darren como audiencia cautiva—. Por eso no quería ir con mi abuela a Gatesville, por si se lo preguntaba antes.

Pues no, no se lo preguntaba.

Se bebió el refresco y eructó.

—Cuando llegó a Wiley la noticia de que mi madre le había pegado un tiro a mi padre, ya sabe, las chicas me echaron del grupo de la hermandad universitaria sin darme siquiera la oportunidad de explicarme. Después de aquello me vine abajo, no pude seguir estudiando la licenciatura, nada. Por eso no acabé. No es que no aprobara ni nada de eso. Es que estaba demasiado avergonzada. Ya ha sido difícil tener que decirle a Rodney que a la boda solo va a ir mi abuela. Su padre se ofreció a llevarme por el pasillo hasta el altar, pero no era apropiado.

Darren dejó la servilleta de papel encima de los huesos en su plato, mirando cómo la grasa la empapaba, y dijo:

—Lo siento. ¿Qué decías?

—Salió la noticia en el periódico de Houston —dijo Faith, realmente confusa al añadir—: Creía que ya lo sabía...

Como si una noticia minúscula de la última página de un periódico de Houston hubiese podido atraer la atención de Darren.

Unos años antes, dijo Faith, su madre, Mary Sweet, se acercó sigilosamente a su marido, Joe, que estaba metido en la bañera. Solo había un cuarto de baño en la casa donde se crio Faith, de solo dos habitaciones, una casita prefabricada de madera que estaba a unos trescientos metros de la cafetería de Geneva. El baño estaba en la parte trasera de la casa, y Mary pudo ir a ver a Lil' Joe sin que lo oyera porque este tenía la radio puesta, colocada en una silla junto a la bañera. Ella llevaba una pistola y mucho rencor, y estaba dispuesta a obligarle a confesar. Lil' Joe estaba completamente desnudo, y Mary llevaba una de las camisetas de los Houston Rockets de Lil' Joe como si fuera un vestido. Lo que siguió solo se podía saber si estás dispuesto a creer a una delincuente confesa.

Mary apuntó con la pistola a la frente de su marido mientras cogía la radio por el asa. La sostuvo por encima del agua, asegurándose de que el cordón estaba bien enchufado en la pared. Con la pistola en una mano y la radio por encima del agua en la otra, dijo:

—¿Qué prefieres? Porque de una manera u otra, acabo contigo.

Lil' Joe, que era de piel bastante clara, como Faith, y tenía un pequeño hueco entre los dientes delanteros y unos rizos muy oscuros que estaban húmedos y se le pegaban al cuello por encima del agua, sonrió a la que era su mujer desde hacía veinte años, malinterpretando aquel momento y creyendo que no era más que una escenita. Llevaba más de un año acostándose con otra mujer y Mary no había hecho nada al respecto, ni nunca hizo nada más que chasquear la lengua a sus espaldas. Joe llevaba un cigarrillo entre los dientes que no se molestó en quitarse cuando le dijo a Mary a quemarropa:

—Bueno, supongo que será mejor que lo hagas, que me pegues un tiro, entonces.

Hablaba muy gallito, pero cuando Mary dejó caer la radio en la alfombrilla rosa del baño y amartilló el 22, Lil' Joe salió el agua de un salto, tiró al suelo a Mary y echó a correr hacia la parte delantera de la casa. Había llegado casi a la puerta cuando ella le disparó tres veces en la espalda.

Cuando arrestaron a su madre, fue Faith en persona quien limpió el escenario, llorando y a cuatro patas, porque nadie más podía hacerlo. Geneva estaba tan destrozada por la pérdida de su hijo tan poco tiempo después de que Joe hubiese muerto en un atraco a la cafetería que cerró el restaurante una semana entera, cosa que no había hecho cuando mataron a Joe. Tuvieron que vender la casa, de todos modos, porque ni Lil' Joe ni Mary estaban ya. Y desde que dejó la universidad, Faith vivía en el tráiler con su abuela.

—Rodney dice que después de la boda encontraremos algún sitio pequeño para nosotros.

—Pero ¿por qué lo hizo?

—Papá salía con una chica blanca —dijo Faith—. Frecuentaba el establecimiento de Wally, la cervecería esa que hay arriba, antes de que empezaran a cogerles manía, y los dos se iban por ahí y aparcaban en la FM 19.

Darren recordaba las sabias palabras de Huxley: «Lil' Joe iba mucho por ese bar, y mira lo que le pasó», dijo. Y a continuación recordó la ronca condena de Missy que hizo Lynn, hablando de Michael: «Algunos tipos no aprenden nunca».

Aquellas voces empezaron a encajar en su cabeza.

—¿Y la chica blanca? —preguntó, aunque ya lo había adivinado.

—Missy Dale.

Faith recogió el plato de Darren y se lo llevó por la puerta de la cocina. Darren se levantó del taburete forrado de vinilo y rodeó la barra para seguirla. El agua corría en el fregadero, y Faith lavaba el plato de Darren con una esponja raída. Este no sabía qué decir, de momento.

—Mi padre se creía un tipo listo —dijo Faith—. A veces los hombres se portan como si no supieran quién les lava la ropa. —Dejó el plato y el tenedor en un escurreplatos para que se secaran y dijo—: Por cierto, si se quita esos pantalones y esa camiseta, se los lavaré.

—¿Y tú la conocías? —preguntó él—. ¿A Missy?

—No. Éramos de la misma edad, fuimos al mismo instituto en Timpson, pero yo nunca hablé ni una palabra con ella. Ella no me hablaba; nuestros mundos no se cruzaron nunca —dijo, ignorando la ironía de lo que estaba diciendo o sin darse cuenta de ella. Se secó las manos con un trapo de cocina y le dio las gracias por arreglar la puerta de su abuela.

Darren se dio cuenta de que no había visto nunca una foto de Missy Dale, solo un mechón de pelo rubio que sobresalía de la sábana blanca que cubría su cuerpo, la mañana que llegó al pueblo. Preguntó:

—¿Era guapa?

Faith se encogió de hombros y dijo:

—No siempre tienen que serlo.

Darren no consiguió dormir más de dos horas, cambiando la guardia a Dennis hasta que salió el sol. Cuando se despertó, se encontró con su ropa, todavía caliente por la plancha, perfectamente limpia y descansando en el respaldo del confidente tapizado de pana del salón de Geneva. El tráiler todavía estaba silencioso, no había ni rastro de Geneva o de Randie, y fuera, la silla plegable de nailon trenzado estaba vacía. Se había despertado pensando en el niño, Keith hijo, que por lo que parece vivía en casa de Wallace Jefferson. Ahora que conocía la relación que hubo entre Missy Dale y su hijo, quería preguntarle algunas cosas a Geneva. Pero las nubes cubrían el cielo, procedentes del este, espesas y veteadas de color carbón, amenazando lluvia. Si quería buscar huellas en la Chevy, o lo hacía entonces o no podría hacerlo nunca. Tenía que haberlo hecho la noche anterior. La noche anterior debería haber hecho muchas cosas de otra manera. No tenía resaca, gracias a las grasientas chuletas de cerdo que se había comido después de medianoche, pero una cierta neblina cubría el acceso a sus recuerdos, no tanto de los hechos, la sangre, el tiroteo, el enfrentamiento en casa de Wally como de decisiones no tomadas, cosas que podría haber manejado mejor.

Trabajó con un equipo que llevaba en la camioneta, moviéndose en silencio en torno al Chevy mientras iba empolvándolo, concentrándose sobre todo en la manija de la portezuela y en especial alrededor de la cerradura, que se había manipulado hábilmente. Se estaba trasladando a la puerta del pasajero, recogiendo algunas huellas que pertenecían o bien a Randie o a personas todavía desconocidas, cuando empezaron a caer las primeras gotas. Guardó el equipo y las tarjetas de prueba que había recogido en el interior de la camioneta y corrió por el aparcamiento hasta la puerta delantera del Geneva's. El cartón que había puesto estaba húmedo pero aguantaba, al sobresalir ligeramente el tejado de la cafetería. Dentro, el local estaba lleno. Había más clientes allí de los que había visto jamás Darren, incluyendo a Huxley y Tim, en su viaje de vuelta desde Chicago, así como caras que no había visto antes. Todos los reservados estaban ocupados, de modo que el único asiento que Randie había podido encontrar era el sillón del barbero, al otro lado del café. Isaac no estaba en su sitio habitual, ni Darren vio tampoco señal alguna de Faith. Preguntó por ella a Geneva por encima de la barra, esperando así retomar la conversación de la noche anterior, lo que había sabido de su difunto hijo y su romance con Missy.

—Durmiendo —dijo Geneva como respuesta. Tenía las manos ocupadas, sirviendo un pedido tras otro desde la cocina, y aparte de señalar un momento hacia la puerta principal y decir «gracias, hijo», lo ignoró completamente. No había forma de cogerla a solas para hablar de algo importante..., a menos que Darren tuviera que usar su placa para obligarla a hacerlo. Prefería acercarse a ella como amigo, como alguien a quien ella «quisiera» confesar los asuntos de su hijo. Pero de todos modos, cuando Randie lo vio entrar, saltó del sillón de barbero y fue rápidamente hacia él, pidiéndole que se fueran de allí. Quería ir en coche al hotel para poder ducharse y cambiarse de ropa. La charla con Geneva sobre Lil' Joe y Missy tendría que esperar.

En cuanto estuvieron fuera y en la cabina de la camioneta, que todavía olía a lejía, Randie se abrochó el cinturón de seguridad y dijo:

—¿Fue real? —Tenía dos sombras en forma de media luna bajo los ojos—. ¿Ocurrió de verdad algo de lo de anoche?

—Pues sí, todo —dijo él.

Él la dejó usar la ducha primero. Si era necesario, podía arreglárselas echándose solo un poco de agua fría en la cara y pasándose un poco de pasta con los dedos por los dientes. Había un cepillo de dientes en un envoltorio de plástico que venía incluido en la habitación, pero Darren quería dejárselo a Randie. Él se limitó a lavarse las manos y frotarse la cara con un pequeño jaboncillo rosa, consciente de que la puerta entre el lavabo y el baño estaba abierta. Oyó correr el agua detrás de la cortina y notó el vapor que inundaba los pocos metros que lo separaban de la mujer que estaba en la ducha. Sintió cosas de las que no se enorgullecía, una agitación en un lugar que era menos sórdido que tierno, una calidez en el esternón. Fuera correcto o incorrecto, a él le violentaba el afecto que sentía por ella. Se sentía fuertemente obligado a protegerla del daño, un sentimiento que era equiparable al compromiso de vengar la muerte de su marido. Quería que ella se equivocase con Texas, que supiera que era un lugar donde no se podía matar a un hombre negro y quedar impune. Se secó la cara con una toalla áspera y la dobló con cuidado para que Randie pudiera usarla también.

Su teléfono móvil sonaba al borde de la cama de tamaño extra.

Era Wilson.

Tenía ya una hora y un lugar para la entrevista con Dale, las dos en punto en la comisaría del sheriff en Center, como había pedido Darren, junto con instrucciones explícitas. Darren tenía la total libertad de hacer su trabajo, mostrando a un tiempo y en todo momento la debida deferencia a los agentes de policía locales, lo que significaba no hacer preguntas que desaprobase el sheriff Van Horn. El crimen de Missy Dale seguía únicamente bajo la jurisdicción del sheriff hasta que se probase convenientemnte que estaba conectado con la muerte de Michael Wright.

—Pues no lo conseguiremos si no hablo con el tipo —dijo Darren.

—Nadie dice que no pueda hablar con ese hombre. Respeto a Van Horn por no impedirlo, y usted le debe un poco a cambio. Simplemente, piense que vamos a tener que seguir trabajando con esos departamentos locales mucho después de que esto termine. Los Rangers no pueden permitirse ganarse la reputación de no respetar su autoridad. Y si tengo que responder por usted ante los peces gordos del cuartel general de Austin, necesito poder decirles que no se ha pasado de la raya, que no es un elemento peligroso.

—Me conoce perfectamente y sabe que no es así.

—Ya lo sé, eso es cierto. Y le pido que respete nuestros límites. El tema de la chica local es delicado. Los resultados preliminares que han surgido de la oficina del forense, esta misma mañana, cambian algunas cosas.

—¿Como qué?

—No tengo la libertad de decírselo.

—Pero ¿usted lo sabe?

—Cuando llegue el momento adecuado, Van Horn me ha prometido que compartirá lo que han averiguado.

—Pero ¿la ha visto? —preguntó Darren—. ¿La autopsia?

Wilson se quedó callado, al otro lado. Darren oyó correr el agua en el baño y el chirrido de un grifo al cerrarse cuando Randie acabó de ducharse.

—Existe una cierta preocupación por su relación con la mujer que regenta esa cafetería. Ginny o Genevieve, ¿verdad? ¿Una mujer mayor, negra?

—Geneva. ¿Qué tiene que ver la autopsia de Missy con ella?

—Cuando llegue el momento adecuado —repitió Wilson—. Van Horn lo ha prometido.

Darren colgó el teléfono mientras Randie salía del baño, cogía con rapidez la toalla que descansaba en el borde del lavabo y se envolvía con ella. Darren volvió la cabeza, murmurando: «Lo siento». Randie dijo que podía vestirse en el baño, pero Darren respondió que no sería necesario. Salió fuera y se puso a contemplar la lluvia, que caía ahora en grandes gotas grises, formando corrientes que se retorcían como cuerdas al caer de los aleros y salpicar en el asfalto frente al lugar donde se encontraba aparcado su coche, mojando las puntas de sus botas. Marcó el número del despacho de Greg en la oficina y lo oyó sonar.

Entonces fue cuando reparó en el otro coche que se encontraba en el aparcamiento. Era un turismo Buick gris, y detrás del volante se encontraba un hombre blanco de treinta y tantos años con el pelo castaño oscuro muy corto. Estaba aparcado junto al vestíbulo del motel, pero el morro de su vehículo apuntaba hacia la puerta donde se encontraba Darren. Vio que Darren salía de la habitación de Randie y la portezuela del conductor se abrió. Darren se llevó la mano a la culata del Colt y le dijo que se detuviera. El hombre o bien no lo oyó o no le hizo caso, porque siguió andando. El joven llevaba una camisa de cuadros abrochada, y encima, un abrigo informal color marrón. Llevaba unos zapatos deportivos. También llevaba gafas, pero quizá tuviera que ir a graduarse la vista mejor, porque hasta que estuvo a poca distancia de Darren no pareció ver la pistola y la placa que lucía en el pecho. El hombre se detuvo en el acto, dejando caer una bandolera muy rozada en el suelo mojado. Era más joven de lo que había pensado Darren en un principio. Ese chico no tenía treinta años ni en broma.

Buscó algo a su espalda, y Darren notó que toda la sangre de su cuerpo fluía hacia el dedo del gatillo. Notó el subidón de los tiradores, un poder que lo aligeró, que aguzó su sentido de la vista y del oído, y la razón se replegó hacia un lugar gris y distante. Examinó la situación rápidamente: la bandolera, los pantalones caqui anchos... Darren bajó el cañón en el momento exacto en que el hombre sacaba una billetera de cuero de su bolsillo trasero. Darren dejó escapar el aliento que no sabía que estaba reteniendo, notando que el corazón le explotaba de alivio. El joven sacó su identificación antes de que Darren pudiera pedírsela. Cuando Randie salió de la habitación, unos minutos más tarde, Darren le presentó a Chris Wozniak, del *Chicago Tribune*. El mundo exterior acababa de llegar a Lark, y quería hacer algunas preguntas.

16.

Si Chris Wozniak sentía curiosidad por saber por qué el *ranger* de Texas que estaba investigando la muerte del marido de Randie salía del motel de esta a las nueve de la mañana, no lo dijo. Miró a Randie fijamente y preguntó, como para asegurarse:

—¿Es usted la viuda? —Le ofreció sus condolencias y dijo que le gustaría tener la oportunidad de entrevistarla también a ella—. Conoce a Teresa Martin, me ha dicho mi director. —Randie asintió, pero no lo miró a los ojos.

—Fuimos juntas al SAIC. El Instituto de Arte de Chicago —añadió, para explicárselo a Darren. Llevaba unos pantalones negros y una camiseta de color rojo muy fina, como de papel crepé. Temblaba y tenía los brazos cruzados y apretados encima del pecho. Darren tuvo el impulso de entrar en la habitación y traerle su abrigo blanco, pero octubre en Texas es así, y habría veinticinco grados antes del mediodía.

—Lo conozco —dijo él—. Viví unos años en Chicago.

Ella lo miró extrañada, como si aquella información no cuadrase con las botas y la placa que llevaba el hombre que estaba frente a ella.

—¿Ah, sí? —preguntó.

Darren asintió.

—Fui a la Facultad de Derecho de la Universidad de Chicago.

La Facultad de Derecho tampoco le cuadraba. Pero el hecho de que la mencionara la hizo sonreír.

—Michael también fue a la UC —dijo.

—Sí, sí... —dijo Wozniak—. Quiero que me cuenten todo eso. Los antecedentes de la víctima..., y es interesante que ustedes dos tengan eso en común —dijo a Darren, buscando en la bandolera que llevaba un bolígrafo y una libreta. Garabateó una nota rápida y luego se volvió a Darren, que estaba conmocionado al verlo tan insensible frente a la esposa del hombre muerto—. Mire —dijo el periodista—, viene hacia aquí un equipo con una cámara. Hoy mismo, espero. Y me gustaría tener alguna idea de los hechos básicos, y también conocer el terreno, por decirlo así. Se ha hablado de un bar de paletos que está aquí en el pueblo. —Miró a Randie. Quería hurgar en algo más, pero no delante de ella—. Puedo llevarles si quieren.

Tenía una videocámara digital en su coche de alquiler, y quería sacar fotos del lugar de los hechos lo antes posible, y pensaba que Darren podría irle informando de camino. Pero Darren quería volver al Geneva's, quería escarbar en la profunda conexión que acababa de descubrir entre Missy Dale y el universo del Geneva's. Le parecía tan revelador como las pruebas de que Michael probablemente había pasado sus últimas horas en la cervecería de Wally. Estos dos establecimientos, en los extremos opuestos del pueblo y separados por cuatrocientos metros de carretera, eran como polos gemelos en la historia de esos dos crímenes: era imposible comprender el uno sin el otro. Y ahora Van Horn tenía información nueva que implicaba a Geneva. Darren no sabía qué podía ser.

No le gustaba la idea de dejar a Randie sola con aquel tipejo. Pero más que nunca tuvo la sensación de que el disparo de rifle que entró en la cafetería de Geneva la noche anterior iba dirigido a él. La Hermandad Aria de Texas tenía un enemigo en el condado de Shelby, y podía estar poniendo a Randie en peligro cuanto más tiempo pasaran los dos juntos. Al mirar hacia el otro lado del aparcamiento (vacío, excepto su camioneta y los coches de alquiler de Randie y Wozniak), examinó la brillante y resbaladiza carretera que pasaba frente al motel, con el agua de lluvia corriendo a raudales por unas zanjas llenas de hierbajos, y se le ocurrió un plan. No pensaba compartir ninguna pieza del rompecabezas con un periodista hasta comprender cómo encajaba todo en el contexto. Y en aquel preciso momento no lo tenía aún. Quería saber más de Missy, y de Lil' Joe, el hijo de Geneva. Desde la noche anterior una idea le rondaba la cabeza. Si Keith Dale sabía lo de su mujer y Lil' Joe, ¿quién dice que no descargara en Michael Wright la furia que no había tenido oportunidad de dirigir al hijo de Geneva? En opinión de Darren, explicaba perfectamente la secuencia de las muertes. Keith se encuentra con su mujer y Michael saliendo de la cervecería, en la pista rural, y mata al hombre negro que pensaba que andaba tonteando con ella. Dos días más tarde mata a su mujer en un ataque de ira. Ambos cuerpos se encuentran en la misma agua fangosa. Darren no podía explicar por qué Keith había esperado dos días para matar a su mujer. Pero ya lo iría encajando en el esquema temporal cuando tuviese a Keith en la oficina del sheriff, más tarde.

Quería hablar primero con Geneva.

Le dirigió una mirada de súplica a Randie y mientras tanto le dijo a Wozniak que el protocolo de los Rangers era dar a la familia del difunto la oportunidad de hablar con la prensa antes de que el departamento hiciera una declaración oficial. Aquella mentira no tenía sentido. Pero él medía casi dos metros y llevaba una placa y un arma, y todo eso junto resultaba bastante convincente. Wozniak no lo cuestionó. Randie se quedaría con el periodista, hablando de Michael y de lo que ella sabía…, o quizá (es posible, no tenía ni idea) del viaje de su marido a Texas. Darren no puso restricción alguna. Era ella quien debía decidir si contaba su historia. Y así él tendría más tiempo. Ella le preguntó cuándo volvería y por un momento pareció muy afectada por la idea de quedarse sin él. Darren no mencionó la entrevista con Keith Dale delante del periodista, pero la miró y le hizo una promesa. Volvería pronto.

Wendy estaba delante de la cafetería cuando dejó la Chevy en el aparcamiento, que seguía repleto. El Geneva's estaba muy lleno, igual que cuando se fue con Randie aquella misma mañana, o más aún, y no estaba seguro de poder coger fácilmente a Geneva a solas. El tema era delicado y privado. «A menos que no lo sea», pensó. Lark era un pueblo muy pequeño. Todo el mundo en el Geneva's parecía saber que Lil' Joe iba por la cervecería, y Lynn, la camarera, había insinuado que por parte de Missy había una predilección por los hombres negros. Quizá la relación de Missy y Lil' Joe fuera de dominio público, aunque no se hablara mucho de ella.

—¿Todavía metiendo las narices por aquí? —preguntó Wendy.

Tenía una lata de cerveza en el regazo, junto con el oxidado 22, y hacía guardia ante los objetos a la venta aquel día: tarros de mermelada y ollas de hierro, un soporte para peluca de madera, una caja de Coca-Cola amarilla y roja que debía de tener unos treinta años. Estaba claro que eran cosas que había encontrado tiradas alrededor de su casa, artículos que, colocados encima de un edredón acolchado por una anciana señora de color, adoptaban el suficiente significado histórico para ganarse un dinerillo. Darren admiraba la astucia del engaño.

—¿Sabe? No le dejarán arrestar a nadie por esas muertes, a ninguno de ellos —dijo. La lluvia había cesado por el momento, y dos nubes se separaban la una de la otra, despejando el camino para que entrase un rayo de sol.

Wendy se protegió los ojos.

Darren sonrió y dijo:

—Más motivo aún para que se sienta libre de contarme la verdad. —Y sin preámbulos, añadió—: Así que ese niño es hijo de Lil' Joe, ¿verdad?

—Vaya, alguien se ha despertado muy agudo esta mañana.

—¿Y Geneva lo sabe?

Wendy lo miró como si fuera lento de comprensión.

—¿Y Keith también? —preguntó.

—Le dio su nombre al chico, pero eso no engaña a nadie.

—¿Y por qué demonios Van Horn está pidiendo listas de clientes del Geneva's, gente que ha pasado por el pueblo, cuando el marido de la mujer muerta estaba criando al hijo de otro hombre? —preguntó Darren. Un hijo que Keith y su familia parecían haber endosado a Wally y Laura Jefferson, ¿una renuncia retroactiva a un niño que no era de su sangre? Wendy le indicó por señas que se apartara hacia la derecha, para no tener que mirar al sol, que quedaba justo detrás de él. Él se metió bajo el alero del tejado, y en el trocito de sombra que le proporcionaba vio que los ojos de Wendy eran de un castaño mucho más claro de lo que había pensado, de un color miel intenso. Ella dijo:

—Usted es natural de Texas, ya sabe cómo son estas historias.

Era Wally quien había empezado a contar historias, le dijo.

—Tiene mucho rencor.

Wendy estaba segura de que había empujado al sheriff en una dirección que le convenía a él.

—¿Sabe?, la gente de Wallace Jefferson construyó este pueblo —dijo.

Lark había empezado como plantación, más de ciento setenta años atrás. Allí estaba la antigua casa, dijo ella, señalando hacia la casa de Wally, al otro lado de la carretera, y la cúpula de Monticello. La gente de Wally presumía de una relación distante con el tercer presidente de la nación, y se veían a sí mismos como herederos directos de la historia estadounidense. Y como el viejo Thomas, prosperaron como propietarios de esclavos, con la conciencia limpia y bien provistos de dinero. La emancipación cambió las cosas para ellos, pero no demasiado; siempre había nuevas formas de enriquecerse. La mayoría de la gente negra que vivía en Lark venía de familias de aparceros, que cambiaron su esclavitud física por las deudas apabullantes que suponía el arriendo de las tierras, salir de la sartén para caer en el fuego, de la certeza del infierno a la lenta y abrasadora tortura de la esperanza.

La familia Jefferson ganó mucho dinero cuando el estado asfaltó la nueva carretera que pasaba justo por el centro del pueblo. Wendy suponía que era sencillamente buen olfato para los negocios lo que hizo que Wally tuviera coches caros y anillos de diamantes, una generación más tarde. Eso y el hecho de que Wally todavía siguiera poseyendo casi el noventa por ciento de la tierra en aquel pequeño rincón del país... Todo, excepto la cafetería de Geneva. Darren se preguntó cómo era posible que una sola mujer negra hubiese sido capaz de comprar una propiedad junto a la carretera en los años sesenta.

—Eso —dijo Wendy— es precisamente lo que estoy intentando contarle.

Geneva Marie Meeks solo fue al colegio hasta los dieciséis años, que fue cuando su padre se puso enfermo y ya no pudo cultivar su pequeño terreno de cuatro hectáreas de algodón. Su madre y hermanos lo recogían, pero aun así la familia se fue quedando sin recursos, de modo que decidieron que hasta la más pequeña, Geneva, tendría que trabajar. Ella sabía cocinar, porque alimentaba a las seis personas que componían su familia desde que apenas era lo bastante mayor para llegar al estante superior del aparador, de modo que se puso a trabajar en la cocina de los Jefferson, preparando el desayuno, la comida y la cena, seis días a la semana, así como bolsas con el almuerzo para el joven Wallace Jefferson III, que acudía al instituto de Timpson y tenía un pequeño Ford Fairlane que le había comprado su padre, así que podía ir tan campante arriba y abajo por la carretera, a lo grande, dos veces al día. Wally siempre había estado un poco demasiado mimado, y le habían hecho pensar que era más especial de lo que era en realidad. Pero el chico idolatraba a su padre y todo lo que hacía referencia a él, desde la manera que tenía de ponerse el cinturón bien apretado encima de los pantalones, sujetándolo con una hebilla de plata, hasta la forma caballerosa con la que se presentaba en todo el pueblo, abriendo las puertas a las damas y no diciendo jamás la palabra *negro* cuando estaba en compañía mixta. Por aquel entonces, Wallace Jefferson II, a quien sus amigos llamaban Jeff, iba por su segunda mujer. Después de que su primera esposa, la madre de Wally, muriese de repente, le dio por frecuentar los actos sociales de la iglesia hasta en Marshall y Dallas, buscando a una chica decente con la que casarse para convertir su casa de nuevo en un hogar. Pero la segunda señora de Wallace Jefferson II, Phyllis Slatterly de Longview, no duró casi nada porque había sobrestimado las alegrías de vivir en una plantación en el siglo veinte. Se aburrió enseguida en un pueblo en el que vivían solo un par de cientos de personas, muchas de las cuales eran demasiado negras y demasiado pobres para admirar su posición en la vida de la manera que a ella le parecía que merecía su título de señora de Wallace Jefferson II. Además, tenía que recorrer casi trescientos kilómetros e ir hasta Dallas para gastar el dinero de Jeff de una manera que le resultara satisfactoria. No duró más que dieciocho meses, y luego huyó y consiguió que los tribunales de su ciudad natal anularan el matrimonio. Jeff la dejó ir y crio solo a sus hijos, Wally y su hermano menor, Trent, que murió en un accidente de coche durante su primer año en la Universidad de Texas. Se resignó a la vida de soltero y se retiró del amor. Y por eso no estaba preparado para tener a Geneva en su casa.

Era demasiado joven para él, eso ya lo sabía.

De hecho, no se le escapaban las miradas que su hijo mayor, Wally, le echaba a Geneva cuando pasaba por cualquier habitación de la casa en la que él estaba, o cuando Wally le traía una Coca-Cola fresca desde Timpson y le pedía que descansara un momento y se sentara en los escalones de atrás con él. Eran más o menos de la misma edad, Wally y Geneva, aunque no eran iguales de temperamento. Aunque solo tenía dieciocho años, él ya era un fanfarrón, un chico que estaba siempre inquieto, a quien le gustaba presumir de un dinero que no se había ganado. Geneva era una chica tranquila, lista y divertida, si la cogías de buenas, y que sabía trabajar duro. Dos o tres noches a la semana se quedaba hasta tarde preparando comida, de modo que podía aparecer un poco más tarde al día siguiente... y así pasar más tiempo cocinando para su propia familia.

Les dio por conversar, al anciano Jefferson y Geneva. A última hora de la noche, Jeff, con un *whiskey* en la mesa de la cocina, veía a Geneva preparar bolitas de masa o lavar las hojas de col rizada una por una para asegurarse de quitar todos los gusanos. Él le ofrecía su ayuda algunas veces, pero ella le decía que se sentara, y así lo hacía.

Hablaban de la escuela. ¿La echaba ella de menos? Sí.

Hablaban de su padre. ¿Le iba mejor? No.

Hablaban de la primera mujer de Jefferson, y de que él lloraba todavía, a veces.

Algunas noches intercambiaban historias y tradiciones familiares, los antepasados de él contra los de ella.

La habría dejado en paz, pero maldita sea, es que era muy guapa.

—Y ella se lo dirá —dijo Wendy—. Le dirá que se enamoró de él también.

Jeff llevaba a Geneva a casa en coche las noches que se quedaba hasta tarde. Ella no vivía a más de un kilómetro y medio, pero a él le empezó a parecer raro dejar que se fuera andando después de medianoche. Y otras cosas también le empezaron a parecer raras. Un calor repentino que le bajaba por el cuello cuando ella lo miraba. Un terrible dolor por debajo de la cintura si ella estaba de pie demasiado cerca de él. Y un deseo de tocarla por todas partes, de saber cómo sería hundir sus dedos en aquellos rizos.

Un día ella le dijo a su madre que los Jefferson querían que se quedara a trabajar toda la noche, y cuando Jeff subió en su camioneta para llevarla a casa, como de costumbre, ella le dijo que no lo hiciera y aparcara en algún sitio. En la cabina, él la miró y notó que la sangre le corría por todo el cuerpo. Sabiendo lo que estaba a punto de ocurrir, se mordía las uñas al llevarla hasta el mismísimo borde de la tierra en la que se encontraba su mansión. Él nunca había estado con una chica de color, de modo que cuando la besó por primera vez, un beso que duró casi una hora, ignoraba si era la negritud o si era la propia Geneva la que tenía un gusto tan dulce.

Fue la primera vez para Geneva, y él se dijo a sí mismo que debía tomárselo con calma.

Pero no pudo evitar lo que ocurrió. Pronto la camioneta estaba agitándose en medio de aquel campo, Jeff con una mano apretada contra la ventanilla húmeda del asiento del pasajero, y con la otra aferrándole a ella la cadera izquierda. Se acunaron el uno al otro, y Geneva chilló y le mordió el lóbulo de la oreja, y rezó, llena de gratitud. Acabó todo en menos de diez minutos, y los dos se quedaron echados en la parte delantera de la camioneta hasta que salió el sol.

Es posible que Wally no supiera lo que había ocurrido cuando bajó a desayunar al día siguiente y Geneva «llegó» a trabajar con la misma ropa que el día anterior. Pero lo que sí sabía es que poco después de aquella noche fatídica su padre, sin decir una palabra ni dar una explicación, empezó a construir un pequeño cobertizo justo al otro lado de la carretera frente a su casa. Lo hizo a mano, pagando a Isaac, que solía hacer trabajos de carpintería para la familia Jefferson, cinco dólares extra a la semana para que serrara la madera. Isaac no tenía más que unos doce años por aquel entonces, y era ya tan idiota como ahora, dijo Wendy. Primero Wally pensó que era una casa para Geneva, lo cual era ya bastante malo, pero una cafetería en tierras de su familia irritaba mucho más al chico. Su padre había construido un negocio para la mujer a la que amaba. Jeff pintó un letrero con el nombre de ella, y fue idea de Geneva colgar algunas luces de Navidad en el edificio para que le diera color y resultase agradable. Era el único sitio para gente de color en kilómetros a la redonda por aquel entonces, y ella y Jeff sacaron un buen provecho, lo bastante para que la familia de Geneva finalmente dejase de ser arrendataria. Cuando el padre de Geneva acabó por morir de cáncer, ella le compró como lugar de reposo un ataúd forrado de raso, y tuvo dinero suficiente para una lápida de mármol y un mar de flores, azucenas, las favoritas de su madre. Era una familia un poco extraña. Jeff aparecía para comer en el restaurante y se sentaba en la misma mesa que la familia de color que trabajaba para él, aunque Wally se negaba a unírsele.

Cualquiera que los mirase habría dicho que eran felices, Geneva y Jeff.

Pero entonces llegó Joe.

La noche que ella le habló a Jeff del músico, Joe ya llevaba dos días alojado en la parte de atrás de la cafetería. Se enamoraron locamente, y se juraron fidelidad el uno al otro en cuanto se conocieron. Y Joe ya no se escondió más.

Geneva sentó a Jeff a la mesa más bonita y le sirvió un trozo de pastel de limón con merengue y un vaso de *whiskey,* aunque él no tocó ninguna de las dos cosas. Él la vio con el hombre mucho más joven y mucho más negro y le hizo una sola pregunta:

—¿Es esto lo que quieres, Neva?

Y como ella dijo que sí, que así era, él se apartó de la mesa.

—Bien, entonces.

Y esas fueron las últimas palabras que le dijo.

Joe compró el local con el dinero de la música, y Jeff, que Dios lo perdone, murió antes de que pasara un año. Y ahí estaba Geneva, ganando todavía un buen dinero en la tierra de Wally, o al menos así lo veía él. Ella le había robado el local, y durante décadas le insistió en que se lo vendiera, aunque lo único que quería hacer con él era derruirlo.

—Ese fue el principio de su historia con él, ya ve.

—¿Y cómo es que Lil' Joe nació poco después de que llegase Joe?

Era la forma más delicada que se le ocurrió a Darren de hacer la pregunta.

—Hijo, no tengo ni idea de todo ese follón de las fechas —dijo Wendy—. Pero si lo que pregunta es si Lil' Joe era familia de Joe, la respuesta es no. Pero no importaba demasiado. Joe adoraba a aquel niño como si fuera suyo. Ya no quedan personas tan buenas como Joe.

—¿Así que Wally y Lil' Joe eran hermanos?

—Es muy listo —dijo la otra, con un guiño.

—Y ese bebé... Dios mío, el hijo de Missy es el sobrino de Wally. ¿Y Wally lo sabe? —Tenía a Keith hijo alojado en su casa desde el crimen.

—No sé lo que sabe ese hombre.

Una mujer negra muy gruesa salió del Geneva's, hurgándose los dientes con un palillo rojo. Miró las mercancías que tenía expuestas Wendy al lado de la puerta, se acercó para echarles un vistazo y luego se lo pensó mejor y se alejó bamboleándose hacia su Honda Civic color granate. El coche se inclinó mucho hacia la izquierda cuando ella se metió en el asiento del conductor, y Wendy dijo:

—Tengo una faja en mi coche. Apuesto a que ella me la hubiese comprado.

Cuando el Honda retrocedió y salió del aparcamiento, Darren vio algo curioso. Un coche patrulla del condado de Shelby saliendo de la carretera con las luces azules y blancas encendidas, relampagueantes. Llevaban la sirena apagada, y Darren sintió una desconexión entre el sonido y la velocidad que hacía que el mundo a su alrededor pareciera moverse a cámara lenta. Un segundo coche patrulla llegó detrás del primero, y ambos aparcaron en el extremo del solar del Geneva's. Cuando Van Horn salió del primer coche, Wendy silbó bajito. Darren notó un peso muy grande en el pecho, una piedra de esperanza que caía dentro de un pozo mientras la gravedad cumplía su papel inevitable. Las cosas siempre acababan así, ¿verdad? ¿Empapelarían a alguien del Geneva's por el asesinato de Missy? Levantó una mano antes de que Van Horn pudiera llegar a la puerta.

—¿Qué está pasando? —preguntó, al ver que dos ayudantes se bajaban del segundo vehículo. ¿Qué podía pasar que requiriera tanto personal? Van Horn le dijo a Darren que se echara a un lado y que todo aquello no tenía nada que ver con él, y luego entró en Geneva's seguido por los dos ayudantes, que se apoyaron contra la pared, junto a la gramola. Cuando Darren entró, vio que los hombres del sheriff se quedaban fuera, armados y alerta. Detrás del mostrador, Geneva levantó la vista, vio a Darren y a los hombres del condado al mismo tiempo y se quedó confusa, como si ambos hubiesen llegado juntos y siguiesen un plan coordinado.

—Geneva —dijo Van Horn—. Vamos a hacerlo fácil y sencillo, ¿de acuerdo?

Le pidió que saliera de detrás del mostrador con las manos por delante. Entonces hizo señas a uno de sus hombres, un tipo más joven y más gordo que Van Horn. Este se sacó las esposas del cinturón y esperó pacientemente a que Geneva saliera. Esta miró la escena que tenía delante como si se hubiera materializado para entretenerla, como si los hombres fuesen malos actores que trabajaban con un guion poco brillante.

—Parker, ¿qué demonios es esta mierda?

—Geneva, no hable —dijo Darren—. No diga nada.

—Queda detenida por el asesinato de Missy —dijo el sheriff.

Huxley se volvió en redondo en su asiento, y Tim se puso de pie.

—¿Están todos locos? —dijo Tim—. ¿Qué les hace pensar que Geneva pudiera matar a Missy?

—Las pruebas sugieren que la señora Sweet fue la última que la vio con vida.

—¿Y qué, la violé yo también? —dijo Geneva.

El ayudante que llevaba las esposas dijo:

—Ya no creemos que la violaran.

—Ya basta. —Van Horn reconvino a su ayudante por hablar sin permiso y le ordenó que esposara a la mujer inmediatamente. Ambos, tanto Huxley como Tim, intentaron bloquear el avance del ayudante hacia Geneva—. En los coches caben tres —dijo el sheriff, y Huxley y Tim se apartaron. El ayudante fue por detrás del mostrador y, con mucha delicadeza, a juicio de Darren, introdujo las delgadas muñecas de Geneva en las esposas de metal. Se abrió la puerta de la cocina y Faith salió, chillando:

—¿Qué le estáis haciendo a mi abuela?

Darren la miró a ella, luego a Huxley y a Tim, y finalmente a Geneva, que pasó junto a él con las manos esposadas a la espalda. El ayudante tenía una mano firmemente apoyada en su hombro. Darren los siguió afuera, vio que el agente empujaba la cabeza de Geneva para que no se diera un golpe con la portezuela del coche. Ella se detuvo y echó una mirada atrás, a su negocio, al local en torno al cual giraba toda su vida.

—Huxley —dijo. Este salió con Tim y algunos clientes para ver lo que estaba ocurriendo con aquella mujer de sesenta y tantos años—. Cierra el local y llama al abogado de Timpson, el que vino cuando dispararon a Joe.

Entonces miró a Darren. Su labio inferior tembló, y esa fue la primera grieta que él vio en su fachada de acero, lo primero que le indicó que estaba aterrorizada.

—No hable, le digan lo que le digan —le dijo, apelando a sus conocimientos legales. Luego hizo una promesa que no estaba seguro de poder cumplir—: Voy a sacarla de esta.

Ella asintió mientras la metían en el asiento enrejado de atrás.

Cuarta parte

17.

La autopsia de Missy Dale era algo de lo que enorgullecerse ahora que el sheriff Van Horn había arrestado a alguien. Ah, sí, ahora sí que estaba encantado de compartir sus conclusiones con Darren, y se las habría envuelto para regalo, si hubiese podido, tan orgulloso estaba del giro que habían dado los acontecimientos, orgulloso de haber cerrado al menos un caso de asesinato, aunque significase arrestar a una mujer de sesenta y muchos años por motivos que a Darren le parecía que no tenían el menor sentido.

La oficina del sheriff estaba forrada de madera y hacía un frío polar, o al menos en la habitación adonde lo había conducido Van Horn. La moqueta era lisa y gris, desgarrada por los tacones de las botas en algunos puntos. En las paredes había fotos de una liga juvenil de fútbol, un equipo patrocinado por el departamento del sheriff del condado de Shelby, en las cuales se veía crecer a los chicos desde pequeñines hasta adolescentes, así como un calendario de flores silvestres del estado, con la imagen de octubre de un bosquecillo de gallardias rojas y amarillas. Darren se sentó debajo del calendario, ante una mesa en la que una secretaria había puesto un tapetito junto a la máquina de café para colocar las tazas de plástico y los terrones de azúcar. Darren lo apartó todo y abrió el archivo que tenía ante sí.

Las imágenes eran menos morbosas que las de Michael Wright, o al menos no tan sangrientas. A diferencia de la cara de Michael, la de Missy parecía tal y como era en vida: redonda, con la barbilla marcada por el acné, pero una chica guapa, en conjunto, o lo que se podía considerar guapa en un pueblecito de Texas. Solo con ser rubia ya podía llegar muy lejos por aquellos pagos, y Missy tenía el pelo espeso y dorado, sin raíces oscuras. No tenía marca alguna por encima del cuello. Sus ojos estaban cerrados, como si estuviera durmiendo, o a punto de un sueño que acababa de convertirse en pesadilla. La auténtica historia la contaba lo que tenía por debajo de la mandíbula, unos arañazos a ambos lados del cuello, producidos al intentar defenderse de su atacante. Darren veía la huella de los dedos que la habían estrangulado. Los hematomas eran de color rojo vino y de un azul oscuro, y la piel en torno a ellos estaba marcada con una constelación de capilares rotos. Según el forense, Missy había pasado menos tiempo en el agua ácida del *bayou* Attoyac que Michael Wright. No había ni rastro del Attoyac en sus pulmones, ni agua ni limo del *bayou*, lo que significaba que ya estaba muerta cuando cayó en él. La causa de la muerte era asfixia por estrangulamiento manual. El hueso hioides estaba fracturado por dos sitios. La manera de la muerte se consideró homicidio.

Ahora Darren tenía claro que el *bayou* había sido un decorado, un escenario que sugería un vínculo entre el asesinato de Missy y el de Michael Wright, que establecía una causalidad donde quizá no había ninguna. Era un ardid muy ingenioso. ¿No había estado Van Horn trabajando con esa misma suposición, que uno de los crímenes era una represalia por el otro? Pero Darren no entendía qué tenía que ver todo ello con Geneva... hasta que llegó a la segunda página. Relegado al final, debajo de una anotación que indicaba su nivel de alcohol en sangre, cero por ciento, el contenido del estómago de Missy revelaba el secreto de cómo había pasado las últimas horas de su vida.

—Van Horn tiene la cara muy dura —dijo Geneva cuando Darren finalmente pudo verla. Ya la habían fichado antes de entrar en la celda del tribunal del condado, le habían quitado el delantal y el anillo de boda. Se había metido el reloj de pulsera chapado en oro en el bolsillo para evitar que la harina y la grasa pegotearan el oro, pero también se lo habían quitado. Su abogado era un hombre blanco, corpulento, con una melena blanca con muchas entradas y dirigida hacia el techo, al mismo tiempo. Tenía la misma pinta que cualquier otro abogado defensor, con un guiño al antiautoritarismo en la indumentaria. En los alrededores de Austin, el tío de Darren, Clayton, era conocido por su colección de calcetines rebeldes, de cuadros, de lunares y de rayas, que mezclaba y combinaba orgullosamente. Frederick Hodge, abogado de la señora Sweet, llevaba una camisa al estilo del oeste, con botones de perla, debajo de la chaqueta del traje, y unas botas de puntera cuadrada poco apropiadas en el ámbito profesional. Había hecho lo posible para evitar que su cliente hablase con el personal de la policía, pero a Van Horn le gustaba la idea de dejar libertad a Darren para que hablase con Geneva, especialmente dado que la sala de visitas para cualquier hombre o mujer sin acreditación como abogado estaba monitorizada.

—Hable —dijo él.

La habitación era pequeña, y el aire estaba estancado, cargado con el aroma levemente dulzón del moho. Había manchas de humedad en el techo, manchas marrones que parecían nubes enfermizas.

—Tiene la cara muy dura —repitió Geneva, retorciéndose las manos.

—¿Cara dura? ¿O una causa probable?

Geneva entornó los ojos mirando a Darren por encima del hombro. Había dos ayudantes vigilándolos, monitorizando la conversación desde detrás del cristal emborronado de una ventana recortada en la pared de yeso. Darren tenía mucho cuidado con lo que decía, pero también sentía que estaba llegando al límite de su lealtad a una mujer a la que no conocía..., porque en realidad no la conocía. Se había sentido allí como en su casa, como si estuviera rodeado de las mujeres con las que se había criado en Camilla, mujeres que eran la encarnación de la figura materna que a él le faltaba en la vida, y le preocupaba que eso le hubiese nublado el juicio, haber confundido una predisposición maternal con un corazón pacífico.

—Esto pinta mal, Geneva.

—El abogado dice que no pueden tenerme aquí mucho tiempo. Que todo es circunstancial. Simplemente les ha entrado el pánico porque han pasado tres días y todavía no saben quién lo hizo ni qué fue lo que ocurrió. Dice que no pueden...

—Su abogado todavía no ha visto la autopsia.

Ocupó el otro asiento en la mesa, colocándose directamente frente a ella para poder verle la cara cuando enumeró la comida parcialmente digerida que sacaron del estómago de Missy Dale y de su intestino delgado: buey, grasa de buey, esta última en una cantidad significativa que indicaba que había comido lo que vulgarmente se conoce como rabo de toro, guisantes de vaina morada, tomates verdes crudos y vinagre, masa frita y azúcar en polvo, melocotones en almíbar y jarabe de caña. Excepto la empanadilla, era exactamente la misma comida que él había tomado en el Geneva's el mismo día que descubrieron el cuerpo, a menos de cien metros de la cafetería.

—Sigue siendo circunstancial —dijo ella, con vehemencia.

Había tenido la experiencia de dos homicidios y creía saber un par de cosas de responsabilidad criminal. Vio que se había ido calmando y tranquilizando desde que la metieron en el asiento de atrás del coche patrulla. Algo nuevo había suavizado las arrugas en torno a sus ojos, había dado firmeza a sus labios secos y agrietados. Era pura y simple indignación. Darren se puso furioso al comprender hasta qué punto ella había confundido su posición allí.

—Usted me mintió —dijo.

—No, sencillamente no le conté cosas que no eran asunto suyo.

—Pero usted vio a Missy la noche que murió.

—¿Y qué si la vi?

—¿No pensó en contárselo a nadie?

—Usted también tiene secretos. —Se cruzó de brazos, con los afilados codos presionando sobre la mesa—. No me dijo que era un *ranger,* cuando vino por ahí husmeando, y no me dijo que le habían inhabilitado.

Así que Wally y Geneva habían hablado. Darren no conseguía entender cuál era su relación. Era claramente adversa, pero también extrañamente familiar, aquella forma que tenían de tolerarse el uno al otro, incluso de aceptarse el uno al otro. Les gustara o no a los dos, no había forma de eludir este hecho: eran familia.

—Yo intento ayudarle —dijo Darren.

—No mientras lleve esa placa.

—Yo no soy Van Horn, Geneva.

Ella pensó un momento, pero no se dejó impresionar lo más mínimo.

—Ya sé lo de su nieto —dijo él, finalmente.

—Entonces tendría que saber que por eso la mató.

—¿Keith?

—¿Y quién si no?

—Van a decir que usted fue la última que la vio.

—Y tenía perfecto derecho —dijo ella, pegando con el puño en la mesa. Darren estaba equivocado. No era indignación lo que surgía de su cuerpo esbelto. Era rabia. Ella se apartó de la mesa, que tenía algunos fragmentos de madera desnuda en los lugares donde el barniz se había desprendido. Casi tira la silla—. Tengo todo el derecho del mundo a ver a mi nieto. Siempre respetaré a Missy por eso. Ella hacía lo que podía para dejarme verlo, procurando no restregárselo por la cara a Keith. Venía a mi tráiler de vez en cuando, normalmente cuando pensaba que Keith iba a volver tarde de la serrería en Timpson. Él hacía horas extras unas cuantas veces al mes.

—¿De qué hablaban? —le preguntó él—. Missy y usted.

Mentalmente oyó la voz de su tío Clayton: «Encuentra una grieta en la cronología, hijo». Darren trabajó en un consultorio legal gratuito en el condado de Cook el verano después de su primer año en la Facultad de Derecho, y solía llamar por teléfono a Clayton tarde, por la noche, diseccionando algunos de los casos difíciles que se había encontrado. Estuvieron más unidos que nunca en esa época, cuando Darren estaba en la Facultad de Derecho, y ahora mismo necesitaba la influencia de Clayton más que la de William. La autopsia decía que la digestión del contenido del estómago de Missy era «avanzada»; parte de la comida había llegado al intestino delgado. Se estimaba que había comido hasta cuatro horas antes de su muerte. De modo que a menos que ella y Geneva se hubiesen sentado y hubiesen estado hablando durante horas en su tráiler antes de que Geneva se levantara y la estrangulara, era posible y «probable» que Missy hubiera ido a cualquier otro sitio después de dejar a Geneva.

Geneva suspiró y dijo:

—Ella sabía que se le estaba acabando el tiempo.

Todavía de pie, pareció hundirse un poco y doblar las rodillas al hablar de Missy y del niño.

—Aunque el niño es muy rubio, su verdadero color estaba apareciendo ya. Missy sintió pánico durante un tiempo. Este verano, aunque hacía mucho calor, lo llevaba con manga larga tantos días que le dio un pequeño golpe de calor y tuvieron que llevarlo al pediatra a Timpson varias veces. Le dije que se olvidara de eso. Que iba a asfixiar al niño. Incluso le compré ropita con los brazos y piernas al aire. Le dije que echara la culpa de su color moreno al sol, como ha venido haciendo la gente desde hace cientos de años. A nadie le iba a importar un pimiento excepto a Keith. Y ya le había dado su nombre al niño, así que no tenía por qué preocuparse. Le repetía lo mismo cada vez que venía a verme. A veces discutíamos, lo admito. Pero la mayor parte de las veces Missy nos dejaba en paz. Se ponía a ver la tele mientras el pequeño y yo nos dedicábamos a nuestras cosas. —Al decirlo la cara de Geneva se iluminó—. Le hago saltar en mis rodillas, lo mismo que hacía con el pequeño Lil' Joe. Le gusta. También le gustan mis galletitas de azúcar. —Suspiró y volvió a echarse atrás en la silla—. Una vez desaparecida Missy, no sé si me dejarán volver a verlo.

—Ahora vive con Wally.

—Ya lo sé.

Esto pareció molestarla tanto como la idea de no volver a ver a su nieto nunca más. Que Wally tuviera acceso ilimitado al niño le dolía mucho.

—Probablemente estará muy contento de ver cómo me pudro aquí.

—Cuénteme algo para que pueda enfrentarme a ellos. —Darren señaló a los ayudantes por encima de su hombro, los hombres de Van Horn que los contemplaban desde la habitación contigua—. ¿A qué hora se fue ella de su tráiler? ¿Dijo algo que pudiera darle una idea de adónde se dirigía cuando se fue?

—Ya sé adónde fue —dijo Geneva, con tanta sencillez que Darren no estuvo seguro de haberla oído correctamente o de que ella supiera lo que estaba diciendo—. La acompañé en coche a casa.

—¿A casa?

—A casa.

—¿Y Keith estaba allí? —preguntó entonces, recordando lo bien que cuadraban sus sospechas iniciales con la teoría de Geneva de por qué fue asesinada Missy.

—Estaba su coche.

—¿De modo que él fue el último que la vio?

—De eso no tengo pruebas. No se me ocurrió acercarme a su puerta y llamar al timbre, ni me pidió que tomara una taza de té. Nunca he estado dentro. Simplemente quería asegurarme de que ella y el niño llegaban a casa sanos y salvos. Me puse una sillita de bebé en la camioneta para poder llevarlos a casa. Está en mi asiento trasero ahora mismo.

—¿Y por qué demonios no lo dijo?

—Keith no me vio. Era mi palabra contra la suya.

—Pero si Van Horn lo hubiera sabido, habría interrogado a Keith lo primero de todo.

—Lleva aquí el tiempo suficiente para saber que eso no es necesariamente cierto. —Ella se miró las manos, que descansaban en su regazo. Arrancó una bolita de lana de la parte inferior de su jersey enorme—. Además —dijo—, Missy estaba convencida de que nadie sabía que el niño no era de Keith. Quería que fuera un secreto. Y nada más morir, yo no quería que salieran a la luz todos sus asuntos.

Había que respetar unas reglas de decoro que ella no había querido incumplir tras la muerte de la joven; no pensaba que fuera asunto suyo desvelar el secreto de Missy cuando la chica ya no podía defenderse. Prometió guardarle el secreto cuando estaba viva y había intentado honrar la amabilidad que Missy le había demostrado a Geneva al dejarle ver a su nieto no diciendo ni una palabra a nadie. Era eso lo que, al final, había protegido a Keith, y el precio lo estaba pagando ahora Geneva. Pero Darren no se había criado en Lark ni conocía a toda esa gente. «Que le den por saco al decoro». Van Horn había arrestado a la persona equivocada y Darren no pensaba dejarlo correr.

18.

El aserradero donde trabajaba Keith Dale estaba en el norte del pueblo de Timpson, de camino hacia Carthage y Marshall. Ocupaba unas cuatro hectáreas situadas a lo largo de la carretera 59. Según el capataz que estaba de guardia cuando Darren llamó, Keith Dale sí que trabajaba aquel día. Estaba en medio del turno, en la planta de acabado, en la parte de atrás del aserradero, donde su equipo supervisaba los palés de madera apilada a medida que iban saliendo de la cinta transportadora de procesado, y allí los envolvían en una funda de plástico blanco que llevaba impresa: «Timpson Timber Holdings». El capataz se ofreció a acompañar al *ranger* Mathews al lugar exacto donde estaba Keith («¿Han encontrado al que mató a su mujer?»), pero Darren dijo que no sería necesario. «Sí que lo he encontrado», pensó cuando aparcó su Chevy plateado en el solar que había detrás de la puerta delantera, que tenía unos seis metros de alto, con las letras TTH arrojando una sombra sobre su parabrisas. Había una hilera de tráileres parados junto al almacén al que se dirigía Darren, camiones de tamaño enorme esperando que las carretillas elevadoras cargaran los palés de madera procesada en sus plataformas. Por lo que veía Darren en cualquier dirección, no había terreno abierto en toda la propiedad que no estuviera lleno de tablas de pino sin tratar almacenadas al sol, perfumando el aire todavía húmedo de lluvia con la dulzura lechosa de la madera recién cortada. Había salido de la oficina del sheriff sin decir una palabra a Van Horn de adónde se dirigía. Se dijo a sí mismo que Keith y él solo iban a hablar, que solo pretendía asegurarse de que iba a tener la entrevista que temía que no se materializase tras el arresto de Geneva.

El almacén ocupaba una tercera parte del tamaño de un campo de fútbol, y estaba abierto por dos lados. Darren pasó junto a una carretilla elevadora parada, con el conductor esperando una señal de otro trabajador. El hombre se quedó mirando a Darren —con su camisa y sus pantalones bien planchados, por no mencionar la estrella que llevaba en el pecho—, que pasaba junto a una docena de hombres con chalecos de seguridad amarillo fluorescente y cascos, con las botas de trabajo cubiertas de barro y polvo. Darren encontró a Keith justo en el otro lado del almacén, colocando una lámina de plástico de envolver de Timpson Timber Holdings por encima de un palé de tablas de pino crudo de diez centímetros de ancho por cinco de grueso. «Trauma por objeto contundente. Fractura de cráneo. Fibras de madera incrustadas en la piel». El vello de los brazos de Darren estaba erizado cuando se encontró frente al hombre que, ahora estaba seguro, había matado a Michael Wright…, el hombre que lo golpeó hasta dejarlo al borde de la muerte y luego lo arrojó a su tumba acuática. Nunca había estado más seguro de nada, y sabía que el momento requería que se librase de las reglas de Wilson.

—¡Keith Dale! —lo llamó en voz alta.

Varios hombres se volvieron a mirar antes que él. De hecho, Keith fue uno de los últimos en ver al *ranger* negro. Cuando lo vio, una lenta sonrisa apareció en su rostro. Bajo el casco amarillo, su piel tenía un aspecto cetrino, mucho más siniestro aún, y la sonrisa era una pura amenaza. A diferencia de sus compañeros de trabajo, que contemplaban la llegada de Darren al almacén con extrañeza a causa de las muchas cosas que no cuadraban a primera vista («¿Un *ranger* negro? ¿Aquí?»), a Keith Dale parecía que aquella situación absurda casi le hacía gracia.

—Ya sé que han detenido a esa señora por matar a Missy.

Dos de los hombres que estaban junto a él se miraron entre sí, y uno de ellos intentó dar una palmadita acongojada en la espalda de Keith, un gesto de solicitud masculina que Keith rechazó.

—Y también sé que me lo ha intentado cargar a mí.

—Me gustaría que saliera fuera conmigo —dijo Darren. Keith se mostraría más reacio cuanto más numeroso y más blanco fuera su público. Un hombre negro que estaba en un rincón decidió seguir trabajando a pesar de la escena que se desarrollaba ante él.

—Pues yo creo que no —dijo Keith. Se apartó del palé que estaba envolviendo y se quitó el guante derecho, luego el izquierdo. Se los metió en el bolsillo trasero de sus vaqueros descoloridos y manchados de grasa. Había una cierta amenaza en el gesto, como si se estuviera preparando para algo que requería destreza física. Darren dio un paso hacia adelante, dejando claro que iba a mantenerse firme.

—Quiero hacerle unas preguntas, Keith.

—No tengo que responder a nada de lo que me diga.

—Me temo que eso no es cierto.

Keith miró a unos pocos de sus colegas y su sonrisa se amplió. Darren vio unos dientes afilados y blancos con manchas de tabaco en las encías. Keith estaba disfrutando, y las palabras que dijo a continuación las pronunció muy alto, para que el negro que estaba en el rincón también pudiese oírlas.

—Será mejor que se dé la vuelta, negro, y salga de mi lugar de trabajo perdiendo el culo.

Darren lo dejó pasar, porque no valía la pena por un solo *negro* despectivo.

Podía aceptar un *negro* si eso significaba salir victorioso al final.

Firmemente, dijo:

—No, eso no va a ocurrir. Necesito que venga conmigo a la oficina del sheriff en Center. Es hora de que tengamos una entrevista como Dios manda.

—No voy a ningún sitio con usted.

—Sería mejor que viniera tranquilamente y sin hacer una escena delante de su gente —dijo Darren—. De otro modo, tendré que hacerlo por las malas.

—Una mierda.

Por las malas significaba esposas, y llevaba un par sujeto a su cinturón. Pero también había otra forma de hacerlo por las malas: si Keith quería montar un espectáculo delante de sus colegas, Darren les daría espectáculo.

—Sé lo de su hijo —dijo.

Todo el cuerpo de Keith se puso rígido. Sus ojos se movieron a la derecha y luego a la izquierda, intentando captar si alguno de los hombres que estaba a su alrededor sabía de qué estaba hablando Darren, si algo en sus rostros traicionaba su conocimiento del cotilleo que se había abierto camino hasta allí.

—Keith júnior no es hijo suyo, ¿verdad?

—Cállese.

—Pues vámonos, Keith. Podemos hablar de camino hacia la comisaría.

Le estaba dando una salida, pero Keith se negaba a moverse. Incluso se acercó a Darren, y cuando uno de sus colegas susurró su nombre y le agarró del brazo para evitar que hiciera alguna estupidez, Keith le dijo que se fuera a la mierda. El tipo, un hombre de treinta y tantos años, con la barba rojiza y un tatuaje algo infantil de una rosa con espinas en el antebrazo, llamó gilipollas a Keith y se alejó.

—¿Qué pasó? —dijo Darren—. ¿Tenía miedo de que Missy se chivase, de que le contase a todo el mundo lo que le hizo a Michael Wright?

—Yo no he visto a ese hombre en mi vida.

—Sí, claro que lo vio, Keith. Los vio a él y a su mujer en la pista rural. Pilló a su mujer ahí con otro negro, sin importarle de qué negro se trataba, y alguien tuvo que pagar por hacer que usted quedara en ridículo.

—No, espere un momento... Yo no tengo nada que ver con eso.

La mención del asesinato de Wright, aquel por el cual no había ninguna persona arrestada en el condado de Shelby en aquellos momentos, combinada con el hecho de que varios hombres en el almacén hubieran empezado a apartarse de él, desató algo en el interior de Keith. El almacén se quedó en silencio excepto por el resoplido continuo de la cinta transportadora que iba soltando palés de madera cada cuarenta y cinco segundos. Estaban empezando a amontonarse al final de la cinta, porque toda actividad en la sala había cesado; nadie trabajaba ya. Hasta el negro se había rendido por fin al espectáculo. Darren estaba buscando sus esposas cuando vio que Keith agarraba la tabla que tenía más cerca. La empuñó con decisión al mismo tiempo que alguien gritaba:

—¡Keith!

Darren se apartó y la tabla le dio en el hombro.

El dolor lo hizo caer de rodillas. Keith levantó de nuevo la tabla, pero, antes de que pudiera darle otro golpe, Darren sacó su arma y disparó por encima del hombro de Keith, destrozando una lámpara. El cristal llovió en el suelo del almacén. Keith se encogió y finalmente dejó caer la tabla. Miró a su alrededor, intentando valorar si se había ganado el respaldo de los hombres que lo rodeaban. La mayoría de ellos no lo miraban a los ojos, y Keith, avergonzado no tanto por su conducta como por los secretos que se habían desvelado en el almacén, bajó la cabeza.

Darren sacó las esposas y se las puso.

—Agresión a un agente —dijo—. Ahora sí que se la va a cargar.

—Siéntese.

Señaló a Keith, todavía esposado, una silla que estaba frente a la puerta de la diminuta sala de interrogatorios de la comisaría, cuatro paredes enyesadas y una mesa redonda, apenas suficiente para jugar a cartas. El techo era bajo, y Keith, que medía un par de centímetros más que Darren, podía haberlo alcanzado tocando sin las esposas. Van Horn entró detrás de ellos, buscando las llaves de las esposas en su cinturón.

—¿Qué demonios cree que está haciendo? —aulló.

Keith levantó las muñecas esposadas hacia Van Horn, confiando en que el sheriff pusiera fin a todo aquello. Contaba con la rabia de Van Horn hacia Darren por arrestar a alguien en su condado sin su permiso. El hombre mayor venía pisándole los talones a Darren desde que este entró en la oficina e hizo pasar a Keith por el edificio sin una palabra de explicación. Van Horn casi explota. Ahora buscaba las muñecas de Keith e intentaba meter la llave en las esposas de *ranger* de Darren.

—Este hombre está arrestado —dijo Darren.

—¿Con qué autoridad?

—La mía.

—El negro este se ha presentado en mi trabajo —dijo Keith. Llevaba el pelo pegado al cráneo y húmedo, con la forma del casco que Darren le había arrancado de la cabeza al meterlo en el coche—. Se ha puesto a largar cosas que no son asunto suyo, a hablar de mi vida privada... Se lo ha buscado, en lo que a mí respecta.

La cara de Van Horn se puso roja.

—¿Qué has hecho, Keith?

—Ha querido golpearme con una tabla de madera, una tabla que se parece una barbaridad al arma con la que se abatió a Michael Wright, dejándolo al borde de la muerte. Si le quita esas esposas, sheriff, lo arrestaré por interferir en una investigación estatal.

Van Horn dejó escapar un suspiro obstinado, una débil protesta, pero finalmente cedió.

Exasperado, o quizá simplemente despojado de la inyección de adrenalina que antes lo invadía, cogió una segunda silla y con mucho dramatismo la colocó a unos palmos de la mesa, haciendo ostensible que iba a dejar que fuera Darren quien asumiese la situación. Se sacó un pañuelo del bolsillo del pantalón y se secó la frente con él.

—Yo no maté a ese negro —dijo Keith mirando a Van Horn—, y nada de lo que diga podrá hacer que sea verdad.

—Bueno, atacar a un *ranger* de Texas no va a hacerle ningún favor a tu defensa.

Darren le dijo a Van Horn que se mantuviera al margen.

—Yo llevaré esto.

De nuevo señaló a Keith:

—Siéntese.

—Va a complicar las cosas mucho más de lo que estaban cuando empezamos —murmuró el sheriff o bien a Keith o a Darren. Era difícil decir con quién estaba su lealtad—. Responde a las preguntas de este hombre y así podremos acabar con esto.

—Es muy sencillo, Keith —dijo Darren—. Nadie sabe cuál fue el paradero de Missy desde que salió del Geneva's hasta que la encontraron a la mañana siguiente. Así que ¿cómo es que no llamó a nadie? Su mujer desaparece durante casi doce horas, con un niño pequeño en casa, y usted espera al día siguiente y se va a trabajar como si no pasara nada, aunque Missy no había vuelto a casa la noche anterior.

Van Horn estaba sentado muy erguido, como si alguien hubiese tirado de una cuerda que impedía que su columna vertebral se doblase.

—No, espere un momento... —dijo—. He aceptado que interrogara al chico por lo del tipo de Chicago. Pero por lo otro ya hemos arrestado a alguien. Hemos detenido a Geneva Sweet. No vamos a remover cosas antiguas.

Pero Darren no le hizo caso. Dijo:

—A menos que ella sí volviera a casa...

Examinó la cara impasible de Keith. La piel del hombre estaba sonrojada, pero su expresión, aparte de eso, no le traicionaba. Keith miró a Van Horn, su presunto aliado.

—Ya basta, *ranger* —dijo Van Horn—. Este sigue siendo mi departamento.

—Geneva Sweet jura que dejó a Missy junto a su cabaña la noche que murió —aseguró Darren—. Dice que su coche estaba allí, en la entrada. Cosa que indica que fue «usted» el último que vio a su esposa con vida.

—Eso del coche no significa nada.

—No hables, Keith —dijo Van Horn. Era la primera vez que Darren oía a un policía decir esas palabras durante un interrogatorio. A Darren no dejaba de sorprenderle el repetido impulso del sheriff de proteger a ese joven.

—Ella lo vio, Keith —dijo Darren.

—Está mintiendo.

Sí, mentía.

Intentaba ver si Keith metía la pata.

—Y dice que usted la vio también.

—Pensaba que usted estaba aquí para averiguar quién es el asesino de Michael Wright —dijo Van Horn. Puso una mano en la mesa en dirección a Keith, una señal que Darren no supo interpretar. Pero vio algo conspirativo en ese gesto, como si Van Horn ofreciera la seguridad de su autoridad absoluta en aquella oficina. Darren dijo:

—Y estoy buscando al asesino de Michael Wright. Pero también intento asegurarme de que Geneva no carga con algo que no ha hecho.

—Ya sabía yo que era alguna mierda de esas de negros —replicó Keith—. ¿Ve cómo se defienden unos a otros?

—A ella le gustaba Missy, Keith —dijo Darren—. Y quería mucho a su hijo. No creo que jamás le quitara su madre al niño.

Dejó que esta última frase quedara flotando en el aire, pegajosa por el sudor que emanaba del cuerpo de Keith, que le empapaba las axilas de la camisa de trabajo. Al mencionar a su hijo, apretó la mandíbula. Darren podía contar las venas que corrían como ríos hinchados por la frente de Keith. El hombre sonrió para demostrar que Darren no lo había impresionado.

—Mire, sabemos lo de la relación entre Missy y Joe hijo —dijo Van Horn—. En lo que respecta a mi departamento, la relación de Missy con el hijo de Geneva y el niño que resultó de ello... es un posible móvil para que la señora Sweet cometiera el crimen. Ella sentía mucho rencor por la muerte de su hijo.

Lo dijo con un aire de fiscal que intenta tallar una historia en cualquier bloque de madera disponible. Darren le recordó, con rapidez:

—No fue Missy quien disparó a Lil' Joe.

—No, pero si hubiera cerrado las piernas, él todavía seguiría vivo —dijo Keith.

La sonrisa había desaparecido, y en su lugar Keith exhibía una expresión de absoluto desprecio, unida a una rabia tan mal disimulada como la de un toro en un redil. Su cuerpo había elevado la temperatura de la habitación unos grados. Van Horn estaba sonrojado.

—¿No se podría decir lo mismo de Michael Wright? —dijo Darren—. Si Missy no hubiera tonteado con él, todavía seguiría...

—Yo no maté a ese hombre.

—Pero sí que le dio una paliza.

Era un disparo al azar. Darren esperó a ver si hacía blanco.

Keith no dijo nada durante mucho rato, de modo que el único sonido en la habitación era el zumbido del tubo fluorescente del techo, y el aliento de Van Horn entrando y saliendo, fatigoso por la presión de un vientre que había impuesto su presencia en la mediana edad. En realidad, casi jadeaba. Darren le preguntó a Keith directamente:

—¿Vio a su mujer y a Michael en la pista rural el miércoles por la noche?

Keith no parpadeó, no se mostró más preocupado que si Darren le estuviera preguntando cuál era el mejor camino a Dallas.

—¿Y qué importa eso?

—Keith.

Van Horn dijo su nombre bajito, como una advertencia o un ruego.

—Vio a otro hombre negro con su mujer, y le pegó.

—No lo maté.

—Así que le pegó, ¿no?

—Yo no he dicho eso.

—Todavía no te he oído negarlo —dijo Van Horn. Era una insinuación, un salvavidas invisible para un joven cuyo mal carácter amenazaba con estallar en cualquier momento. De repente Keith se apartó de la mesa con tanta fuerza que las patas delanteras de su silla se levantaron brevemente del linóleo. Volvieron a caer de golpe, y los dientes de Keith castañetearon, como si estuviera masticando piedras. Miró más allá de Darren, al otro hombre blanco que estaba en la sala.

—¿Qué habría hecho usted, sheriff?

Se cruzó de brazos, los músculos como sogas por la tensión. Darren buscó sus tatuajes, las SS o la forma del estado de Texas marcada con las iniciales de la Hermandad Aria, y se sorprendió al ver que la piel de Keith estaba limpia, y que solo tenía algunas pecas y lunares.

Van Horn, enfadado por la negativa de Keith a seguir su consejo, lo abandonó a su suerte.

—No lo sé, hijo —dijo Van Horn—. Mi mujer duerme en casa.

El equilibrio de poder en la habitación había cambiado.

Keith lo notó incluso antes que Darren.

—Sheriff, ya sabe que no tengo nada que ver con todo esto.

—Si el fiscal del distrito te sienta en el banquillo, cuando esto vaya a juicio y la otra parte pregunte dónde estuviste la noche que desapareció tu mujer, y por qué no me llamaste a mí, o incluso a los padres de Missy, ¿qué vas a decir, hijo? —le preguntó Van Horn.

—No dejará que esta puta cucaracha le vuelva contra mí, ¿no?

—Lo cierto —dijo Van Horn— es que tengo dos asesinatos, y tu nombre aparece muy relacionado con los dos.

—Supongo que estaba avergonzado —dijo Darren—. Colarle un hijo que no es suyo, un chico que cuando crezca será mucho más parecido a mí de lo que puede soportar…

—Lo está entendiendo todo mal. Keith júnior es mi hijo; yo quiero a ese niño, y punto.

—Supongo que la gente de la cervecería no lo ve de esa manera. ¿Cómo puede ser de la HAT si cría a un mulato? ¿O es que Missy le quitó eso también?

Era la primera mención que hacía de la Hermandad, y al oírlo, pareció que Van Horn hubiese descubierto un montón de hormigas de fuego bajo su silla. Se puso de pie de un salto en el acto y dijo:

—Eh, espere un momento. Teníamos un trato. Este es un crimen local. En el condado de Shelby. No abrimos las puertas a ninguna investigación estatal, y mucho menos dejamos que los federales se nos presenten en la puerta de atrás. —Miró a Keith, con bastante severidad, pensó Darren, como un entrenador que se tiene que ocupar de un *running back* que no consigue mantenerse en línea recta—. No tienes que decir nada sobre eso, Keith.

Pero Keith no lo escuchaba. Había bajado la cabeza un poco y le temblaba todo el cuerpo.

—Todo esto no tiene nada que ver con Júnior —dijo, rudamente.

—¿El qué? —preguntó Darren—. ¿Qué es lo que no tiene nada que ver con Júnior?

Keith lo ignoró. Pidió un cigarrillo y una Coca-Cola a Van Horn, como si finalmente hubiese caído en la cuenta de que podía pasar allí un buen rato. Van Horn no quería dejarlos solos, de modo que lo de la Coca-Cola no podía ser. Darren le ofreció un cigarrillo del paquete que llevaba en el bolsillo. Tiró una caja de cerillas a la mesa. Era de la cervecería. Keith se puso el cigarrillo entre los labios resecos y lo encendió.

—Ya sé que llevó al niño a casa de Wallace Jefferson para que se quedara allí.

—¿Y qué iba a hacer si no? —dijo Keith—. La familia de ella no lo quiere, y la mía está toda en Montgomery. Laura, la señora Jefferson, se ofreció a cuidar del niño un tiempo, y como Missy ya no estaba, yo no tenía ayuda de nadie. Así que...

—¿Y la abuela del niño? ¿Geneva?

—Eso era cosa de Missy. Yo no quería que el niño estuviera con esa gente.

—¿Con su familia, quiere decir?

—Quiero decir con negros —dijo. Entonces, dándose cuenta de que estaba disfrutando de un poco de nicotina gracias a la generosidad de uno de esos negros, murmuró—: Sin ánimo de ofender.

—¿Qué ocurrió, Keith? —preguntó Van Horn—. ¿Estabas en casa cuando ella volvió de casa de Geneva? Si hubo una pelea que se te fue de las manos, podemos arreglarlo, convenceremos a todo el mundo que no querías matarla.

Le lanzó una mirada a Darren, de policía a policía, que pedía el relevo. «A ti no te lo contará nunca», decía su cara.

—No le pegué a esa chica ni una sola vez desde que la conocí, y llevábamos juntos desde tercero, en el instituto. Es que ella no paraba, no paraba, una y otra vez.

—¿De qué no paraba, hijo? —preguntó Van Horn.

—Yo no pensaba volver. No quería volver por nada del mundo.

—¿Volver adónde?

—A *the Walls* —dijo él, refiriéndose a la institución correccional de Huntsville.

—Entonces dinos algo con lo que podamos trabajar, Keith, algo para que no cumplas tanto tiempo, para que no te pongan la inyección —dijo Van Horn—. Si fue un accidente, hijo, los dos..., el negro y luego Missy, a lo mejor podemos...

—¡Yo no lo maté! —Apagó el cigarrillo directamente en la mesa de madera. El humo ascendió y desapareció en torno a su cabeza. Se pasó los dedos por el pelo grasiento—. Por eso necesitaba que Missy cerrara la puta boca.

Lo habían llevado hasta el borde del abismo, y ninguno de los dos agentes hablaba ya. Darren temía hacer cualquier movimiento repentino por temor a romper el hechizo.

Keith puso las manos en la mesa. Sin los guantes de trabajo parecían callosas y secas. En el dorso de las manos tenía arañazos, finas rayas rojas que le había hecho ella, supuso Darren. Esas eran las marcas de Missy luchando por su vida. Keith se las frotó, ausente.

—Yo la quería —dijo—. Pero es que ella no paraba, no paraba, diciendo que íbamos a ir los dos a la cárcel porque yo le había pegado al negro equivocado. Y tiene razón —dijo, mirando a Van Horn—. Se me fue un poco de las manos, eso es todo. Yo no quería matar a nadie, solo quería que ella se callara y no dijera nada más.

Entonces miró al *ranger* negro y dijo:

—Pero juro que dejé a ese hombre vivo en la pista rural. Lo arrastré fuera del coche, eso sí, le di unos cuantos palos, y reconozco que tuve malos pensamientos. Cogí una tabla del camión, sí. Pero Missy llegó chillando como si se estuviera volviendo loca, y entonces noté que me pasaba algo, una voz en la cabeza que me decía: «Para». Y paré, justo entonces. Solté la madera, nos subimos en el coche y nos fuimos.

Van Horn suspiró, un sonido que parecía el gemido de unos malos frenos; su viaje había tomado un giro inesperado. Fulminó con la mirada a Keith como si lo hubiera traicionado.

—No lo entiendo —dijo Darren—. Si usted no mató a Michael Wright, ¿por qué le preocupaba tanto que lo cogieran?

—Por lo del coche.

Darren notó que de repente se le iluminaba la mente.

—El coche... —dijo. Era lo que más quebraderos de cabeza le había dado todo el tiempo, la parte de todo aquello que no encajaba. Si no había sido un robo, ¿dónde estaba el coche?

—Missy me insistió mucho aquella noche para que volviéramos y viéramos si estaba bien. En cuanto llegamos a casa, no paró. Así que al final, solo para que se callara, volvimos en el coche, con Keith júnior entre los dos, y bajamos a la FM 19 —dijo Keith—. Y tan seguro como que estoy aquí sentado ahora, le digo que se había ido. Quiero decir que no habían pasado ni treinta minutos desde que lo dejamos allí, pero ya no estaban ni el hombre ni el coche.

19.

———

Keith los alcanzó en la pista rural, al negro y a su mujer, justo a unos pocos metros de la casa cuyo alquiler pagaba él personalmente cada mes. Más tarde Missy insistiría, una y otra vez, en que el hombre simplemente la llevaba a casa, que Keith se había confundido; que solo estaban hablando. Pero entonces a Keith no le importó. Dio un frenazo, giró en la tierra roja y bajó de un salto del coche negro. Michael Wright tuvo que pisar el freno de golpe para evitar empotrarse en la parte delantera de la camioneta de Keith, que en aquel momento apuntaba en su dirección. El negro levantó la mano, protegiéndose los ojos de la luz blanca y resplandeciente que penetraba en el asiento delantero de su coche. Parecía realmente confundido con lo que estaba ocurriendo, y eso no hizo más que alimentar la rabia de Keith —que el hombre ni siquiera tuviera la sensatez de saber que estaba haciendo algo mal, que fuera forastero y no supiera que por allí esas cosas no se hacían—. Las luces del Ford de Keith alumbraron la matrícula de Illinois, el ornamento del capó en un azul y blanco muy elegantes, y el negro era demasiado estúpido para saber que estaba conduciendo el coche favorito del Führer. «¿Te gustan las llantas?». El propio Keith nunca había estado al norte de Oklahoma, y pensaba que el mundo fuera de Texas era un batiburrillo de mezclas raciales donde todos tenían una idea equivocada de quién había construido este país, que los hispanos y los negros siempre alargaban la mano pidiendo esto, pidiendo lo otro, sin haber trabajado ni un solo día en toda su puñetera vida, pero aun así nos quitaban nuestros trabajos, nos quitaban a nuestras mujeres y a nuestras hijas. Y ahora estaba ocurriendo en el pequeño Lark de toda la vida, en Texas. Le iba a ocurrir a él otra vez.

Missy fue la primera que salió del coche. Llevaba una camiseta blanca y una falda con flores abierta por los lados, y él no pudo evitar pensar que se podía meter una mano y subírsela por el muslo fácilmente. De repente vio la cara de su hijo y tuvo que contenerse para no acelerar el motor y embestirlos a los dos y derribarlos como bolos. Ya la había pillado por ahí un par de veces antes, una vez solo unos pocos meses antes de que naciera Júnior. Él sabía que había muchas posibilidades de que el niño no fuese suyo, ya antes de que saliera chillando al mundo, todo morado y húmedo. Le habría pegado un tiro él mismo a Lil' Joe Sweet si su mujer, esa zorra negra menuda y delgaducha, no lo hubiera hecho antes. Negra o no, la verdad es que era de admirar la eficacia con la que había solucionado el problema. Desde el principio, Keith se había visto atrapado por el amor hacia aquella chica y su hijo. Missy y él habían salido juntos cuando iban al instituto. Fue él quien la llevó a su baile de graduación, y quien volvió desde el Angelina College, el primer curso, para poder ir también al de ella. Les gustaba la misma música, cazar y pescar. Ella era una chica de campo, dulce pero fuerte. La primera estación de caza del venado a la que fueron juntos, ella abatió a un macho la primera hora que pasó en su puesto. Y además, Dios mío, era guapísima, con los ojos verdes y el pelo rubio, el culo gordito y una cintura alrededor de la cual se podía pasar muy bien el brazo. Era la segunda chica con la que había estado. Un beso, y quedó cautivado. Se casó con ella en cuanto pudo, encontró una pequeña cabañita que podían alquilar. Querían niños, muchos niños. Luego él estuvo en la cárcel por asuntos de drogas, una condena de veintiséis meses, y la primera hora que pasó en casa después de volver supo que la había perdido. Lo supo por la forma en que ella apartó la boca a un lado cuando quiso besarla. Los labios de él aterrizaron en su mejilla, y él supo que todo había terminado.

Ella levantó las manos y las extendió hacia delante, y los faros marcaron unas sombras negras bajo sus ojos. Nubes de tierra roja se arremolinaban a sus pies.

—No, Keith —dijo. La luz de la luna creciente no era lo bastante intensa para traspasar la espesa trenza de pinos y álamos de Virginia, y la oscuridad más allá del círculo de luz en torno a los dos coches era absoluta—. No es lo que tú piensas —dijo ella.

El negro salió del coche. Dijo:

—Solo estaba acompañando a casa a la señora.

No estaba asustado, todavía no, y eso enardeció aún más a Keith.

Saltó de la cabina de la camioneta y fue a por el negro, lo agarró por el cuello y lo aplastó contra el coche negro y brillante, que valía más de lo que había ganado Keith los dos últimos años. La cabeza del hombre golpeó el techo del coche, y entonces sí que se asustó de verdad: estaba solo en una oscura carretera rural con dos tipos blancos, uno de los cuales lo tenía agarrado por la garganta. El pánico de su rostro avivó el deseo de Keith de infligirle dolor, y golpeó al hombre en la cara. Detrás de él, Missy le chillaba a Keith que parase. Vino corriendo desde el otro lado del coche y le golpeó con los puños en la espalda. Keith le pegó al hombre de nuevo, con una fuerza homicida. Pero el negro no cayó. De hecho, antes de caer al suelo, algo pareció cambiar en su postura, una inyección de sustancias químicas debidas al estrés que lo inclinaron a la lucha, en la alternativa «lucha o huida». Se levantó balanceándose, y Keith tuvo que reconocer que el negro le dio un par de buenos golpes en la cabeza, no lo suficientemente fuertes como para hacerle un arañazo pero sí para que Keith ya no se dejase engañar por su ropa, por sus bonitos mocasines de piel. El negro sabía pelear, le daría una buena paliza a Keith si lo dejaba. Keith se agachó, cogió un buen puñado de tierra y se lo tiró a los ojos. Era un truco sucio, pero como no había testigos aparte de Missy, a Keith no le importó.

Y eso bastó para darle ventaja. Se lanzó sobre el hombre con los dos puños, machacándolo desde todas partes e insistiendo hasta que la piel se rompió, hasta que notó los huesos, hasta que vio la sangre en sus nudillos, a la luz de los faros de la camioneta.

—¡Para, Keith! —chillaba Missy, porque el negro ya no podía hablar. Keith le dijo a su mujer que era una follanegros y que se metiera en la camioneta inmediatamente. Se echó atrás unos pocos pasos, y tanto Missy como el negro lo interpretaron mal, pensaron que se estaba retirando. Ella fue hasta donde estaba el hombre e intentó ayudarle a ponerse de pie. No vio que Keith se dirigía a la parte trasera de su Ford, ni se dio cuenta de que había cogido una de las tablas de la caja del camión, hasta que estuvo de pronto ante ella y el hombre caído, diciéndole a Missy:

—Quítate de en medio.

Levantó la madera sólida y le dijo al negro que abriese los ojos. Quería que mirara a Keith al decir:

—Apártate de mi mujer.

—Maldita sea, Keith, no te atreverás...

El negro escupió sangre en el suelo. Levantó una mano para defenderse.

—Solo la estaba llevando a casa, hombre —dijo, con la voz como un graznido—. Nada más.

Keith estaba a punto de abatir la madera en el cráneo del hombre cuando Missy saltó entre los dos.

—¡Hazlo y me tendrás que matar a mí también! Podrás explicar una muerte, pero no creo que seas lo bastante listo para librarte de los dos. Porque te digo que yo misma tampoco lo sería. —Tenía los focos a la espalda, que formaban un halo en torno a su cabeza, y Missy no le veía los ojos debido a las sombras—. Esto no es por Júnior —dijo—. No tiene nada que ver con eso. —Y como Keith seguía sin dejar caer la tabla, añadió—: Acabas de salir, Keith...

La mención de *the Walls* le aclaró la cabeza.

Dejó caer la tabla, le dio al negro una última patada en el vientre y le escupió en la cabeza. Luego cogió a Missy y la arrastró hacia la camioneta. Los faros del BMW todavía seguían encendidos. Fueron testigos de que Keith volvía a subir a la camioneta, daba la vuelta en la pista de tierra y doblaba la curva hacia su cabaña, que estaba más adelante por la carretera. El negro todavía respiraba.

—Lo juro.

—Está mintiendo —dijo Van Horn—. Igual que ha mentido desde el principio con lo de Missy. Casi ha confesado, ahí dentro.

Se desabrochó el primer botón de la camisa, y Darren vio lo roja que tenía la piel, que se le calentaba desde dentro. Van Horn se sacó un pañuelo de los pantalones y se secó la frente.

—Solo ha confesado el crimen de Missy —dijo Darren.

Estaban de pie junto a la sala de interrogatorios, en un estrecho vestíbulo que compartía las mismas baldosas de linóleo desgastadas, las mismas hileras de fluorescentes demasiado brillantes. Van Horn parecía escarmentado y a la vez aliviado cuando habló a Darren de su intención de que el fiscal del distrito acusara a Keith Dale.

—La mató para cubrir lo otro —dijo Van Horn—. Y luego dejó el cuerpo detrás del café de Geneva, sabiendo que yo pensaría que fue su gente la que lo hizo, enloquecida por lo del otro tipo. Yo no sabía que tenía un diablo tan grande dentro.

Darren se asombró de las palabras que estaban a punto de salir de su boca.

—No creo que fuera él —dijo—. Al menos, no solo.

Van Horn desechó la idea.

—Mató a esa chica a sangre fría.

—A Missy, sí. Pero no a Michael.

—¿Se cree de verdad toda esa monserga?

—Hay alguien más.

Tenía que haberlo. Le vino a la mente Brady. Algo en el roce que tuvieron en la parte de atrás de la cervecería no le acababa de cuadrar a Darren.

—Espere un minuto —dijo Van Horn—. Vino usted gritando que Keith Dale estaba implicado en esto desde que cruzó la frontera del condado.

—Pero ¿dónde está el coche?

—¿Y quién sabe? Quizá lo llevó hasta el río Trinity, ni lo sé ni me importa. Pero no hay forma de creer que no se cargó al chico esa noche.

—A menos que no lo hiciera solo.

Van Horn sacudió la cabeza y se dirigió hacia el vestíbulo, los talones de sus botas vaqueras negras resonando en las baldosas, y Darren tuvo que seguirle a su despacho, en la parte delantera de la comisaría. Igual que en la habitación donde Darren se había sentado antes, mientras leía los truculentos detalles de la autopsia de Missy Dale, las paredes estaban forradas de madera. Pero la oficina de Van Horn estaba enmoquetada de un gris militar que no pegaba nada con los paneles baratos. Su escritorio era amplio, de un color roble pálido, y estaba vacío salvo por un teléfono, un pisapapeles de latón y el bocadillo que se estaba comiendo cuando Darren entró en la oficina con Keith Dale esposado. Era casero, jamón picante entre unas rebanadas gruesas de pan blanco, con rodajas finísimas de tomate y cebolla roja sobresaliendo. También tenía un refresco *light* al lado, en el escritorio. Sin pensar, Darren buscó en la habitación fotos familiares o un anillo en la mano izquierda de Van Horn. Al no ver ninguna de las dos cosas, se imaginó de pronto al sheriff de pie ante el mostrador de su cocina vestido con pantalón corto, al amanecer, preparándose el almuerzo, y eso lo puso nervioso de una manera que no era capaz de explicar con palabras. No quería ver en aquel despacho a un ser humano, no podía permitirse ver a un hombre de carne y hueso detrás de la placa del sheriff. Van Horn cerró la puerta detrás de Darren.

Cuando los dos hombres estuvieron solos, el sheriff dijo:

—Vale, usted gana. Usted lo trajo aquí, y la gente no va a olvidar eso.

—Brady —empezó Darren.

—¿Cómo?

—El encargado de la cervecería. Le ofreció a Keith que matara a alguien. A mí, en concreto. Le dijo que me matase a mí. —Darren notó que la cara se le acaloraba al mencionar aquel incidente. Fue su peor momento como *ranger,* su peor momento como hombre al que han enseñado a no ceder terreno—. Como iniciación para la Hermandad.

—Mire, ya sé que quiere emprenderla con la Hermandad —dijo Van Horn, haciendo oídos sordos—. Sé que lo echaron de ese grupo especial...

—Eso no es cierto.

—Pero esto es un asunto doméstico, eso es todo. A Keith Dale se le fue la olla porque su chica andaba por ahí con otro... —hizo una pausa, en el hueco donde una palabra determinada pugnaba por salir a la luz, pero luego siguió por otro camino— hombre de color, y se puso como loco, le dio una paliza y lo mató, y luego temió que Missy le dijera algo a alguien, de modo que la mató para callarla. Era un hombre con una mujer que no podía controlar, y quiso asegurarse de decir la última palabra.

—Pero si ya había matado a Michael Wright, ¿por qué Brady iba a ofrecerle que me matara a mí como oportunidad para ser admitido en la HAT? Ya debía de haber ingresado.

—No me escucha, hijo —dijo Van Horn. Se quedó de pie detrás de su escritorio, mirando su bocadillo a medio comer, y lo tiró todo a la basura. El súbito movimiento levantó una oleada de olor a cebolla, y el aire de la habitación se puso agrio—. Keith Dale es demasiado cobarde para ser miembro de la Hermandad.

Lo dijo como si Keith no hubiese conseguido pasar las pruebas para el servicio activo en los marines, como si ser miembro de la Hermandad Aria de Texas fuera una especie de honor.

—Sabe que estoy en lo cierto —dijo Darren.

—Usted nunca ha estado en lo cierto.

—Los Rangers me mandaron aquí para investigar el asesinato de Michael Wright, y tengo el deber para con ellos y para con mi estado de encontrar al auténtico asesino.

—Estoy dispuesto a arrestar a Keith por ambos homicidios, el de Wright y el de Missy.

—Arreste a Keith y le diré yo mismo al fiscal del distrito que este caso apesta. Si se lleva a juicio y pierde, en el mejor de los casos parecerá que es usted un incompetente, y en el peor, que se ha apresurado a fichar a Keith para evitar la conexión con la HAT. Y entonces le aseguro que tendrá a los federales en este condado antes de que pueda decir amén.

Sabía que eso le llegaría al alma. Parecía que cualquier mención de que la Hermandad Aria de Texas operaba en el condado de Shelby asustaba de muerte a Van Horn.

—¿Pretende que ese chico salga de aquí libre, como si nada?

—Fíchelo por agresión, por la bromita de la serrería. Deme algo de tiempo para reunir algunas pruebas más sólidas. Si es Keith, pues será Keith. Pero si alguien más está involucrado en este asunto, entonces necesito algo de tiempo para encontrarlo.

—Lo acusaré de agresión, pero eso significa que solo tengo a Geneva Sweet por la muerte de Missy —dijo Van Horn—, así que seguirá encerrada.

Pensó en Geneva pasando la noche, sola, con suerte, en una deteriorada celda de la prisión, en un camastro encadenado a una pared de cemento, el suelo agrietado y manchado Dios sabe de qué, con unos barrotes tan juntos que no se podía meter un puño entre ellos. Ya habían pasado unas cuantas horas, pero las cosas serían muy distintas cuando se pusiera el sol, cuando todos los sonidos de la noche resonaran con un eco ominoso. Le sabía mal que tuviera que pasar la noche allí. Intentó recordar qué llevaba puesto. Si la temperatura bajaba por la noche, ¿bastaría esa ropa para que no pasara frío?

—Mire, puede arrestar a Keith por lo de Missy —dijo—. Me parece bien.

—No. Ahora ya ha conseguido que me lo cuestione todo —dijo Van Horn, con una sonrisa astuta. Era la carta que tenía en la manga y la había utilizado bien—. Geneva Sweet se queda en el calabozo. Dispongo de cuarenta y ocho horas antes de tener que enjuiciarla. —Cogió la lata de refresco y se bebió lo que quedaba en el fondo. Dejó escapar un ronco eructo y luego dijo, sencillamente—: Tiene dos días, *ranger*.

20.

Los escalones del juzgado estaban resbaladizos por la lluvia pasada, y las nubes allá arriba habían conspirado para tapar el sol, cubriendo el cielo de gris. El este de Texas había decidido darle una oportunidad al otoño, y el aire había refrescado considerablemente. Por primera vez desde que estaba en el condado de Shelby, Darren pensó que tenía que haberse puesto una chaqueta informal o incluso el impermeable que llevaba en la camioneta. Notó que un viento helado traspasaba la fina tela de algodón de su camisa.

Había intentado ver a Geneva, renovar su promesa de que iba a sacarla de allí y decirle que solo necesitaba un poco más de tiempo. Pero Van Horn no le permitía recibir visitas, y no consiguió pasar más allá de los ayudantes del tercer piso. Iba corriendo a recoger su camioneta y volver a Lark cuando vio al periodista del *Tribune*, Chris Wozniak, y a Randie salir del coche de alquiler del periodista, que estaba estacionado solo unas plazas más allá de la camioneta de Darren en el aparcamiento del juzgado. Cuando lo vio, Randie prácticamente salió corriendo desde el lado del pasajero del Buick, apartándose del periodista.

—Darren, ¿qué está pasando? —señaló hacia Wozniak—. Dice que han arrestado a Geneva. Por lo de Missy. Pero que luego han traído a Keith Dale. ¿Significa eso que lo van a arrestar por lo de Michael?

Temblaba, ya fuera por la caída de la temperatura o por un giro de los acontecimientos que la complacía y al mismo tiempo la confundía. Llevaba otra vez el abrigo de cachemir. Tenía los hombros manchados, sucios después de los días pasados en el este de Texas.

—Yo he traído a Keith —dijo Darren—. Pero la verdad es que todavía hay algunas piezas que no encajan. Ahora mismo no conocemos todos los hechos.

Se sentía violento por la necesidad de hablarle con el mismo lenguaje que se usa en una precavida nota de prensa. Darren le había ofrecido enseguida a Keith Dale como promesa, como respuesta a la pregunta de qué le había ocurrido a su marido. Keith era el hombre a quien Darren llevaría ante la justicia, y acabaría esta pesadilla; ahora le parecía muy cruel quitárselo a Randie cuando todavía no tenía nadie a quien ofrecer en su lugar. Wozniak no se fijó siquiera en Darren y pasó rápidamente junto a él y Randie de camino a la puerta principal del juzgado. Darren lo llamó para que se detuviera.

—Espere —dijo—. Antes de que entre, hay algunas cosas que tiene que entender de lo que está pasando, Chris. Me gustaría tener más información antes de hacer cualquier comentario sobre el caso.

Era más de lo que le había dicho a Randie, y ella le cogió el brazo con rudeza al notar que él intentaba distraer la atención.

—¡Eh! —le gritó.

Pero él siguió dirigiéndose a Wozniak. Los pantalones del hombre se habían secado y estaban totalmente arrugados, y agarraba la bandolera que llevaba al costado como si creyera sinceramente que Darren podía arrebatársela. Fue entonces cuando Darren se dio cuenta de que algo había cambiado entre él y Wozniak, que, solo a unos palmos de la puerta del juzgado, se volvió hacia Darren.

—Ya no pienso tratar de este tema con los Rangers.

—¿Cómo?

—Le voy a dejar una cosa bien clara: un homicidio doble con serias implicaciones raciales, un departamento del sheriff que inicialmente no hizo caso de la muerte de un hombre negro, y los Rangers de Texas mandan a un agente inhabilitado temporalmente...

—No estoy inhabilitado.

Pero mientras lo decía, no estaba del todo seguro de que fuera cierto. Ahora mismo llevaba la placa porque le habían dado permiso, no por derecho. Su futuro con los Rangers estaba en juego por algo más que el gran jurado de San Jacinto.

—¿Sabe lo que deduzco de todo esto? —dijo Wozniak—. Que los Rangers nunca se han tomado realmente en serio llegar al fondo de todo esto. Usted no es mejor que los chicos de aquí, de toda la vida. En realidad, es peor, porque no se da ni cuenta de que lo están utilizando.

Sus palabras hirieron a Darren en lo más profundo, como un puñetazo en el estómago que dio paso a atormentadas dudas sobre sí mismo, porque no podía decir con absoluta certeza que todo aquello no fuese cierto.

—Los Rangers no querían enviarme —dijo—. Fue un amigo del Departamento de Justicia quien me habló de los crímenes de Lark.

—Greg Heglund. Lo sé —dijo Wozniak—. Me llamó.

—¿Lo llamó?

—A partir de ahora obtendré toda mi información de los federales.

Wozniak hizo una pausa, con las manos en la puerta del juzgado, sujetándola abierta para que pasara una mujer, con zapatillas deportivas y medias y un traje con falda, que salía fuera a encender un cigarrillo. Miró a Randie, que estaba de pie detrás de Darren.

—¿Viene o no? —dijo. Y como ella no le respondió de inmediato, entró rápidamente en el edificio y dejó que la puerta de cristal se cerrase sola detrás de él.

—¿Qué demonios está pasando, Darren?

Randie apenas se había puesto el cinturón de seguridad cuando él paró en el aparcamiento de una tienda de licor que estaba a unas pocas manzanas de distancia y puso la palanca de cambios en punto muerto. ¿Qué demonios hacía Greg llamando al periodista del *Tribune*? ¿Tanto deseaba un ascenso profesional que no le importaba interferir en el trabajo que Darren intentaba llevar a cabo aquí? Ya salía del coche cuando Randie dijo:

—¿Qué estamos haciendo aquí?

Darren ignoró la pregunta y salió de la camioneta.

Eran las tres de la tarde y todavía iba de uniforme, todo abrochado, con botas y placa, pero la dama negra que estaba detrás del mostrador no pestañeó cuando él sacó un billete de veinte y otro de cinco para pagar una botella de Jim Beam, que era lo mejor que se podía comprar en aquel lugar dejado de la mano de Dios. Quitó el plástico del tapón al meterse de nuevo en el asiento delantero de la Chevy. Randie lo miró como si no lo hubiese visto nunca, como si un desconocido hubiese entrado en la camioneta equivocada. Mientras él destapaba la botella y se bebía dos dedos, disfrutando de la quemazón mientras el líquido bajaba, del calor que iba abriéndose camino por su mandíbula y su garganta, ella dijo:

—No me siento cómoda si bebes y conduces.

Él, sin ceremonia alguna, le tiró las llaves, salió de la camioneta y dio la vuelta hacia el asiento del pasajero, mientras Randie se deslizaba detrás del volante para conducir.

Cuando volvieron a la carretera 59, él tapó la botella con gestos exagerados, poniendo así de manifiesto que solo necesitaba un trago y que no significaba ningún problema, que solo era un picor que podía aliviarse rascándose un poquito.

Randie tenía las manos bien agarradas al volante a las diez y diez. No había ajustado el asiento a su altura y estaba sentada justo al borde para que sus pies llegasen a los pedales del acelerador y el freno. No dijo nada hasta que se encontraron a casi dos kilómetros de Lark.

—Tienen a Keith en custodia, ¿y qué? ¿Ahora de repente crees que no lo hizo él? —dijo.

Darren, acalorado por el *bourbon,* bajó su ventanilla para dejar entrar una ruidosa rendija de aire. El aire le zumbaba al oído y giraba en la cabina de la camioneta. Se quedó así durante un minuto entero, con la lengua entorpecida por el licor, el corazón debilitado por el temor de estar decepcionando a aquella mujer.

De camino al extremo norte del pueblo, llegaron primero a la cervecería. Darren le pidió dos veces que parase allí, pero como ella no le hizo caso, cogió el volante él mismo. Ella le dio un empujón, pero acabó por meter la camioneta en la grava del aparcamiento de la cervecería y apagó el motor. Este fue chasqueando mientras se enfriaba, y durante un rato ese fue el único sonido que se oyó en la cabina, excepto el distante repiquetear de batería y guitarra, el cálido sonido de la música *country* que tocaban en el interior del bar.

Finalmente ella habló:

—Será mejor que me digas qué demonios está pasando ahora mismo —dijo, buscando la botella de *bourbon* que estaba entre los dos en el asiento y arrojándola al diminuto asiento trasero de la cabina—. No te atrevas a dejarme colgada.

—Puede que haya alguien más implicado.

Fue como una confesión, o al menos un ruego de comprensión. Él se sentía terriblemente inseguro por haber detenido el arresto de Keith. «¿Y si estoy equivocado?».

—¿Cómo?

Pero lo que realmente quería decir era «¿por qué?». ¿Por qué creía que había alguien más? Darren contó lo del coche, el BMW desaparecido, lo que había referido Keith de que había vuelto al lugar de los hechos y tanto el coche como Michael habían desaparecido, como si se hubiesen desvanecido, como si la noche se los hubiera tragado por entero. Pero Randie parecía menos impresionada por esto. Fue la mención de la Hermandad Aria como fuente de posibles cómplices, el hecho de que un puñado de ellos estuviera cómodamente en el interior de la cervecería de Wally o en sus propias salas de estar lo que atrajo su atención, lo que hizo que asintiera con la cabeza varias veces y pusiera en él la fe de confiar en sus instintos. Pero él sabía que la historia no terminaba ahí.

—El aliento te huele a licor —dijo ella.

Su pulso se aceleró al pensar que ella estaba lo bastante cerca como para notar algún olor en su aliento. Era una agitación que no quería nombrar, de modo que le echó la culpa al *bourbon*. Buscó la botella de agua que guardaba en la guantera y se bebió la mitad.

—No creo que debas entrar ahí —dijo Randie.

—Confía en mí: ahora mismo, se ha corrido la voz de que Keith Dale está encerrado. La Hermandad estará ansiosa por tomar represalias. No tengo ningún interés en quedarme ahí esperando que haya otro tiroteo cuando puedo entrar y dejar un mensaje ahora mismo. Las cosas no van a ir así. No lo consentiré.

El licor le había vuelto atrevido… o imprudente.

El tiempo lo diría.

Randie esperaba en la camioneta.

Darren le había dicho que diera la vuelta a la Chevy de modo que estuviera de espaldas al bar; de ese modo podría ver cualquier coche que entrase en el aparcamiento. A la primera señal de problemas, ella tenía que tocar el claxon y mantenerlo apretado, como una sirena. Por el retrovisor, ella vio que Darren subía al porche y abría la puerta del bar.

Dentro, primero se dirigió a la gramola. Se inclinó y tiró del grueso cordón negro que salía de la pared. La música cesó, y el ruido de las bolas que rodaban por la mesa de billar fue el único sonido que quedó dentro de la cervecería. Las caras del televisor, sintonizado en Fox News y Fox Network en horas diurnas, fueron testigos mudos de cómo Darren Mathews sacaba el Colt 45 que tenía en la cintura. Llevaba el arma pegada al costado, mientras daba instrucciones a todos los presentes para que se reunieran. A esta hora del día no había más que cinco personas en todo el local: Lynn detrás de la barra; dos hombres en la mesa de billar, ambos con la edad de jubilación superada ya hace tiempo, con unos vaqueros que hacían bolsa en el lugar donde tenía que haber estado su culo, desvanecido con el tiempo; un hombre joven sentado solo en la barra, agachado encima de un cuenco de chile, con la camiseta apretada contra el michelín que rodeaba su cintura, y Brady, que rápidamente comprendió que no tenía respaldo y fue a coger el teléfono móvil que llevaba sujeto al cinturón.

Darren dijo:

—Déjalo.

Hizo un gesto al hombre de que se adelantara, con el Colt como señal de puntuación a su repetida petición.

—Reuníos —dijo de nuevo. Ordenó a Brady y a la mujer que salieran de detrás de la barra. Lynn no se movió hasta que lo hizo Brady. Y este solo se adelantó después de dar una colleja al chico blanco de la barra y sacarlo de su taburete de un empujón. Aparte de él, era el único hombre blanco que había en la cervecería de menos de setenta años, y Brady le dijo:

—Levántate, joder.

Él y el chico gordo fueron avanzando. Darren se colocó de tal manera que su espalda no daba ni a la puerta principal ni a la cocina. No tenía otro remedio que confiar en Lynn cuando dijo que no había nadie más allí. Si salía de la habitación, Brady podía tener tiempo y oportunidad para hacer Dios sabe qué. El hecho de que no hubiese agarrado el arma del calibre 12 de detrás de la barra en cuanto Darren entró por la puerta le dio a entender que los hombres que andaban por allí no formaban parte del clan de Brady. De otro modo, ya habría hecho algún movimiento, confiando en que sus hermanos de la HAT lo respaldarían por muy violento que se mostrase. Eso significaba que Darren tenía posibilidades de salir con vida de allí. Brady cruzó los gruesos brazos, con los tatuajes como banderas cruzadas al viento. Lynn se mordía una comisura del labio inferior. La piel en torno a la boca estaba rosa y roja y con una costra en el sitio donde la piel se había abierto, una herida infectada que llevaba días molestándola. Los hombres mayores habían dejado los tacos de billar. El chico gordo miraba el chile con añoranza.

Uno de los hombres mayores levantó las manos, como si aquello fuera un atraco, como si no pudiera ver o no comprendiera la estrella de cinco puntas que llevaba Darren en la camisa.

—No queremos problemas por aquí —dijo. Su oponente del billar asintió.

Darren se dirigió a Brady, el hombre que haría correr la voz a sus hermanos de que el café de Geneva no se podía tocar, de que cualquier hombre que se acercase a Randie o a Darren con una mala mirada podría recibir un disparo en el acto.

—Si me entero de que los negros de esta ciudad tienen cualquier problema, volveré aquí y le pegaré un tiro al primer idiota que vea, y diré que tenía un arma. Incluso le pondré un arma en la mano yo mismo. Y un par de bolsas de la mierda que guardáis en esa oficina de ahí.

Estaba infringiendo tres leyes solo con decir eso.

Pero no le importaba.

Lo que quería era que sintieran en las tripas el mismo miedo que sintió él cuando Brady lo tenía acorralado detrás de la cafetería, cuando Darren pensó que iba a morir.

—Y ahora que ya ha quedado bien claro, quitaos de mi camino.

—Maldita sea, Brady, cuéntale lo de Keith —dijo Lynn—. Lo demás no le importa.

—Tú cierra la boca —dijo Brady.

—Tengo hijos, tío. No me pueden encerrar.

—Ya sé lo de Keith —dijo Darren—. ¿Qué más?

Brady le dirigió una mirada a ella, y lo que fuera que estaba pensando, se lo calló.

—El miércoles por la noche —siguió Darren— dijo que a un puñado de gente no le gustó ver a Missy y Michael hablando. ¿A quién no le gustó verlos juntos?

—No era nadie en particular —dijo ella—. Solo quería decir que este sitio no es para ese tipo de cosas.

Miró a Brady, queriendo ver si eso contaba con su aprobación. Él le hizo una ligera seña, y ella sonrió. Llevaba el pelo peinado en una trenza a un lado de la cara y se había pintado las uñas de azul, diminutas manchas de color junto a unas cutículas desgarradas y mordidas. Olía a chicle de uva y despedía un olor corporal que Darren no podía afirmar rotundamente que fuese malo, pero que, desde luego, tampoco era bueno.

—Keith vino a buscar a Missy —dijo Darren—. Alguien debió de decirle dónde estaba, con quién se había ido. Así que ¿quién habló con Keith aquella noche?

Lynn abrió la boca para hablar, pero Brady le puso una mano en el brazo.

Ella se lo pensó un segundo y dijo:

—En realidad no vi a Keith en toda la noche.

Era una frase aprendida, como un guion que había recordado justo a tiempo. Darren vio reflejado el alivio en su cara. Representaba aquella farsa para Brady, era a él a quien quería complacer. Ella era tan cambiante como el tiempo, y ahora mismo la tormenta procedía de Brady. Le tenía más miedo a él que a la posibilidad de ir a la cárcel por un asunto de drogas, algo que suponía correctamente que a Darren le importaba un pimiento. Con aquello él no iba a ninguna parte.

Condujeron más de una hora, buscando cualquier fragmento de tierra de labor o matorral lo bastante ancho para meter un coche. Darren recorrió con la Chevy todas las carreteras rurales de Lark, simples caminos de tierra que atravesaban campos llenos de hierbas. Dos veces tuvo que salir de la camioneta para husmear en algún edificio abandonado: un establo hecho de madera desgastada y gris, del cual se habían retirado tablas enteras que yacían medio podridas encima de la hierba, en el suelo; un granero vacío, con el techo roto por alguna tormenta venida del Golfo, fuerte y lo bastante maligna para recorrer todo el camino desde Houston con la ira intacta. A la luz del cielo grisáceo, Darren buscó huellas de neumáticos en la tierra. No había nada que el tiempo no hubiese borrado ya.

Volvió al coche sin decir una sola palabra y se puso a conducir.

Atravesaron la frontera del condado de Nacogdoches y fisgonearon en torno al diminuto Garrison, donde habían pasado la última noche. De nuevo recorrieron a un lado y otro las carreteras secundarias, atravesaron campos de hierba alta buscando el BMW y luego volvieron por donde habían venido para comprobar las mismas carreteras una vez más. Cuando volvió a dirigirse hacia la carretera 59 y pasaron junto al garito, Randie dijo que estaba mareada. Recordaba el animal muerto y la sangre, y notaba el olor en su ropa, dijo. Notaba aquel olor en todos los rincones de la cabina de la camioneta. Se intentó quitar el abrigo, desabrochándose el cinturón de seguridad para poder hacerlo mejor. Bajó la ventanilla del asiento del pasajero y sacó la cara hacia la noche que se avecinaba, con una especie de hambre desesperada de aire. Tenía la piel gris y húmeda, y la frente perlada de sudor.

—No vamos a encontrar nunca ese coche.

—Pero tengo que buscarlo —dijo él.

—No vamos a encontrar el coche porque no está aquí, porque no importa.

El rugido del viento a través de la ventanilla se tragaba sus palabras, y a él le preocupó que se encontrara mal de verdad. Decía unas cosas muy raras.

—Pero al menos tenemos que mirar…

—Keith está en la cárcel, Darren. ¿Por qué no te basta?

Ella subió la ventanilla y la succión del viento en la cabina pareció sellarlos al vacío en el interior, y él también notó entonces el débil rastro del olor a putrefacción animal.

Ella se acurrucó tan lejos en su asiento que casi estaba enfrente de él.

—Estoy muy cansada, Darren —dijo, y se le quebró la voz ligeramente—. Quiero irme a casa. Quiero llevarme a Michael a Dallas, y luego a casa.

—No estoy convencido de que fuera Keith.

—No me importa.

—¿Quieres que le carguen esto a un hombre inocente?

—No es inocente.

La ira que trepaba desde el interior de su garganta le quebraba la voz por los bordes.

—Le pegó a Michael y lo dejó tirado. Lo dejó tirado para que muriera, en realidad. Eso me basta, Darren. No vas a sacar nada mejor ni más justo de estos paletos. Así que quiero lo que pueda conseguir, y llevarme a Michael a casa. Ahora mismo hay un hombre encerrado. Keith Dale me basta. Quiero que arresten a alguien e irme a mi casa.

El dolor estaba en su puerta trasera, llamando a la mosquitera. Venía a por ella, y ella quería desahogarse en privado con tanta desesperación que estaba dispuesta a aceptar una parte de la verdad con tal de salir de aquel pueblo, de aquel condado, de aquel estado, de apartarse de todo aquello. Era egoísta y miope. Para un *ranger,* una verdad incompleta nunca bastaría, y así se lo dijo.

—No se trata de ti. —Casi le escupió las palabras.

—Sí, sí se trata de mí —dijo él—. Yo te hice una promesa, y lo creas o no, también se la hice a Michael en el momento en que me puse la placa en el pecho.

—También le hiciste una promesa a Geneva Sweet —le recordó ella—. Pero prefieres ir por ahí dando vueltas en círculo antes que enfrentarte a su gente y decirles que es culpa tuya que ella no vuelva a casa esta noche.

Y, dicho esto, se dio la vuelta y no lo miró ni dijo una sola palabra más, cogió la botella de Jim Beam del asiento de atrás y dio un largo trago. Debió de escocerle mucho al bajar por la garganta, porque se le llenaron los ojos de lágrimas, y antes de que él se diera cuenta, Randie estaba llorando de verdad: un sonido como de animal herido intentaba abrirse camino desde sus entrañas, y una catarata de lágrimas y mucosidad le corría por el rostro. Hipó buscando aire un par de veces, y finalmente Darren aparcó en el arcén de la carretera y detuvo el coche. Antes de que pudiera quitarse el cinturón de seguridad, ella se lanzó a sus brazos desde el asiento, le apoyó la cabeza en el pecho, y lloró, lloró y lloró.

21.

Randie no había comido desde hacía casi un día entero, y además, tenía razón.

Le debía una explicación a Faith, o al menos intentar que entendiera que no había abandonado a su abuela. Esperaba que ella comprendiese lo que estaba tratando de hacer, el camino espinoso que estaba intentando seguir. Era un hombre de ley, y notaba la tensión de intentar mantener un pie a cada lado: quería proteger a Geneva de un arresto erróneo, y al mismo tiempo procuraba que el auténtico asesino pagase el precio de lo que le había hecho a Michael Wright. Rezaba para no fracasar en una de sus misiones mientras intentaba cumplir la otra. «Papá —pensó, llamando a sus tíos por el apodo que ambos compartían—. Socorro». Casi lo dice en voz alta. Qué no daría por tener la oportunidad de sentarse con sus tíos en la mesa del comedor, cuando todavía estaban los tres, antes de que William se casara con Naomi y fundara su propia familia, antes de que los hermanos dejaran de hablarse. Qué no daría por tener la oportunidad de volver atrás en el tiempo, sentarse en torno a un estofado de judías y riñones, la especialidad de Clayton, y hablarlo todo..., preguntarles a cada uno de ellos, el abogado y el defensor de la ley, qué podía hacer, mientras los hermanos discutían entre sí y compartían una botella de *whiskey* de Tennessee. Darren bebía zumo de manzana, de niño, fingiendo que era el mismo licor ahumado que sonrojaba a sus tíos y les hacía soñar con un mundo seguro para los negros.

Le dolía muchísimo lo de Missy Dale, claro que sí. Pero Missy Dale ya tenía gente que pensaba en ella. El mundo entero pensaba en Missy Dale. Van Horn podía conseguir veinte *rangers* al día siguiente que recogerían pruebas sobre Missy Dale con solo pedirlo. Ningún fiscal del distrito se haría el remolón persiguiendo al asesino de Missy Dale. *Dateline* sacaría un artículo sobre Missy Dale, y también *48 Hours,* y *20/20.* Pero Wozniak tenía razón: para resolver la muerte inexplicable de un hombre negro en el Texas rural, Wilson había enviado a un solo hombre con la placa empañada. Darren era lo único que tenía Michael. De hecho, Wilson ni siquiera había enviado a Darren: simplemente había accedido a una situación que amenazaba con convertirse en un problema de imagen para su departamento. Era lo menos que podía hacer. Fue Greg el primero en mencionar los crímenes de Lark, el primero en mencionar el nombre de Michael Wright a Darren. Tenía que llamarlo. No le habían llegado aún los registros del Departamento de Justicia Criminal de Texas sobre Keith Dale que había pedido. Cuando aparcó junto a la cafetería de Geneva, el sol se estaba poniendo ya. Randie salió primero de la camioneta, cogiendo al pasar la botella de *bourbon* del asiento trasero, y se dirigieron hacia el café.

Ella combinó el *bourbon* con sorbos de gaseosa Dr Pepper muy fría y mantuvo la botella helada a su lado mientras esperaban la comida. Lonchas finas de cerdo, conservadas en manteca y tostadas en su propia grasa en la sartén, arroz con menudillos y cebollas asadas, con col en vinagre y rodajas de tomate como acompañamiento. Las dos primeras copas cayeron en un estómago vacío, y Randie se quedó extrañamente callada, rozando la mesa con las yemas de los dedos al compás de la guitarra que salía de la gramola. Se quedó mirando la guitarra colocada en la pared, encima de su reservado, la Les Paul que había traído a su marido al sur. Darren estaba de pie junto a la barra, hablando con Faith, que, en contra de los deseos de su abuela, había mantenido el local abierto.

—No estará allí mucho tiempo —les dijo tanto a ella como a Huxley.

Wendy ocupaba el taburete junto a Huxley y estaba inclinada sobre un plato de pollo asado y maíz dulce, empujando la comida por el plato como si le debiera dinero, como si la hubiese insultado personalmente. Dos veces le pidió más sal a Faith.

—Sal con especias o algo.

Darren les dijo:

—Les prometo que haré todo lo que esté en mi mano para traer a Geneva a casa de nuevo.

No sabían que Keith Dale pasaba la noche en el calabozo también, por una acusación que quizá se solapase, y eso les hizo mostrar buena predisposición hacia Darren, aunque sentía que se sonrojaba de vergüenza por el hecho de no contarles toda la historia. Los clientes del café fueron escaseando conforme Darren y Randie iban comiendo con buen apetito, mojándolo todo con tragos de Jim Beam. Wendy, como respuesta a Freddie King, nada menos, que sonaba en la máquina de discos, llorando con su guitarra por alguna pena de amor, dijo:

—Eso es lo que es, un desastre...

Y Huxley asintió cuando Faith le sirvió una segunda taza de café.

—Geneva ni siquiera cerró cuando mataron a Joe.

—¿Fue un robo? —preguntó Darren, con un deje en la voz.

—Era la primera vez que Geneva dejaba solo a Joe desde hacía años —dijo Huxley.

—La abuela me había llevado a Timpson a ver vestidos para mi baile de graduación, con mis padres. El abuelo estaba vigilando el local, él solo.

Del bolsillo del delantal de su abuela, hecho de algodón del color del hibisco azul, sacó un trapo blanco y empezó a limpiar el mostrador.

—¿Y qué pasó? —preguntó Darren.

Randie, con la cara hinchada por el alcohol, la lengua espesa y lenta, dijo:

—Golpeó a mi marido. Fue Keith quien lo hizo.

Wendy la oyó y comprendió que estaba absorta en algo más importante que aquel momento. Se puso de pie sobre sus piernas delgaduchas y se acercó al reservado. Sin una sola palabra, se sentó en el asiento de vinilo junto a Randie. Le dio unas palmaditas a la joven en la mano y luego la cogió con la suya.

—Entraron tres, según me han dicho —dijo Huxley.

—Sí, eso me dijeron a mí también —dijo Wendy.

—Según Isaac, fue después de medianoche.

Darren miró por detrás de Faith, a lo largo de todo el café, hasta la diminuta barbería, que estaba vacía a aquella hora, sin clientes en la silla giratoria ni un solo peine en la botella azul eléctrico de desinfectante. No había señal alguna de Isaac.

Faith dijo:

—No ha venido. No ha hablado desde que dispararon por la ventana.

—Isaac es un poco nervioso —añadió Wendy—. No está bien de la cabeza.

—Bueno —dijo Huxley—, el caso es que Isaac dijo que salió a sacar la basura por la puerta de atrás cuando oyó los tiros. Dos, consecutivos, así. —Y golpeó con los nudillos el mostrador de formica en rápida sucesión, uno y dos—. Decía que cuando entró por la cocina, solo vio a los hombres que se largaban en su coche. —Señaló hacia los ventanales del café. Más allá del surtidor de gasolina y la camioneta de Darren, el cielo estaba empapado de azul, y el crepúsculo bañado en miel dejaba paso al índigo, mientras la noche iba acercándose, pasito a pasito—. Eran tres hombres blancos, dijo.

Darren siguió la mirada de Huxley hacia la noche que se iba volviendo más oscura.

—¿Y cómo sabía que los asesinos eran blancos?

Huxley levantó una ceja y miró a Wendy, que le dijo a Darren:

—De la misma manera que usted supo que el hombre que disparó a esa puerta era blanco. —Se encogió de hombros levemente, como diciendo: «¿Y qué otra cosa podían ser?»—. Esto no es nuevo.

Darren salió corriendo solo momentos después del tiroteo. Pero apenas fue capaz de distinguir unos pocos dígitos de la matrícula, y mucho menos ver caras en la cabina. Eran la historia y las circunstancias las que habían completado el resto.

—A la gente le gustaba ese hombre —dijo Wendy, hablando de Joe—. Para mucha gente que pasa la vida en la carretera, él y Geneva habían convertido este sitio en un hogar.

—Él lo abandonó todo por ella —dijo Huxley—. La música, la gran ciudad...

Faith sonrió y dijo:

—El abuelo echó raíces por amor.

—Para Geneva, ese hombre era toda su vida —dijo Wendy.

—Lo que ocurrió la destrozó —añadió Huxley—. Hasta el punto de que ninguno de nosotros lo nombra nunca. —Alzó la mirada de su café a Randie—. Antes de que viniera su marido, nadie había preguntado por Joe en mucho, mucho tiempo.

Randie se incorporó en el borde del asiento, pero fue Darren, sentado frente a ella en el reservado, quien habló primero.

—¿Michael Wright preguntó por el robo?

—Eso es lo que dijo Geneva.

—Siempre lo estaba haciendo —dijo Randie, bajito. Apartó su mano de la de Wendy y se sirvió otro trago. Bebían en unos vasos de chupito de cerámica que tenían una imagen de Big Tex en Dallas. Faith los había sacado de un armario de la cocina que apenas se usaba. Randie apuró la bebida, dejando a un lado el refresco. A esas alturas ya arrastraba las palabras—. Siempre le decía que tenía que haberse dedicado a la criminalística. Y creo que lo habría hecho de no ser por mí, de no ser por el dinero. Dejó muchas cosas por mí.

Se estaba poniendo lacrimosa otra vez y hablaba todo el tiempo de lo mismo. Darren pronunció su nombre, pero eso no impidió que siguiera hablando.

—Siempre hacía eso, siempre lo convertía todo en una investigación. Le atraía mucho la justicia criminal. Yo tendría que haber hecho más para animarlo. Tendría que haberle dicho más veces que lo quería. Tendría que haberle dicho que debía seguir…

Calló de repente.

—No me encuentro bien —dijo, saliendo a toda prisa del reservado de vinilo. La anciana Wendy resultó sorprendentemente vital y ágil de pies al apartarse de su camino. Randie atravesó la puerta principal, tapada con unos cartones, pasó junto al solitario surtidor de gasolina, se arrodilló y lo vomitó todo. El *bourbon,* el cerdo, el arroz y el refresco azucarado, y los tomates ácidos, y la col empapada en vinagre y los pimientos rojos. Salió en oleadas lechosas de color rosa, y cada uno de los esfuerzos le provocó un espasmo. Darren corrió hacia la puerta delantera del café. La campanilla tintineó detrás de él cuando cogió a Randie por los hombros y la ayudó a ponerse en pie.

Ninguno de los dos estaba en condiciones de conducir.

Faith les preparó una habitación en el tráiler de atrás. Dijo que le parecía raro dejar que alguien durmiese en la habitación de su abuela, aunque Geneva ciertamente no fuera a usarla aquella noche, pero Darren respondió que lo comprendía, y le dijo a Randie que le dejaba la habitación que quedaba y que él dormiría en el sofá. Pero en cuanto Faith hubo terminado de colocar las toallas y las sábanas limpias y se fue a cerrar el café, Randie le pidió a Darren que se quedara en la habitación con ella, y él accedió. Ella se echó encima de la cama, con la ropa puesta. Y Darren se sentó en un taburete de tocador casi de muñecas, que no tenía tocador a juego ni espejo, al menos no en aquella diminuta habitación, con las paredes forradas de chapa de madera y la moqueta de pelo largo de un color naranja tostado. Como no había ningún sitio donde colocarla, dejó la botella de *bourbon* a sus pies. Sabía que no debía ofrecerle a ella más alcohol; sin embargo, el caballero texano que había en él lo hizo por acto reflejo. Ella negó con la cabeza y se quedó mirando cuando él bebió directamente de la botella. El pelo de Randie estaba extendido a su alrededor en la almohada, espesos rizos negros que se derramaban como ríos intactos, y a él le pareció que la veía cerrar los ojos. Pero entonces habló.

—¿Es ese el motivo de tu inhabilitación?

Se refería a la bebida.

Él dejó la botella a sus pies y negó con la cabeza.

—Esto —dijo—, en realidad, no empezó a ser algo grave, a ser un problema o algo, hasta que pasó lo de Mack. —Era la primera vez que usaba la palabra *problema* para referirse a la bebida. Notó que la cabeza se le aligeraba, que el contorno de las cosas se difuminaba, y los efectos del *bourbon* lo caldeaban de una manera que no era del todo desagradable—. No empecé a beber así hasta que me metí en problemas por lo que pasó con Mack, hasta lo que pasó entre Lisa y yo.

—No lo entiendo.

—A ella le daba una excusa, la inhabilitación…, una excusa para decir que había sido imprudente, que ya de entrada la decisión que tomé de unirme a los Rangers fue imprudente —dijo, explicando la noche en casa de Mack, en el condado de San Jacinto, el incidente que llevó a la reprobación de Darren, la suspensión temporal de su empleo y el posible enjuiciamiento de un hombre que simplemente intentaba proteger a su familia. Cuando levantó la vista de nuevo, ella había cerrado los ojos, esta vez de verdad, y él se inclinó y levantó una esquina de la colcha y se la echó encima de las piernas. Ella se acurrucó de lado y Darren se volvió a sentar en el taburete. Estaba cogiendo de nuevo la botella cuando Randie se incorporó, apoyándose en los codos, y habló de repente.

—¿Y por qué lo hiciste?

La pregunta desconcertó a Darren. Notó un pinchazo de miedo, el pánico de haber quedado expuesto de alguna manera, de que ella contara lo que pasó aquella noche en el condado de San Jacinto, hasta que ella aclaró lo que quería decir.

—¿Por qué volviste aquí? Tenías escapatoria. Michael también tenía escapatoria. Primero Notre Dame, y luego la Facultad de Derecho de la UC. Él salió de Texas.

Miró a Darren, al otro lado de la habitación. A la débil luz de la lámpara del techo, situada en un rincón de la habitación, una imitación de Tiffany con cristal de colores, vio unas sombras oscuras bajo sus ojos y se sintió increíblemente cansado de golpe, sin saber si podría combatir la sensación de la sangre espesa en las venas, el peso de sus miembros. En ese momento solo deseaba echarse en algún sitio. Se dirigió a la puerta para ir al sofá que estaba en la otra habitación. Pero Randie lo llamó.

—Échate aquí conmigo —dijo.

Él dudó en la puerta, con la mano en la jamba, notando el olor acre que surgía de la humedad de sus axilas. No le importaba ya la botella, no le importaba nada excepto descansar la cabeza en algún sitio, el que fuera.

—Solo quiero que te eches a mi lado.

Dejó el *bourbon* en el mar de moqueta naranja y se quitó las botas. En calcetines, se subió a la colcha de ganchillo y dejó caer su cuerpo a unos pocos centímetros del de Randie. Descansó la cabeza en su brazo y se quedó mirando el bajo techo. Con los pies descalzos, casi podía tocarlo. De espaldas, cansado como estaba, ese acto le parecía a kilómetros de distancia.

—¿Por qué volviste aquí?

—Porque es mi hogar.

Aquellas palabras no significaban nada para Randie, que dijo que había pasado la mayor parte de su vida en la zona del Atlántico: Washington D. C., Baltimore, luego Delaware, de ciudad en ciudad debido al trabajo de su padre, que era agente de ventas. Cuando estaba en el instituto, la familia se instaló en Ohio, y finalmente acabaron trasladándose a Illinois el verano anterior a su último curso. Ella no recordaba apenas la casa en la que había nacido, el pueblo donde había pasado los seis primeros años de su vida. Volvió al D. C. después de graduarse; su primer trabajo consistió en una beca con pretensiones de algo más en una revista política. Buscó la casa adosada donde se había criado y se perdió, subiendo y bajando la calle 16, sin ser capaz de recordar si era en el noroeste o en el sudoeste donde habían vivido los Winston. Fue una excursión de una tarde, una tontería. Hizo fotos y se quedó a tomar café en un cuchitril, y antes de que anocheciera volvió a su apartamento sin estar segura de si había pasado delante de su casa o no. Pero en lo más hondo de su ser, sabía que en realidad no le importaba encontrar el edificio. Aquel sitio no le decía nada, no como Michael sentía siempre Texas, al alcance de la mano, no como la tierra o su recuerdo tiraban de él. Era como si una parte de él nunca hubiese abandonado la tierra roja del este de Texas, cosa que Randie no comprendía.

«Cómo ibas a entenderlo», pensó Darren.

—Pero la verdad es que se fue. Porque sabía que este sitio no era para él. Tú fuiste a la Universidad de Chicago —dijo, incorporándose y doblando una fina almohada en dos—. Podrías haber ido a cualquier parte.

—Y me fui.

Ella asintió, mirándolo a la escasa luz.

—Pero ¿por qué volver?

—Jasper —dijo él, bajito.

Miró al techo, coloreado de amarillo y azul por la pantalla de la lámpara. Uno de los dos tendría que levantarse y apagar la luz en algún momento si pensaban dormir.

—Jasper —dijo Randie, paladeando el nombre—. Me acuerdo..., estaba en el primer año de universidad. Nunca había visto nada parecido en toda mi vida, arrastrar a un hombre de esa manera. Y pensé... Texas.

—Ese fue mi once de septiembre.

Randie se quedó callada un segundo, y Darren sacó el móvil del bolsillo y lo puso en el suelo, junto a su pistolera de cuero y sus botas. Su mujer no le había llamado desde que le dijo que no volvía a casa. Y en parte sabía que en su próxima conversación se decidirían cosas que no estaba preparado para afrontar. Respiró hondo, rehaciéndose, como si necesitase beber del mismo pozo de valor que le había hecho salir de la Facultad de Derecho solo para decir:

—Fue una vocación —dijo—. Fue como si hubiese un límite para mí, una línea a partir de la cual sencillamente no podía seguir, no podía consentirlo. La placa era decir: esta también es mi tierra, mi estado, mi país, y no voy a salir corriendo. Me mantendré firme. Mi gente construyó esto, y yo no me voy a ir. Puse los ojos en la Hermandad Aria de Texas, entre otras cosas, y toda mi vida a partir de entonces giró en torno a los Rangers de Texas, a su placa —dijo, señalando la estrella que llevaba en el pecho. Y como Randie seguía callada, y la luz dorada era demasiado tenue para interpretar su expresión, añadió—: Ella tampoco lo entendió.

Se levantó y rodó hasta el borde de la cama, que era lo que necesitaba para poder incorporarse y apagar la lámpara del techo.

—Lisa no comprende lo que esto significa para mí. Sí, sabe lo que pasa en la Texas rural. Cree que el trabajo es importante, pero quiere que sea otro quien libre la batalla. Quiere que vuelva a casa con ella cada noche.

—No la culpo —dijo Randie.

Darren cerró los ojos al fin. Oyó los crujidos de los muelles del colchón cuando Randie se volvió y se puso cara a la pared del otro lado de la cama.

—No quiero ofenderte —susurró ella, en la oscuridad—, pero sea lo que sea que estuvieras intentando hacer aquí, la verdad es que no ha funcionado. Él no tendría que haber vuelto a casa nunca.

22.

Wilson lo despertó de nuevo.

Durante treinta segundos enteros, pensó que todavía estaba soñando. No situaba la habitación, ni a la mujer que dormía a su lado, una mujer cuyo aliento notaba en la parte inferior de la cara y cuyo cuerpo estaba acurrucado contra él, con la cabeza vuelta hacia arriba, a solo unos centímetros de su hombro. «Lisa», pensó. Pero el pelo que le acariciaba el cuello no era como debía ser, era espeso, mientras que el de Lisa era fino y liso, y su piel olía como a levadura y algo ácida, y no tenía el aroma a vainilla de las cremas caras que le gustaban tanto a su mujer. «Randie». Susurró el nombre de ella antes de comprender lo que le decía su teniente. Ella exhaló un suspiro y rodó, apartándose de él, volviendo su cuerpo hacia la pared opuesta. Darren se incorporó y sacó las piernas por un lado de la cama. Movió el teléfono móvil, que no recordaba haber contestado, apoyándolo contra su cuello. Wilson hablaba y medio ladraba.

—Tiene que ir a Center inmediatamente —dijo—. La están haciendo en el juzgado, y el cuartel general de Austin quiere que salga ante la cámara.

—Pero ¿de qué demonios está hablando?

—La conferencia de prensa.

—¿Qué conferencia de prensa?

—Dígame, *ranger,* que ha estado atrapado debajo de un árbol caído durante las últimas horas y que no lleva toda la mañana ignorando deliberadamente mis llamadas.

Darren consultó su teléfono. Apenas eran un poco más de las nueve de la mañana y tenía ya ocho notificaciones de llamada en el buzón de voz, todas ellas empezando poco después de las 5. Reconoció el número de Wilson, así como el de Greg. Greg había hecho al menos tres de esas llamadas desde su despacho de la oficina de Houston del FBI. Al parecer, Darren no se había enterado de nada y había seguido durmiendo.

—Espere —dijo, frotándose los ojos para despertarse y quitando la tela que tenía entre las piernas—. ¿Quién está dando una conferencia de prensa?

—Han arrestado a Keith Dale.

—¿Por el asesinato de su mujer?

—Por ambos asesinatos.

—No... —dijo Darren, poniéndose de pie—. No. Van Horn me ha dado más tiempo para el caso de Michael Wright. Me ha prometido que no movería nada hasta que...

—*Ranger,* usted ha cerrado el caso —dijo Wilson, cuya voz parecía transmitir que no entendía cuál era el problema. Había confundido la falta de entusiasmo en la voz de Darren con indignación, creía que su subordinado andaba a la caza de una disculpa o algo por el estilo. Wilson bufó con exasperación—. Yo estaba equivocado, ¿de acuerdo? Ya ha arrestado a quien debía.

—¿Basándose en qué?

—Tienen una confesión.

—Eso no es cierto —dijo Darren. Se dirigió a la puerta del dormitorio, saliendo para no despertar a Randie, pero en cuanto la cerró, miró hacia atrás y vio que ella ya estaba despierta y que se estaba incorporando y lo miraba—. Yo estaba allí —dijo, cerrando la puerta del dormitorio y apoyándose en la pared del estrecho vestíbulo que conducía a las otras dos habitaciones—. Él dijo que le había dado una paliza al hombre, y nada más.

—Van Horn lo quiere para los dos.

—Aquí falla algo —dijo Darren—. Falta el coche, por ejemplo.

—Siempre hay piezas que no encajan; eso ya lo sabe usted.

—Si fue él quien lo hizo, no estoy seguro de que lo hiciera solo. Podría haber alguna conexión más amplia con la HAT en todo esto. La cervecería es un reducto de la Hermandad. Wallace Jefferson es consciente, si es que no lo aprueba directamente, de que miembros de una banda criminal confraternizan en su establecimiento. Si profundizamos un poco más…

—Mire, eso es exactamente lo que el condado y los federales no quieren.

—¿Los federales? —exclamó Darren, recordando las llamadas de Greg.

—Es un rollo de algún imbécil retrasado, Mathews, y usted lo sabe —dijo Wilson—. Usted lo dijo desde el primer día. Y lo último que necesitamos ahora es la idea de que la Hermandad Aria está fuera de control en el este de Texas, o que tenemos a blancos y negros matándose unos a otros en ese estado. Todas las protestas que se están llevando a cabo en el resto del país… A Texas no le conviene eso. La gente todavía está resentida por los tiroteos a un policía en Dallas. No empecemos una revuelta racial por un paleto de mierda del condado de Shelby. Ahora mismo no hay ninguna prueba de que la Hermandad esté implicada en esto, así que disfrutemos de la victoria que hemos conseguido y no lo convirtamos en una cruzada de mayor envergadura.

Pero aun así, algo no cuadraba.

Darren lo sabía, aunque también sabía que no tenía más remedio que reunirse con su jefe en el juzgado de Center, Texas, sede del condado, adonde Wilson, con espectacular previsión, había llevado una camisa blanca y un par de pantalones negros planchados del cajón inferior del despacho de Darren en Houston. Se cambió en el lavabo de hombres de la primera planta, situado justo al salir del despacho de la administración del condado, donde había una fila de personas esperando para solicitar licencias de matrimonio y sacar copias de sus certificados de nacimiento.

Dentro del lavabo de hombres, Darren se vistió rápidamente, ya que Wilson le había dicho que no empezarían sin él. Se metió la camisa y alisó la parte delantera de los pantalones, que tenían un brillo muy feo por delante por haberlos planchado demasiadas veces. No recordaba cuánto tiempo llevaba esa ropa en el cajón, y le avergonzó un poco emocionarse al saber que no habían vaciado todavía su escritorio en su ausencia, y que todavía podía volver a los Rangers, en esta ocasión para siempre. Supuso que debía darle las gracias a Michael Wright por ello, y la perversa gratitud que sintió estaba teñida de una culpa espantosa, un peso enorme que lastraba la parte inferior de su cuerpo. Hasta el momento en que se puso el Stetson en la cabeza, no estuvo seguro de si podría pasar por todo aquello. Ojalá pudiera hacerlo, salir y permitir que usaran su cara negra para decirles a un montón de periodistas que allí no había nada más que indagar, que habían encontrado ya a su hombre, que la muerte de un hombre negro de Chicago y una mujer blanca local no era más que un asunto doméstico, que los Rangers y el condado habían llevado allí a un *ranger* negro para que investigara y se asegurara de que existía una gran sensibilidad hacia los asuntos raciales que estaban en juego... Ojalá pudiera ceder a todo aquello de la forma más sencilla, considerar a Keith Dale nada más que un marido celoso que había perdido el control, ojalá pudiera celebrar aquella victoria, como había dicho Wilson, coger su placa de nuevo y volver a casa... La puerta del baño se abrió y Greg metió la cabeza.

—D —dijo, sonriendo cuando sus ojos se encontraron.

Era más bajo que Darren.

Pero la mayoría de la gente era más baja.

Llevaba un traje azul marino, entallado por el torso, que no era tan esbelto como antes. Este le daba el aspecto de un adolescente embutido en el único traje decente que tenía para ir a un funeral inesperado, un traje que se le había quedado pequeño hacía tiempo. Su estado de ánimo, vivaz, tampoco era el adecuado para la ocasión: tendría que haber sido sobrio. Fue a darle un abrazo, pero Darren se mantuvo tenso y apartado, y Greg se limitó a darle una palmada en la espalda a su amigo.

—Lo has conseguido, tío, estupendo.

—¿Te envía el Bureau?

Greg asintió.

—En cuanto mi supervisor se ha enterado de que fui yo el que te dio la pista sobre el doble homicidio, me ha sacado del despacho y me envía aquí para ayudar a los chicos del condado si están demasiado liados.

Tenía el pelo castaño claro, color arena, y lo llevaba muy corto, como un hombre de empresa, a diferencia de la cresta de blanquito con gomina que intentaba cultivar en el instituto, y con la que parecía que hubiera metido un dedo húmedo en un enchufe. Tenía los ojos grandes y del color de la hierba en primavera y, a diferencia de Darren, iba perfectamente afeitado. Era un chico guapo, como Lisa le había dicho una vez a Darren, y Darren ciertamente conocía bien el efecto que causaba Greg en las mujeres. De adolescente lo envidiaba, sentía celos de la facilidad con la que Greg podía conseguir que una chica hiciera cosas que les decía a los otros chicos que aún no estaba preparada para hacer. Darren, sin entender del todo qué estaba haciendo Greg en la conferencia de prensa, abrió la puerta del baño y los dos salieron. Las botas de Darren resonaron en el suelo gris.

—No hay nada en el expediente penitenciario de Keith Dale que indique que perteneciera a la HAT cuando estaba dentro.

Greg dijo que lo había comprobado con el Departamento de Justicia Criminal de Texas. Había conseguido un informe de ellos el día anterior.

Darren dijo:

—Si el sheriff sostiene que no hay conexión con la HAT, ¿por qué hace falta recurrir a los federales?

—No sabemos de qué se trata. Aún no se han formulado los cargos.

—¿Y no te parece extraño que celebren una conferencia de prensa cuando todavía no se le ha acusado de ningún crimen?

—Entiendo que se ha hecho todo el trabajo preliminar —dijo Greg, mirándose en el espejo que estaba encima del lavabo—. Me refiero a que tú has cogido al tipo, Darren. La noticia del arresto ha tranquilizado mucho a la gente. Y mi presencia les hará sentir que el sheriff y sus hombres no están intentando ninguna jugada traicionera, en este caso.

—En otras palabras, ambos somos simple atrezo.

—Estamos haciendo nuestro trabajo, tío —dijo Greg, que parecía un poco ofendido al ver que Darren no apreciaba la oportunidad que le había puesto en bandeja—. Alguien va a ir a la cárcel por esto. El sheriff todavía estaría hablando de un robo si tú no hubieras aparecido en el pueblo. Si yo no te hubiera llamado. —Quería dejar esto último bien claro.

—¿Has hablado con ese tipo de Chicago? ¿Wozniak? —preguntó Darren.

Greg asintió y dijo:

—El asunto se ha magnificado. Ahí fuera hay un reportero del *Times*. La CNN ha enviado un equipo con cámara desde Houston. Querrán hablar contigo también —dijo, como si acabara de recordar algo, aunque estaba claro por su aspecto jubiloso, por la forma en que se ponía de puntillas, balanceándose hacia delante, que en las últimas veinticuatro horas eso no había abandonado su mente ni por un segundo—. Nos he organizado una entrevista para *Nightline*, ya sabes, explicando... que yo te llamé primero.

«Ahí está otra vez», pensó Darren. Lo entristecía lo mucho que le importaba a Greg acaparar méritos, que pasar tres años tras un escritorio lo hiciera ansiar tanto un ascenso que veía antes una oportunidad que un crimen contra la naturaleza en un doble homicidio. Pero ¿no se sentía también Darren un poco culpable por todo aquello?

Keith Dale probablemente había matado a su mujer y había reconocido que dio una paliza a Michael Wright que lo dejó casi al borde de la muerte. Randie tenía razón: no era inocente. Quizá la justicia fuese más chapucera de lo que Darren había creído cuando se puso por primera vez una placa en el pecho; no es más que un colador, una red barata, un sálvese quien pueda que ofrece una ilusión de honradez cuando en realidad la necesidad de una resolución limpia siempre es más fuerte que la incertidumbre. Keith Dale se merecía ir a la cárcel, desde luego, pero Darren no podía evitar sentir que lo que estaban haciendo con Keith no era distinto de lo que se había hecho con los negros durante siglos. Coges a uno, uno cualquiera, y ya no haces más preguntas.

—Recuerda, ni siquiera habías oído hablar de Lark cuando te envié los primeros detalles del caso —dijo Greg—. Bueno, quizá sea un buen enfoque para la historia.

—Sabes que no puedo hablar con los medios sin mencionar la unidad.

—Después de esto, van a dejarte hacer lo que quieras.

Llegaron a la improvisada sala de prensa, al otro lado del juzgado del condado. La placa de la puerta decía «SALA DE ESPERA», pero la habían dispuesto para la conferencia de prensa. A través de la ventanilla de cristal reforzado de la puerta Darren veía al menos a una docena de periodistas que estaban de pie detrás de un grupo de cámaras, con las lentes y los micrófonos apuntando hacia un podio donde Wilson, Van Horn y uno de sus ayudantes esperaban a Greg y a Darren.

No habló en todo el rato mientras se anunciaba el arresto de Keith Dale por los asesinatos de Michael Wright y Missy Dale y se explicaba la implicación de los Rangers de Texas, ni siquiera cuando se hicieron preguntas dirigidas específicamente al *ranger* Mathews, desviándolas con su silencio a Wilson y Van Horn. La historia era suya, tenían que venderla ellos. Se quedó de pie, con las manos juntas por delante, tan tieso como un tronco de álamo, con las botas plantadas firmemente en el suelo.

Greg sí que habló. Por supuesto que habló.

Se extasió, filosófico, sobre el papel del gobierno federal a la hora de mantener la ley y el orden para sus ciudadanos, experto como era en la investigación de crímenes comprometidos..., todo ello sin utilizar en ningún momento la expresión «crímenes de odio» o dejar claro de modo alguno si el estado de Texas o el Departamento de Justicia acusarían o no a alguien por la muerte de Michael Wright. Habló de Missy solo como recurso para completar el relato; habló de la necesidad de que la comunidad no extrajera conclusiones sobre el motivo del crimen de un hombre negro en

Texas. Escuchándolo todo, Darren experimentó una extraña sensación de desplazamiento, como si se encontrara en un estado de sueño en el cual no era capaz de reconocer el mundo que lo rodeaba ni las palabras que se pronunciaban en su lengua materna. Aquella conferencia de prensa, ¿no era en sí misma una conclusión apresurada, la desesperada búsqueda de una cuerda que pudiera poner a salvo a Van Horn y a Wilson al otro lado de este desastre burbujeante, saltando por encima de las turbias aguas de la historia, el pantano de la raza, que te engulle por completo si te caes en él?

Acabó muy rápido, antes de que los periodistas pudieran plantear siquiera ninguna pregunta. Muchos, como Darren solo cuatro días antes, no habían oído hablar nunca de Lark. El misterio y la resolución se presentaban juntos, en el lapso de una conferencia de prensa de doce minutos. Y la limpieza con que se desarrolló todo el acto resultó muy satisfactoria, como colocar la última pieza en el centro de un rompecabezas, el suave chasquido de una imagen que queda completa, una verdad plenamente sellada.

Después Wilson dio unas palmaditas a Darren en la espalda y dijo que ahora tenía algo real que llevarse al cuartel general para anular su inhabilitación. No podían hacer ningún movimiento antes de que el gran jurado tomase una decisión sobre Rutherford McMillan, pero por primera vez tenía la esperanza de que Darren pudiera recuperar su trabajo.

—Sobre todo, si no se encuentra nada en el registro de tu casa de Camilla.

—Ya la registraron hace semanas.

Wilson, que tenía el rostro de un color oliváceo y el pelo canoso, se inclinó hacia Darren y bajó la voz todo lo que pudo.

—Mire, le habría dicho algo si hubiera podido, pero me jugaba el pellejo. La fiscalía quería echar otro vistazo. No fui yo, Mathews. Yo no di la orden.

Se dio cuenta de que habían hecho un segundo registro de la casa.

—Dios mío...

—Han ido esta mañana.

—Cuando sabían que yo estaba fuera del condado —dijo Darren. No podía quitarse de encima la sensación de que Wilson le había proporcionado esa información al fiscal del condado de San Jacinto, y no se molestó en ocultar la acusación en su tono.

—Si no hay nada, no hay nada —dijo Wilson—. No tiene nada que temer.

—En esa casa no hay nada.

Pero ¿por qué la investigaban cuando el gran jurado había oído ya todas las supuestas pruebas contra Mack, cuando ya estaban deliberando?

¿Se consideraría algún cargo nuevo?

¿Cargos contra Darren?

Esa idea hizo que el pánico invadiera todas las fibras de su ser.

—Yo no me preocuparía en absoluto —dijo Wilson—. Usted es un joven estupendo. Y su tío William era un hombre respetadísimo. Veamos qué decide el gran jurado con el otro asunto, y a ver si le puedo devolver al trabajo de campo, donde tiene que estar, *ranger*.

Darren, dijo Wilson, había mostrado muy buena voluntad al poner los hechos por delante de sus sentimientos, y su tío estaría muy orgulloso de él. A Darren lo contrarió la mención de su tío y estuvo a punto de decir que William Mathews era un hombre que jamás habría aceptado tanta inquietud e incertidumbre por la investigación del asesinato de un negro para que los blancos se sintieran mejor sobre la situación en Texas. Habría dicho que con toda seguridad estaba faltando a su deber de perseguir la verdad, por muy inconveniente y complicada que pudiera ser esta, un deber que le habían transmitido los hombres Mathews que lo habían educado. Pero contuvo la lengua y sacó el móvil. Cuando el último periodista y su cámara estaban ya saliendo, Darren encontró un lugar tranquilo en el vestíbulo y dejó un mensaje en el contestador del tráiler de su madre, diciéndole a Bell que le daría unos cientos de dólares si iba a la casa de los Mathews en Camilla y limpiaba el desastre que podían haber dejado los ayudantes del sheriff después de pasar por allí..., y más aún si mantenía la boca cerrada y no se lo contaba a nadie. Lo que no quería, sobre todo, era que Clayton se preocupara por la noticia de que el asunto con Mack podía estar dando un giro peligroso en lo que respectaba a Darren. «No hay nada en esa casa». Además, la noticia de que el departamento del sheriff estaba registrando su hogar familiar por segunda vez sin duda contribuiría a ahondar el resentimiento de Clayton con la policía, y Darren no quería que ocurriera nada de eso en aquel preciso momento.

Cuando acabó la llamada, Van Horn se acercó a él en el vestíbulo y le comunicó, con sencillez y sin aspavientos:

—Geneva Sweet es libre y puede irse a su casa.

Ella se negó a que la llevara en coche la primera vez que se lo ofreció, insistiendo en que prefería esperar a su nieta. Pero cuando Darren llamó a Faith, que estaba en Lark, y ella dijo que le vendría bien que le echaran una mano, ya que había mantenido el café abierto en contra de los deseos de su abuela, Geneva finalmente cedió. Al salir del juzgado, donde las furgonetas de los medios de comunicación todavía seguían en fila en la calle San Augustine, unas pocas cámaras buscaban una última toma del juzgado, algo para conseguir que el edificio de ladrillo cuadrado, como una caja, pareciera más majestuoso de lo que era en realidad. Como el nombre de Geneva Sweet no se había pronunciado durante la breve conferencia de prensa, no tenían interés alguno en la mujer negra de casi setenta años a la que acompañaba Darren, quien, tras haberse quitado el sombrero, parecía a ojos de todo el mundo su hijo o su sobrino, que la acompañaba amablemente al aparcamiento.

Intentó ayudarla a subir a la camioneta, pero ella le apartó la mano y, con un gruñido y murmurando una oración, consiguió subir hasta la cabina, que estaba bastante elevada. Cuando Darren dio la vuelta hacia el asiento del conductor y se metió detrás del volante, Geneva ya tenía el cinturón de seguridad puesto y las manos descansando en el regazo. Él colocó el Stetson en el asiento entre los dos y puso en marcha el motor.

Subirse a la Chevy había dejado a Geneva ligeramente sin aliento, y Darren, mirándola, vio la luz reflejada en el brillo de su frente, y unos pocos rizos apretados y grises que se le pegaban a la piel como mosquitos a un papel pegajoso. Ella ajustó la dirección de la salida del aire acondicionado que tenía delante, pero aparte de eso, ni se movió ni habló.

Se dirigieron a la carretera estatal 87.

Darren se debatía sobre si debía cruzar o no la zona principal del condado y viajar por carreteras panorámicas locales para volver a Lark. Esa parte del este de Texas estaba lo bastante cerca de Luisiana para que el aire contuviera mucha humedad, un beso de musgo que soplaba desde los robles de Texas; era un paisaje rural espectacular. Pero se imaginó que Geneva quería volver lo antes posible a casa, de modo que giró hacia Timpson, donde saltó a la 59, dirigiéndose al sur hacia Lark. Respetó el silencio de ella los primeros kilómetros, pero al final había que decir algo.

—No he podido evitar que la arrestaran —le dijo.

Quería quitarse eso de encima. Pero si pensaba que con eso se ablandaría su mandíbula firme como una roca, estaba equivocado. Se preguntó qué sabría ella, si sabría lo del arresto de Keith, o que el sheriff Van Horn estaba dispuesto a soltarla la noche anterior... y fue Darren quien lo presionó para que le diera más tiempo, aunque eso significara que Geneva tuviera que pasar una fría noche en prisión.

—No quería que saliera perjudicada en este asunto —dijo, mirando el asiento del pasajero y apartando la vista de la carretera. Ella no hizo gesto alguno, ni habló, ni sonrió, ni le prestó la menor atención, de modo que Darren acabó por notar una llamarada de ira en el pecho. Fuera o no anciana, se estaba comportando como una niña mala, tozuda y obstinada. Le dijo—: Ya sé que no le gusto mucho.

—No lo conozco. —Las palabras salieron de la nada, como un eructo de aire viciado, y lo cogieron por sorpresa—. No tengo motivos para confiar en usted, eso es todo.

—He venido aquí a ayudar.

—Pues conmigo le ha ido estupendamente —replicó ella, alisándose la falda, de mezcla de algodón de color pálido, que se había manchado durante su noche en el calabozo.

—La habrían arrestado por la muerte de Missy aunque yo no hubiera puesto los pies en Lark. Se lo buscó usted misma al no decir que había visto a Missy la noche que murió, cuando sabía que el sheriff estaba buscando a alguien a quien endilgarle el crimen —dijo Darren, agarrando con fuerza el volante, hasta clavarse las uñas en las palmas de las manos—. Si no hubiera sido porque yo señalé a Keith, probablemente usted seguiría en esa celda, y el fiscal del distrito habría insistido al gran jurado para que la mantuviera allí.

—Bueno, pues ya tiene lo que quería, así que ahora se puede volver al lugar de donde vino y dejarnos en paz —dijo ella, cruzándose de brazos y mirando hacia la carretera—. Los demás tenemos que seguir viviendo aquí cuando se marche.

—¿Qué quiere decir con eso?

Sus palabras habían encendido una parte de su cerebro, avisando a su mente consciente de que prestara atención. Había notado el miedo en la voz de ella, un miedo que nunca había percibido antes, vibrando entre ellos en la estrecha cabina de la camioneta. Se volvió a mirarla en su asiento, intentando interpretar su expresión.

—No hay pruebas de que lo hiciera Keith.

—Ah, sí, él mató a esa chica, de eso no hay duda. Ese hijo de puta le robó a mi nieto una madre que lo cuidara en este mundo. —Estaba sentada muy tiesa, pero hervía de rabia, llena de vitalidad—. Y usted es un idiota si cree que no mató también a ese tipo negro. Sencillamente, no me gusta que ningún idiota venga aquí, a un pueblo en el que vivimos desde antes de que usted supiera mear de pie, a un lugar que usted no comprende, y se crea que lo sabe todo. Usted y la chica.

—Yo nací en el condado de San Jacinto —dijo él—. Y la chica tiene nombre.

«Randie».

—Pues yo no lo sé, porque nunca se ha acercado a mi casa ni me ha mostrado ningún respeto.

—Ha perdido a su marido, Geneva.

—No es la única.

«Joe».

Él temía decir el nombre en voz alta, tenía miedo de romper el hechizo. Ella dijo:

—Yo quise mucho al que Dios me dio. Sabía lo que tenía en casa.

Geneva no añadió nada más después de eso, y Darren intentó mantener la boca cerrada. Pero quería proteger a Randie, y no podía entender la afrenta que sentía Geneva al mencionar el nombre de la mujer.

—Usted no sabe nada del matrimonio de ella con Michael.

Pensaba en Missy y en los cotilleos, en las historias que le contó Randie de las otras mujeres que habían poblado su problemático matrimonio.

Geneva se encogió levemente de hombros, con indiferencia, y dijo:

—Sé lo que él me contó. Y lo que me dijo Missy también.

—¿Missy?

Ella se volvió y contempló a través del cristal el campo, que era como un borrón verde y dorado, color miel, el cielo de un azul constante y firme.

—¿Sabe lo que me contó que hablaron aquella noche, ella y Michael, y que desencadenó todo esto?

Se volvió y sus ojos se encontraron, uno a cada lado del asiento. Darren notó que el corazón le latía con fuerza y se le aplastaba contra el esternón. Sentía una enorme necesidad de comprender.

—Amor perdido —dijo ella—. Mi hijo; su mujer. A los dos les habían arrebatado algo, de diferentes maneras, por distintos motivos. Missy vio algo en Michael, igual que yo lo vi cuando entró en mi café.

23.

_____

A ella le recordó a su hijo.

No era por nada concreto: solo tenían la misma edad, aunque no tuvieran ni el mismo aspecto ni la misma vida. Simplemente ver a cualquier hombre negro de una cierta edad y una cierta compostura, con una arrogancia que había aprendido a contener, una gracia precavida en su semblante, siempre le encogía el corazón. Incluso Darren, cuando entró por primera vez en su local, le hizo pensar en su hijo, dijo ella. El miércoles anterior estaba poniendo a remojo unas judías rojas en la cocina y preparando un pavo en salmuera para que lo ahumase Dennis.

En torno a las cinco de aquella tarde, salió al local por la puerta batiente y se secó las manos en el borde del delantal. Oyó la campanilla de la puerta justo cuando en la gramola sonaba Lightnin'Hopkins. «Have you ever loved a woman, man, better than you did yourself?». Una de las favoritas de Joe, pensó ella, mientras sonreía y levantaba la vista, y entonces vio a Michael Wright. Llevaba una camiseta negra y unos vaqueros, y el brillo que se reflejaba en el coche elegante en el que había llegado deslumbraba a través de los ventanales e iluminaba el aire a su alrededor con una calidez ambarina. Era el último día de su vida, ahora lo sabía, y aquel momento quedó congelado en el tiempo para siempre.

Llevaba una guitarra en una funda desastrada, el cuero barato desgastado después de casi cincuenta años. Huxley estaba junto a la silla de Isaac, hablando con Tim, que estaba recortándose un poco el pelo antes de volver a la carretera. Quizá estuvieran jugando a las cartas en el brazo del gran sillón de barbero. Michael ocupó el taburete de Huxley ante la barra y puso la guitarra a través de los otros dos.

—¿Toca usted? —le preguntó Geneva, mientras le tendía un papel con el menú, que servía también como mantelito. Sin preguntar, le sirvió un vaso grande de agua.

—No —dijo Michael, levantando la vista hacia ella como si estuviera deliberando.

—Era más o menos de su color —le dijo Geneva a Darren. Pero tenía los ojos negros, y llevaba unas gafas redondas con la montura blanca de metal bruñido.

—No, señora —dijo Michael—. No he tocado nunca.

—¿Y qué puedo ofrecerle?

—Un plato de siluro.

—¿Qué quiere de acompañamiento?

Consultó el menú.

—Eeeh..., guisantes y ocra con tomate.

—¿Quiere algo más de beber?

—Si tiene, me gustaría tomar una cerveza.

Geneva se dirigió al frigorífico donde guardaba las botellas de cristal de refrescos y de cerveza. Cogió una Coors y le quitó la chapa con un abridor que colgaba de una cuerda en la puerta del frigorífico. Le tendió la botella a Michael y luego le gritó a Dennis en la cocina:

—¡Un plato de pescado con guisantes y ocra!

Michael se llevó la botella de cerveza a los labios y Geneva vio el anillo de boda.

No era capaz de situarlo. La matrícula decía Illinois, pero Geneva percibió en él algo familiar, de tal modo que el hombre parecía estar en su casa, en aquella pequeña cafetería de la zona rural del este de Texas. O a lo mejor era la guitarra, pensándolo bien, lo que hacía que encajara tan bien en el local. Se lo volvió a preguntar.

—¿Y si no toca, por qué lleva eso encima?

Dejó la Coors, quedándose a milímetros del primer cerco de cerveza que había quedado en el menú. Levantó la vista, examinó el rostro de la mujer, dejando que pasaran los segundos, mientras Lightnin' continuaba cantando: «Have you ever tried to give'em a good home same time she act a fool and left?». Dio unos golpecitos con la mano en la funda de la guitarra.

—Esto pertenecía a Joe Sweet —dijo, buscando la reacción en la cara de ella al oír el nombre—. Joe «Petey Pie» Sweet.

Vio a Geneva dar la vuelta desde detrás del mostrador y abrir la funda. Era una Les Paul del 55, una belleza. Ella pasó los dedos por la madera, especialmente por los lugares donde el barniz estaba más desgastado, las partes que revelaban el tiempo transcurrido. Michael la miró y contuvo una sonrisa, con un cierto alivio en la voz, sabiendo que no había hecho todo aquel camino en balde.

—¿Es usted su esposa?

—¿Esta es la guitarra de Joe?

—Sí, señora. Esperaba devolvérsela a él —dijo, con la voz un poco vacilante—. Quiero decir que pensaba hacerlo, pero me he enterado de que falleció. De modo que ahora es suya.

—¿Y cómo es que conocía usted a Joe? No vendrá a decirme que es un hijo perdido o una mierda de esas, ¿verdad? —Ella le echó una larga mirada a la nariz y la boca.

—No, señora. —Michael rio un poco—. Mi tío y él tocaban juntos. Booker Wright. Él y los míos procedían de Tyler. —Señaló hacia los ventanales delanteros, como si Tyler estuviera justo detrás de los árboles, al otro lado de la carretera—. Él fue el primero en salir de Texas. Luego mi madre se casó con mi padre, y los dos siguieron a su hermano al norte; se establecieron en Chicago y no volvieron. Para bien o para mal, yo también lo dejé atrás. Siento que me haya costado tanto tiempo cumplir la última petición de mi tío. Quería que usted tuviera esto.

—Booker... —Ella no había pronunciado aquel nombre desde hacía años. Lo recordaba bien, recordaba su silueta en la puerta del antiguo Geneva's, entreteniéndose el tiempo suficiente para brindarle a Joe la oportunidad de cambiar de opinión y subirse al Impala con él y el resto de la banda. El rencor entre aquellos dos hombres había durado décadas. Joe le envió una postal o dos a lo largo de los años. Pero las únicas disponibles en el condado de Shelby, Texas, mostraban fotos de la estrella solitaria o de robles de Virginia, lupinos azules y escenas de praderas y ganado, y probablemente no ayudarían a sofocar las brasas incandescentes del resentimiento que sentía Booker porque el mejor guitarrista que había conocido jamás, un hombre a quien consideraba un hermano y un amigo, lo hubiera abandonado por la Texas rural—. Joe lo quería mucho —dijo ella.

—Ya lo sé.

Sonrió a Michael, disfrutando de las experiencias vitales que revivían al mencionar a Joe Sweet.

—¿Seguro que no conoció a Joe?

—Solo he oído contar cosas de él. Pero me habría gustado conocerlo. Booker me habló de vuestra historia de amor, de aquellos tiempos.

—Joe siempre decía que un hombre no puede estar continuamente en la carretera.

La puerta de la cocina se abrió de repente desde la habitación de atrás, y salió Dennis con un plato de filetes de pescado empanados con harina de maíz, sazonados con sal condimentada y una mezcla de especias que Geneva había preparado ella misma y mantenía en secreto. Dennis dejó la bandeja y pasó una botella de salsa picante por el mostrador en dirección a Michael. Durante un rato, Geneva lo dejó comer en paz. Ella se llevó la guitarra y la funda a un reservado vacío y la puso encima de la mesa. Era el mismo reservado en el que colgaba ahora la guitarra. Michael comía con apetito, y pidió una rebanada de pan blanco cuando vio la oportunidad de mojar el pan en la salsa picante, la grasa y el jugo de tomate que quedaban en su plato. A la primera cerveza siguió otra, y parecía de muy buen humor, satisfecho con la comida, diferente de cualquiera que había tomado desde la niñez. Dio la vuelta en el taburete de vinilo y contempló a Geneva con aquella guitarra.

—Siento haber tardado tanto —dijo.

Ella hizo un gesto desdeñando la idea, sin quitar los ojos del instrumento.

—Usted tiene una esposa y tenía que vivir su vida. —Y señaló el anillo de boda que llevaba. Al oírlo, Michael se puso tenso. Miró en otra dirección y fue girando lentamente en el taburete, bebiéndose la segunda cerveza. Geneva notó el cambio, más que verlo, como si una nube hubiera oscurecido el sol. Dejó la funda en el reservado y volvió a su sitio. Ganó algo de tiempo llevándose el plato de Michael y limpiando el mostrador—. Tengo unas empanadillas...

—No, gracias, señora.

Él miró el reloj; el hechizo se había roto.

—¿Tienen hijos? —preguntó ella.

—No.

—¿Cuánto tiempo lleva casado?

—Seis años.

—Seis años es mucho tiempo sin ningún pequeñín.

—Mi mujer viaja mucho —dijo. Levantó la botella de cerveza como para hacer el gesto de pedir otra, pero luego cambió de opinión. Dejó la botella vacía delante de él y rascó la etiqueta con la uña del pulgar—. Por trabajo. —Sintió la necesidad de explicarse—. Tiene un éxito tremendo, y no se lo reprocho. Y yo no me veo dejando mi trabajo y siguiéndola por el mundo, de puerto en puerto. No es justo pedirle que lo deje todo por mí, soy consciente. Pero no lo sé, señora. Quizá lo haya hecho todo mal. Pensaba que los más aventureros éramos los hombres.

—La gente hace lo que quiere…, hombres, mujeres, todos.

Había una acusación en esas palabras, de alguna manera, y Michael se puso a la defensiva.

—Es una buena mujer, y yo mismo tampoco he sido perfecto, que digamos —dijo él—. La verdad es que no sé si he ido tonteando por ahí porque ella no estaba en casa, o ella no estaba en casa porque yo iba por ahí tonteando. Solo sé que lo hemos estropeado de tal manera que ni lo entiendo. Nos queríamos mucho, antes. Todavía nos queremos.

Darren, que escuchaba, notó un dolor dentro del pecho. Michael y Randie parecían Lisa y él, con los sexos cambiados. Darren era el que quería vagar, el que no quería establecerse en un hogar. «La gente hace lo que quiere…, hombres, mujeres, todos». ¿Sabían Randie y Darren lo que realmente querían, aunque ninguno de los dos estuviera dispuesto a reconocerlo?

En el Geneva's, Michael dejó su botella de cerveza y preguntó si había un lugar donde pudiera beber algo más «fuerte». Geneva lo incomodaba y buscaba una vía de escape. Ella le dijo que el único sitio por allí cerca era la cervecería que había un poco más arriba en la carretera, pero que sería mejor que no fuera. Sus palabras dejaron traslucir una mordacidad que él no comprendió.

—No le gustará el local de Wally —dijo Huxley cuando se acercó desde la barbería de Isaac para pedir más café. Huxley volvió a su juego de cartas, y Michael dejó de lado su propia emoción para preguntarle a Geneva por su vida.

—¿Y usted y Joe tuvieron hijos?

—Solo un niño —dijo ella—. Intentamos tener otro, pero no hubo manera. Así que tuvimos que contentarnos con querer a la familia que Dios nos dio.

—¿Joe murió en un atraco?

Geneva asintió.

—La primera noche que lo dejaba solo en la vida. Mi hijo Lil'Joe y yo, su mujer, Mary, y mi nieta habíamos ido a Dallas para que esta se hiciera un vestido para asistir al baile de graduación, y entraron tres hombres después de medianoche. Robaron el dinero de una semana de recaudación y mataron a mi marido a tiros, a sangre fría.

Dobló el trapo que había estado usando para limpiar el mostrador y lo guardó allí cerca. Los músculos de sus hombros y su espalda estaban tensos por el dolor y la ansiedad de volver a explicar aquel trauma.

—Fue terrible lo que ocurrió —dijo Huxley, y Geneva y Michael se dieron cuenta de que todos estaban escuchando. Isaac detuvo su maquinilla a un centímetro de la cabeza de Tim.

—Isaac lo vio todo —dijo Tim.

Isaac se aclaró la garganta y chasqueó la maquinilla.

—Estaba sacando la basura atrás cuando entraron por la puerta delantera. —Geneva había bajado la cabeza e Issac, no queriendo o no pudiendo respetar los sentimientos de la mujer, siguió hablando. Estaba embarcado en el recuerdo, expresando con realismo el peligro de la situación y la heroicidad de su actuación—. Oí un disparo de escopeta. ¡Blam! Como un trueno, como un escopetazo, y cuando entré desde la cocina, solo vi que se escapaban en su coche.

Señaló hacia los ventanales delanteros, más allá del BMW negro de Michael hasta el surtidor de gasolina y la carretera que quedaba detrás.

Michael se volvió y siguió su mirada.

—Eran tres hombres blancos. El señor Joe estaba ahí tirado, sangrando —dijo Isaac, señalando un punto justo detrás del mostrador y cerca de la caja registradora, no lejos del lugar donde se sentaba Michael—. Yo fui quien llamó a la policía.

Michael miró el sitio en el suelo junto a las ventanas y luego a Issac.

—¿Y cómo sabe que los asesinos eran blancos?

—¿Perdón? —dijo Isaac, mientras manejaba de nuevo la maquinilla con brío y le decía a Tim que agachara la cabeza para poder limpiar bien lo de atrás.

—Era de noche, según dijo usted. —Michael miró a Geneva para su confirmación—. Y solo vio salir el coche. Entonces, ¿cómo sabe que eran blancos?

Lo mismo había preguntado Darren. Se había topado con el mismo escollo en la historia, que Geneva repetía ahora de nuevo, desdeñando las preguntas de Michael y de Darren diciendo que el sheriff había venido y lo había examinado todo, y ¿qué importaba ya nada de todo aquello, con sus dos hombres bajo tierra?

En cuanto pararon en el aparcamiento del Geneva's, Darren vio dos coches familiares: el de alquiler de Randie, de color azul, y la enorme camioneta Ford de Wally, con sus parachoques cromados resplandeciendo al sol, creando un efecto de halo incandescente que quemaba los ojos. Darren insistió en ayudar a Geneva a salir de la cabina, negándose a hacer caso de sus protestas. Le cogió el codo con suavidad, y ambos se dirigieron hacia la puerta delantera del café. Al pasar junto al Ford azul que Randie llevaba días conduciendo, Darren miró en su interior cautelosamente, sin estar seguro de lo que quería encontrar pero sabiendo que no era aquello: la bolsa de piel llena, esperando en el asiento delantero; la bolsa negra de la cámara encima. Había llegado el momento. Se iba. Darren también…, probablemente aquel mismo día. El misterio de lo que le había ocurrido a Michael Wright, un hombre al que Darren creía que había llegado a conocer y comprender, un hombre que también se había criado, como él, en el este de Texas, se le escapaba de entre los dedos. Había fallado a aquel hombre de una manera que no podía expresar bien, salvo por la sensación molesta de que había algo que no encajaba.

En el interior del Geneva's, Wally estaba detrás del mostrador, sirviéndose él mismo una cerveza del expositor refrigerado. Quitó la chapa con el abridor de plástico que colgaba de la puerta del refrigerador, dio un sorbo y saludó con un gesto a Geneva y Darren cuando aparecieron, como si acabaran de llegar de tomar el sol y entraran en el salón de su casa, donde él esperaba para charlar un rato con unas bebidas frías. Hizo un gesto con su cerveza al cartón manchado que cubría la puerta delantera, contra la cual resonaba, ahora quedamente, la diminuta campanilla de latón.

—Mandaré un hombre a primera hora de la mañana a arreglar esa puerta —le dijo a Geneva. Apenas era la hora de comer y Wally ya había bebido bastante, estaba borracho y tenía la nariz rosa y toda la cara con el típico enrojecimiento de los bebedores.

—Esa puerta se arreglará cuando yo diga que se arregle —dijo Geneva.

Su tono era práctico, sin vergüenza ni enfado. Simplemente esperaba a que él recobrase un poco la sensatez y se largara cagando leches de su caja registradora. No tuvo que decirlo más que una vez. Wally dio la vuelta por la parte delantera del mostrador, pasando ante Geneva mientras ella intentaba ocupar su lugar legítimo al timón de su mundo, en el lado de la cocina del mostrador, mirando hacia afuera, a la carretera 59. Cuando pasaron a pocos centímetros el uno del otro, Wally fue a cogerle el brazo. Había una reivindicación en ese gesto, así como un ruego desesperado en los ojos de Wally; quería de ella algo que no se podía expresar. La mirada que intercambiaron hizo hervir el aire de la habitación. Darren la captó, al igual que el gesto de advertencia que pasó como un relámpago por la cara de Geneva al soltarse de las garras de Wally y pasar junto a él con un empujón. Wally se quedó quieto en el sitio, mirándola durante un minuto entero, y luego fue a sentarse en uno de los taburetes rojos, dos más allá de Huxley, que ocupaba su lugar habitual, con una taza de café y un periódico ante él. Wendy estaba en uno de los reservados, junto al ventanal, sentada debajo de la Les Paul de Joe. Estaba jugando un solitario muy complicado e inventado para el que hacían falta fichas de damas, así como dos barajas de cartas. Empezó a deslizar su envejecido cuerpo fuera del reservado para saludar adecuadamente a Geneva, que le dijo que no se molestara. No quería tocar nada ni a nadie hasta que no hubiese pasado al menos quince minutos de pie bajo el agua caliente de la ducha. Puso la mano en la puerta de la cocina y entonces Wally habló de nuevo.

—Lark dormirá bien esta noche, con un asesino a sangre fría entre barrotes.

—Está cerrado, Wally —dijo Geneva, clausurando así cualquier posible conversación.

Y cuando Wally miró a su alrededor, hacia la comida que estaba expuesta, la gente que comía y las transacciones comerciales que florecían en cada rincón, ella añadió, directa:

—Acabo de decidirlo.

Él sonrió, como si aquella mujer nunca dejara de sorprenderlo.

Dio otro sorbo de cerveza como tónico contra cualquier debilidad que le pudiera haber sobrevenido antes, que hubiese dejado al descubierto una añoranza, algo que necesitaba de Geneva. Toqueteó el diamante de su anillo de boda, balanceando las piernas para poder cruzarlas por debajo del mostrador, un par de botas vaqueras de piel de caimán sobresaliendo de las perneras de sus vaqueros negros.

—Espero que no haya rencores entre nosotros.

Geneva hizo una pausa en la puerta de la cocina, con aspecto cansado.

Wally se encogió de hombros, como si no importara demasiado.

—Tenía que contarle al sheriff la verdad, lo que vi, que Missy vino a tu casa la noche que la mataron.

Darren se adelantó.

—¿Se lo contó usted a Van Horn?

—Quizá se lo mencionara en los primeros momentos, cuando pasó todo esto, cuando parecía que estaba claro quién lo había hecho y Parker solo estaba haciendo preguntas.

Huxley se levantó de su taburete rápidamente, como si la traición fuera algo contagioso. Se alejó de Wally unos metros, sentándose en el asiento de enfrente de Wendy, en su reservado.

Darren ocupó el espacio que él había dejado vacante y miró directamente a Wally. Este movió la cabeza un poco, como si intentara soltar un pensamiento, un asomo de duda sobre aquellos asesinatos que permanecía alojado en un oscuro rincón de su mente.

—No —dijo—. Fue la autopsia…

—La que lo confirmó, sí —dijo Wally—. Lo de la comida y todo eso.

Miró a Geneva al otro lado del mostrador, una indignación quisquillosa colocada como escudo contra lo que ella podía hacerle por hablar.

—Pero Van Horn sabe que vivo ahí enfrente, al otro lado de la carretera, desde hace más de cincuenta años, y que veo todas las malditas cosas que pasan aquí desde las ventanas de mi salón.

—He dicho que estaba cerrado —dijo Geneva. Y luego, con un brote de ira, golpeó la puerta batiente, chillando—: ¿Dónde está Faith?

La puerta volvió, trayendo el eco de sus palabras con una bocanada de aire caliente perfumado con hojas de laurel y ajo. Wally pareció complacido por el cambio. Que ella no le hubiera empujado o golpeado o prohibido la entrada a su local le ponía una sonrisa en los labios. Se acabó lo que quedaba de la cerveza, eructó y volvió su atención a Darren.

—Pero todo se ha solucionado —le dijo a él—. Usted le ha cargado a Keith las dos muertes, y ahora puede dejar este pequeño pueblo justo como lo encontró.

Se puso de pie, con la envergadura de su metro ochenta y ocho, a solo un corte de pelo decente de la altura de Darren. Dio unos golpes con los nudillos en el mostrador de formica, se giró y salió.

Darren lo vio irse.

Se dio la vuelta en su taburete y siguió todos y cada uno de sus movimientos, contemplándolo al subirse a la cabina de la Ford, al dar la vuelta a la enorme camioneta y dirigirla hacia la 59, cruzar la carretera y recorrer la breve distancia que separaba el café de Geneva de su puerta delantera. ¿Qué había dicho Wally? Que vivía al otro lado de la carretera de Geneva desde hacía más de cincuenta años, y que veía todo lo que ocurría alií desde su ventana delantera. Darren miró a los clientes habituales del Geneva's, Huxley y Wendy.

—¿Averiguaron quién lo hizo? —preguntó.

—¿Habla de Keith? —preguntó Wendy, con la frente fruncida, llena de confusión.

—No. Los hombres que mataron a Joe Sweet.

Huxley miró a Wendy a los ojos, y los dos permanecieron callados significativamente un momento, como requería una sensación de decoro no expresada. Wendy fue la primera que rompió el silencio, no con palabras, sino con un suave silbido, una nota que quedó colgando en el aire, una llamada que exigía respuesta.

—¿Qué? —dijo Darren, mirándolos a los dos.

Wendy negó con la cabeza.

—No. Nunca cogieron a nadie.

—La verdad, eso es algo que nunca ha acabado de cuadrar —dijo Huxley, cada vez con más dificultades para respirar conforme pronunciaba las palabras, por la ansiedad de hablar de algo que era un tabú.

—Todo ese asunto no acababa de cuadrar —dijo Wendy—. Pero no vino más que un sheriff, y cerró el caso antes siquiera de que Geneva enterrase a Joe.

—La historia es absurda —dijo Darren.

—Sí, realmente es absurda —asintió Huxley.

Darren miró hacia el sillón de barbero, que estaba vacío, así como el puesto donde Isaac cortaba el pelo. Se dio cuenta de que nadie había visto a aquel hombre desde la noche del tiroteo, cuando dispararon y reventaron la puerta del Geneva's.

—¿Cree que Isaac mentía?

—Bueno, la verdad es que Isaac no se entera de nada —dijo Huxley—. Solo dijo lo de los tres hombres blancos después de que lo dijera el sheriff.

—O sea, que lo que realmente vio Isaac aquella noche debió de asustarlo mucho —dijo Wendy—. Pero parece que todo quedó enterrado con Joe.

—Y nadie se había atrevido a sacarlo a la luz... hasta que apareció aquel negro por aquí.

—¿Michael? —preguntó Darren.

Notó un movimiento en el pecho, una vibración que iba acelerando su velocidad, como un tren que se acercaba, una locomotora de sentimientos que lo estaba aproximando a algo.

Huxley asintió.

Wendy dijo:

—Geneva nunca ha querido hablar de eso.

—Y sigue sin querer.

Oyeron una voz, y vieron abrirse la puerta batiente de la cocina.

Entró Geneva, todavía con la misma ropa que había llevado en la cárcel.

—Esa chica estaba ahí fuera, esperándolo —dijo cansina—. Supongo que todos se irán pronto —agregó, como si tuviera todo el tiempo del mundo para quedarse allí mirando y ver cómo se iban.

—¿Qué le dijo Van Horn que le había ocurrido a Joe? —preguntó Darren.

—¿Para qué saca a relucir todo esto?

—Algo no cuadra, ¿verdad? En la historia de Isaac...

—Pasó hace ya seis años —dijo ella—. Fue un atraco.

Lo mismo que le habían dicho a Randie sobre su marido cuando llegó al condado de Shelby.

—Y ¿no le parece raro que ocurriera la única noche que dejó usted a Joe solo en el café? —dijo Darren.

—No sé qué importa todo esto, a menos que intente decir que, de alguna manera, es culpa mía —dijo Geneva—. Y si cree que no llevo ese peso desde hace años, entonces no solo es malo como el demonio, sino también un idiota.

—Lo que digo es que parece que alguien sabía cuándo golpear, alguien que veía perfectamente todo lo que pasaba aquí desde la ventana de su salón.

Por la cara de Geneva pasó como un relámpago la conciencia de lo que él quería decir, pero no lo aceptó.

—Deje eso, ¿me oye?

Se había ido poniendo más furiosa cada vez, pero Darren notaba el pellizco de algo que estaba por debajo, un temor duro, enconado.

—¿De qué tiene tanto miedo?

—No tengo miedo —dijo Geneva, y a lo mejor no lo tenía, al menos no de la manera que él creía comprender. Quizá aquella vaharada de intranquilidad que desprendía era más bien una precaución intensa, el miedo de tropezar con el alambre de espinos que el tiempo había puesto en torno a su corazón, dejando la esperanza encerrada allí—. Llevo mucho más tiempo que usted viviendo en este estado y sé cómo funciona la ley para la gente como yo.

Se había rendido a la verdad, igual que Randie.

Le entristecía y le ponía furioso a la vez llevar una placa que no significaba nada para ninguna de aquellas dos mujeres, que la justicia y el desaliento estuvieran tan inextricablemente entremezclados que la primera a menudo no mereciera la preocupación del último.

—Enséñele la tarjeta que le dio el tipo —dijo Huxley, de repente.

Geneva desdeñó esa idea.

Huxley miró a Geneva, sabiendo que estaba pisando un sitio donde el hielo era muy fino, pero siguió avanzando, de todos modos.

—Ese abogado, Michael. Le dejó una tarjeta a Geneva, una tarjeta de un sitio que estudia casos antiguos, una gente que él conocía de Chicago.

Darren dijo:

—¿Todavía la tiene?

Geneva se encogió de hombros, pero el propio Huxley dio la vuelta en torno al mostrador y sacó una tarjeta de visita que estaba metida bajo uno de los lados de la caja registradora. Se la tendió a Darren, que examinó las letras en relieve: «LENNON & PELKIN, SERVICIOS DE INVESTIGACIÓN». Miró a Geneva, que dejó escapar un hondo suspiro.

24.

Era una empresa de investigación privada y la llevaban dos expolicías que a lo largo de los años habían sido contratados numerosas veces por una filial local del Proyecto Inocencia, dirigido por un antiguo profesor de derecho de la Universidad de Chicago. Unas pocas llamadas telefónicas y una búsqueda completa por Google explicaron a Darren por qué Michael Wright pensó en sugerir su ayuda. Al investigar los casos de hombres y mujeres, sobre todo negros y latinos, que habían sido acusados injustamente y a menudo encarcelados durante décadas, los dos investigadores descubrieron un patrón: por cada historia sobre una madre, hermana o esposa negra que lloraba a un hombre que fue encerrado por algo que no hizo, había una madre, esposa, mujer, marido, padre o hermano negro que lloraban la muerte de un ser querido por la cual nadie había sido imputado. Para los negros, la injusticia procedía de ambos lados de la ley, una espada de doble filo de dolor y sufrimiento. Lennon y Pelkin habían dedicado una división entera de su agencia a trabajar en crímenes no resueltos en los cuales la raza tenía relevancia; por ejemplo, cuando la raza de la víctima llenaba de plomo los zapatos de los representantes locales de la ley, ralentizando sus pasos y finalmente extinguiendo su curiosidad hasta el punto de la inercia. El *New York Times* había escrito un perfil de la agencia y sus fundadores, así como de algunos crímenes sin resolver que habían resucitado y resuelto. Michael había ofrecido a Geneva una forma de encontrar al asesino de Joe Sweet.

De pie delante del café, Darren se preguntaba si Wally sabía que Michael había estado haciendo preguntas sobre la muerte de Joe Sweet horas antes de morir. Se preguntaba, de hecho, dónde había estado Wally las horas anteriores a la muerte de Michael. La cuestión le parecía urgente, y ya buscaba las llaves de su coche cuando levantó la vista de su teléfono y vio a Randie dar la vuelta al café. Ella levantó la mano y le tocó el antebrazo, y le dijo que lo había estado esperando para decirle adiós.

—Han acabado ya con el cuerpo. Me llevo a Michael a casa.

—No te vayas —lo dijo antes de pensarlo. Sentía como si le estuviera pidiendo su permiso o su aprobación, cuando su deber al final estaba con Michael, no con ella; la justicia no requiere la fe o el consentimiento de los que se han quedado atrás.

—Ya ha terminado, Darren —dijo ella—. Mira, yo quería…

—Randie.

—Gracias, Darren. Aprecio lo que has intentado hacer por mí, por Michael. No entiendo este lugar, este estado, pero Michael sí. Él habría respetado tus intenciones. Le habrías caído muy bien.

—Randie, espera…

—No puedo —negó ella—. Aquí ya no tengo nada más que hacer.

Se dirigió al asiento del conductor del turismo azul. Él le cogió el brazo izquierdo para detenerla y le dijo:

—Creo que Keith dice la verdad sobre Michael.

La cara de Randie se endureció, y se soltó el brazo de un tirón.

—Para ya.

—No creo que lo matara él.

—No puedo seguir, Darren —dijo ella, abriendo la portezuela de su coche de alquiler.

—¿Y si la muerte de Michael no tuviera nada que ver con Missy Dale?

—¿Entonces, qué? —Ella elevó la voz casi hasta el chillido, con los ojos castaños relampagueantes de rabia—. Entonces ¿por qué murió mi marido, Darren?

—Por Joe Sweet.

Ella lo miró sin entender. Durante un segundo pareció que había olvidado aquel nombre, la guitarra y la historia de amor, el verdadero motivo de que Michael hubiera cogido la carretera 59 con su coche y viajado hasta el este de Texas. Cuando al final se dio cuenta, se sintió agotada solo con pensar en lo que Darren le estaba pidiendo que soportara, más preguntas sin promesas de respuesta cuando simplemente podía coger su coche allí mismo e irse.

—Michael estaba haciendo preguntas sobre la noche que mataron a Joe Sweet.

—¿Y qué?

Ella abrió más la puerta del coche, de modo que levantara un muro entre ellos.

—Pues que alguien de este pueblo quizá tuvo motivos para hacerlo callar.

Darren miró tras él, al otro lado de la carretera, hacia el Monticello de Wally, pensando cómo enfocarlo, cómo actuar para poder seguir su corazonada.

—Vete o quédate —le dijo a ella—. Pero yo voy a seguir hasta el final.

Darren quería saber una cosa: ¿habían cruzado Wally y Michael sus caminos la noche que él murió? La cervecería de

Wally era el último lugar donde se había visto a Michael antes de recibir una paliza en la pista rural. Darren quería seguir todos los movimientos de Wally aquella noche. Cruzó la 59 y fue hasta la puerta de la mansión de Wally. Nadie respondió en la puerta delantera, aunque Darren vio la enorme camioneta de Wally en el camino circular. Darren, de hecho, había aparcado justo detrás de él. Estaba tocando la campanilla de la puerta por tercera vez cuando oyó sonidos procedentes de la parte trasera de la casa, pasos a través de las hojas caídas, y luego una puerta que se abría y se cerraba. El sonido hizo eco en los robles, que se alzaban como espectros y rodeaban la casa, y sus gruesos miembros arrojaban sombras negras encima del tejado.

—¡Wally! —llamó Darren.

Al no oír respuesta, empezó a dar la vuelta en torno a la casa, llegando solo a unos centímetros del labrador negro con su cadena. Este se arrojó hacia Darren, ladrando y gruñendo. El perro se acercó tanto que Darren podía notar su calor y su húmedo aliento a través de la pernera de los pantalones. Se deslizó junto al perro, apretando su cuerpo contra el lateral de la casa, y los bordes rugosos de los ladrillos rojos le apuñalaron el centro de la espalda.

—¡Wally! —llamó de nuevo, pensando que este debía de estar en el jardín.

Pero solo el silencio respondió a Darren. No se oía un solo sonido allí fuera, excepto el roce de las hojas movidas por el viento en el extenso jardín trasero de Wally y el aleteo de los pájaros que volaban en los árboles cercanos, como si supieran algo que él no sabía, como si pudieran notar los problemas que se estaban produciendo. Darren lo notó también, una quietud en torno a él que no le inspiraba confianza.

El terreno que estaba detrás de la casa era más bosque silvestre que jardín cultivado. Estaba repleto de raíces retorcidas de los robles de Virginia. Los pinos tradicionales del este de Texas hacían guardia en el norte y el sur, a lo largo de toda la propiedad. Había pocos edificios allí, pequeñas estructuras cubiertas de hojas caídas y piñas esqueléticas: un invernadero estrecho, más bien chamizo para almacenar herramientas que invernadero propiamente dicho, y una estructura más grande, con la madera ya desvaída por el tiempo, cuyo color se había ido diluyendo hasta quedar de un gris apagado. Las puertas estaban abiertas unos centímetros, y el candado solo servía para asegurar la apertura del cobertizo, porque colgaba como un ornamento de su cierre, era un elemento decorativo inútil. Darren vio algo en el suelo ante el cobertizo y se detuvo en seco. Eran unas huellas dobles de neumáticos que desaparecían en la negrura del otro lado de las puertas de madera.

«¿Dónde está el coche?».

Llevaba días haciéndose esa pregunta. Era la pieza que faltaba y que lo había convencido de que Keith Dale quizá estuviese diciendo la verdad. Darren no sabía leer las huellas de neumáticos, como no sabía leer las hojas de té, pero tuvo la premonición deprimente de lo que podía encontrar al otro lado de aquellas puertas. Abrió una de ellas, encogiéndose al oír el espantoso chirrido de las bisagras oxidadas. Se dio cuenta de que aquel era el sonido que había oído estando junto a la puerta principal, al otro lado de la casa.

Antes de que sus ojos pudieran acostumbrarse a la oscuridad, oyó el sonido del percutor de un arma y supo que no estaba solo. A través de los diminutos rayos de luz que penetraban por los agujeros del tejado y el remolino de polvo que llenaba el aire, vio a Isaac apretado contra la pared posterior, apuntando a Darren a la cabeza con una pistola muy pequeña. Darren fue a coger su Colt, pero antes de que pudiera sacarlo de su funda, Isaac disparó. La bala pasó por encima del hombro de Darren, fallando solo por unos centímetros. Darren puso una mano ante su cuerpo y buscó su 45 con la otra.

—Isaac, suelta el arma.

Isaac disparó de nuevo y la bala astilló una tablilla en la puerta del cobertizo.

Darren oyó gritar a una mujer dentro de la casa.

—¡Wally, hay alguien disparando ahí fuera!

Así que estaban en casa, pensó Darren.

Se imaginó al bebé allí dentro, y notó que el estómago le daba un vuelco.

—A Wally no le va a gustar esto —murmuró Isaac.

Darren levantó las manos.

—Dime lo que viste, Issac.

Ahora se daba cuenta de que Isaac estaba aterrorizado, con los ojos muy abiertos y llenos de venillas rojas. Quizá hubiera estado llorando. Se iba acercando poco a poco a la puerta mientras Darren mantenía una distancia segura, de modo que los dos bailaron una danza extraña, lenta, formando un arco uno en torno al otro, una pirueta que concluyó con Darren adentrado en lo más hondo del cobertizo, que estaba vacío y solo contenía latas de pintura vieja, e Isaac justo en la puerta. El BMW, si es que estuvo allí todo el tiempo, había desaparecido ya. Isaac retrocedió hacia la luz procedente de fuera del cobertizo, atravesó la puerta y echó a correr.

Darren buscó su pistola mientras salía tras él.

—¡Isaac, no quiero hacerte daño, hombre!

Pero Isaac era rápido y tenía la ventaja de conocer el terreno mucho mejor que Darren. Al cabo de unos momentos Darren lo perdió de vista en los bosques que los rodeaban. Miraba hacia la puerta trasera de la casa cuando vio que aparecía Wally. El hombre sonreía torcidamente y levantó las manos al ver el arma de Darren.

—¿Dónde está el coche, Wally?

—Yo no maté al tipo de Chicago.

—¿Dónde está el puto coche?

Darren oyó un coche que aceleraba en el camino de entrada, al otro lado de la casa. Se abrió una puerta, luego se cerró, y Darren oyó unos pasos pesados; el ayudante del sheriff llegó bufando y jadeando por un lado de la casa. La sonrisa de Wally se hizo más amplia, y Darren se dio cuenta de que había irrumpido en un escenario preparado por Wally.

—Suelte el arma, señor —instó el ayudante, cuya propia pistola temblaba.

—Estaba intentando matarme —dijo Wally.

—¡He dicho que suelte el arma!

—Está hablando usted con un *ranger* de Texas —dijo Darren. Temía cambiar el ángulo de su cuerpo para que se hiciera visible la placa. Temía hacer cualquier movimiento repentino—. Llame a Van Horn y cuéntele que tengo al asesino aquí mismo.

—Está de camino —dijo el ayudante—. Laura llamó diciendo que había un tiroteo, un intruso o alguien. El sheriff tiene a sus ayudantes buscando en la 59 ahora mismo.

—¿Puede decirle que deje de apuntarme con el arma? —preguntó Wally.

—Este hombre está arrestado —dijo Darren a su vez.

El ayudante miraba a Darren y luego a Wally. Todavía tenía el arma apuntada en dirección a Darren, sin saber en quién confiar. El *walkie-talkie* que llevaba en el cinturón le sonó. Lo cogió y oyó una voz en el otro lado que decía:

—Sheriff, soy Redding. ¿Todavía tenemos una orden de busca y captura de ese BMW negro de último modelo?

La voz de Van Horn llegó por el canal abierto.

—Le recibo.

Darren notó un estremecimiento al oír decir a Redding:

—Lo hemos cogido dirigiéndose hacia la frontera del condado, justo a un trecho de Lark. Daniels y Armstrong han detenido al conductor. La mujer está todavía en ese café de ahí. Están llevando el coche para allá ahora mismo.

En un condado lleno de radios policiales, se había corrido ya la voz. Y cuando Darren estacionó en el aparcamiento del Geneva's, había un público numeroso delante, mirando. Geneva y Dennis, Huxley y Faith, unos cuantos clientes más del Geneva's. Y Wendy también. Y Randie. Al final, lo había esperado... Tenía los brazos cruzados, porque se había levantado una brisa de atardecer que hacía revolotear las hojas secas y el polvo rojo de los campos vecinos. Ella temblaba un poco, y lo miró desde el aparcamiento del café. Sus ojos se encontraron con los de Darren, y él pensó ir hacia ella, cogerle la mano. Pero se quedó junto a su camioneta, Wally y el ayudante que había ido a su casa. El señor Jefferson, como lo llamó el joven ayudante que había ido a su casa, había consentido en viajar de acompañante en el coche patrulla de este. El policía quería hacerle preguntas sobre lo que había visto, y el plan era reunirse allí con Van Horn. El primero en aparecer fue un vehículo de un ayudante, conducido por aquel al que habían llamado Daniels. Darren vio la silueta de Isaac detrás del enrejado, en el asiento de atrás. Llevaba la cabeza gacha, sin mirar a nadie. Luego, menos de un minuto más tarde, el BMW negro apareció frente a la cafetería. Al verlo, a Randie se le doblaron las rodillas. Fue Geneva quien se acercó a sujetarla para evitar que cayera al suelo. El tal Armstrong lo había conducido hasta aquí. El joven, con el cuello grueso y hombros de jugador de fútbol americano, salió del vehículo y se dirigió hacia Van Horn, que había llegado un poco antes que Darren y Wally.

—Es el coche de ese hombre, ¿verdad? —dijo Armstrong—. ¿El que sacaron del *bayou?*

Randie se soltó del abrazo de Geneva y corrió hacia el coche patrulla en el que iba Isaac, golpeando con los puños las ventanillas del asiento trasero y chillando:

—¿Qué ha hecho?

Wally miraba hacia adelante, pétreo, mientras ella corría de un lado del coche a otro, e Isaac intentaba hundirse y desaparecer de la vista. La voz de ella era como una cuerda de piano estirada hasta el límite, de modo que casi no emitía sonido, solo un susurro entrecortado.

—Pero ¿qué ha hecho?

Darren se acercó y solo entonces ella apartó sus ojos de Isaac; apretó la cara contra el pecho de Darren y sollozó de tal forma que parecía que el dolor acababa de nacer, crudo y nuevo. Van Horn miró a Randie y al hombre menudo y pecoso que estaba sentado en el asiento de atrás del coche patrulla.

—Sacadlo de aquí.

25.

Había visto toda la escena. Keith Dale sacando a rastras a
Michael de su coche, los primeros puñetazos, y Missy chillando como si tuviera el diablo dentro, gritando a Keith que lo
dejara inmediatamente. Vio la sangre, vio a Michael tamba-
learse, vio el momento en que Keith se dirigía hacia su coche
y sacaba la tabla, que lo cambió todo de inmediato. Isaac lo
presenció todo desde los árboles que estaban entre la pista
rural y la parte de atrás de la cervecería, al abrigo de la oscuridad y del hecho de que a nadie de Lark que fuese parecido
a él jamás lo encontrarían muerto alrededor de ese antro de
blancuchos de mierda que era la Jeff's Juice House. No siempre fue así. Cuando era pequeño podía ir allí y tomarse una
Coca-Cola si le apetecía. Tenían Nehi de uva cuando en el
Geneva's se les había acabado. No es que fueran demasiado
amistosos ni nada, pero no parecía que te fueran a despellejar
solo por estar allí. Dentro siempre solía haber blancos tatuados, con la cabeza afeitada algunos, que asustaban muchísimo a Issac. Pero sabía que a Wally le gustaría saber quién era
el hombre que había estado en el Geneva's y las preguntas
que había hecho sobre Joe Sweet. Por eso se acercó por la
puerta de atrás de la cervecería, para darle a Wally la noticia
de que se podía solucionar rápidamente todo el embrollo si
actuaban deprisa.

Que él hubiese tropezado con el problema mismo, ya medio muerto por una paliza, abatido y de rodillas, fue una pura casualidad, una oportunidad que vino rodando como una piedra que se detuviera ante sus pies. Desde un lado de la carretera, enterrado en los arbustos y árboles, observó a Keith Dale levantar la madera por encima de la cabeza de Michael y oyó chillar a Missy: «¡Solo me estaba llevando a casa!». Y como Keith seguía sin soltar el arma, ella dijo entonces: «¡Hazlo y me tendrás que matar a mí también! Podrás explicar una muerte, pero no creo que seas lo bastante listo para librarte de los dos». Keith dejó caer la madera y fue a su coche, arrastrando a Missy consigo. La tiró en el asiento delantero, dio la vuelta hacia el del conductor, gruñendo todo el rato. Al cabo de unos minutos, habían desaparecido.

—¿Qué hizo? —le preguntó Darren.

Estaba en la pequeña sala de interrogatorios, en la oficina del sheriff, en Center. Isaac se había negado a sentarse, como si pensara que no se merecía un asiento, como si así pudiera administrarse su propio castigo. Pero el interrogatorio, más el peso de lo que tenía que confesar, lo habían desgastado mucho, y se había hundido en un rincón de la habitación, apretujado entre dos paredes deslucidas. Darren se agachó delante de él para poder mirar al hombre a los ojos.

—Ya estaba inconsciente cuando lo encontré —dijo Isaac, acompañando despacio a Darren a través de sus confusos pensamientos de aquella noche.

No estaba seguro de si tenía tiempo, dijo, para volver por la carretera a casa de Wally y contarle que Michael había estado haciendo preguntas. Parecía que sabía lo que habían hecho, el secreto que Wally y él habían guardado durante años. ¿Y si, en el rato que le llevaría a Isaac correr por la carretera para llegar hasta Wally, Michael se metía de nuevo en su coche e iba directamente al sheriff, a Center? Wally seguramente le echaría las culpas a Isaac por joderlo todo, y ¿quién sabe lo que podría ocurrir entonces? Estaba tan preocupado por el hecho de que Geneva lo averiguase como de ir a la cárcel. Geneva era como de la familia para él; el trabajo en su establecimiento era lo único que tenía.

Así que actuó con rapidez.

Cogió la madera que Keith había dejado en el suelo y la hierba. Michael no estaba completamente inconsciente. Al parecer, oyó los pasos de Isaac e intentaba ponerse de pie cuando este le descargó un golpe con la tabla, con toda la fuerza que pudo. Michael se quedó inerte, como un muñeco de trapo. Isaac lo volvió a golpear. Aterrorizado por lo que había hecho, arrastró al hombre fuera de la carretera de la granja hasta la orilla del *bayou* Attoyac y lo echó a patadas a su última morada. Seguramente, alguien pensaría que lo había hecho Keith. Pero cuando volvió a la pista rural, se dio cuenta de que había cometido un gran error, de que su pensamiento lo había abandonado, como había ocurrido tantas otras veces antes. Sabía que la gente decía que era lento y que murmuraban «pobrecillo» a sus espaldas. Y se enfadó mucho consigo mismo. Se había olvidado del coche. Todavía estaba ahí solo, en la pista rural, con el motor al ralentí, entre los árboles, iluminando con sus faros las mariposas nocturnas. Isaac no tenía más remedio que transportarlo. Lo llevó derecho a casa de Wally, que cuando comprendió lo que significaba le dijo a Isaac: «A partir de ahora me encargo yo».

Ya habían estado antes en esa misma situación los dos, envueltos en una mentira.

Isaac tenía un miedo mortal de Wally, se avergonzaba de lo que había hecho años atrás, aquella terrible debilidad. Pero también lo necesitaba. Solo manteniéndose unidos Wally y él podían asegurarse de que Geneva no supiera nunca la verdad.

26.

Era a deshora, pasada la medianoche, aquella noche de seis años antes.

Isaac había acabado de barrer y se estaba comiendo un trocito de bizcocho acompañado con un vasito de refresco Dr Pepper, como a él le gustaba. Joe tenía un *whiskey* en equilibrio en el borde de la caja registradora, e iba contando la recaudación del día. Estaba de buen humor. Un disco de Bobby Bland en cuya grabación había participado sonaba en la gramola, y Joe estaba muy contento con él, con el *whiskey* y los recuerdos de su vida como músico de *blues,* y por haber abandonado la carretera por amor. Estaba contando la misma historia que quizá le hubiera narrado ya cincuenta veces, el momento en que Joe Sweet puso los ojos en Geneva, y la tierra se inclinó y le hizo rodar como una bola de una máquina del millón.

—Nada pudo impedir lo que teníamos ella y yo.

Los dos oyeron sonar la campanilla de la puerta.

Joe dijo: «Está cerrado» antes siquiera de mirar quién era.

Isaac se volvió y vio a Wally el primero. Estaba raro, tenía los ojos vidriosos y los miembros algo flojos, y a Isaac le costó un momento comprender que estaba borracho.

Wally se sentó en el mostrador y dejó una pistola en la formica.

Joe la miró, levantó los ojos y vio a Wally.

Ninguno de los dos hizo movimientos bruscos. Isaac se quedó helado en su asiento del mostrador, tan cerca de Wally que podía oler el licor que emanaba de él, y algo más: sudor, rabia, un hedor apestoso, agrio. Wally tenía el cuello y la cara rojos.

—¿Cuándo me vas a vender este local, Joe? —dijo Wally—. Como Neva no está, quizá pueda convencerte ahora a ti.

Fue el apodo lo que enfureció a Joe, como si tuviera derecho.

—Sal de aquí —dijo.

—Claro que simplemente podría quedármelo y ya está —dijo Wally, con una sonrisa torcida. Llevaba una camisa totalmente abrochada, muy arrugada, y la cinturilla de los vaqueros por debajo de la incipiente barriga que Isaac no recordaba cuándo había echado. Parecía baboso y casi infantil, con su mal genio. Ah, no, él no se iba a ninguna parte, añadió—. Podría cogerlo sin más, ya que es mío por derecho. El restaurante, el terreno, todo.

—Isaac, coge el teléfono y ponme con el sheriff —dijo Joe.

Isaac empezó a bajarse de su taburete, pero Wally dio un manotazo en la encimera, junto a la pistola, y ordenó a Isaac: «Quieto ahí».

—No quiero problemas contigo —dijo Joe—. Así que te voy a contestar muy clarito. Este local es mío, mío y de Geneva. Lo compramos legalmente a tu padre, y tú lo sabes muy bien. Parece que sigues peleándote con un hombre que ya no está aquí.

—Papá no tenía ningún derecho. Este lugar, esta tierra, es mi herencia de nacimiento. Me la robasteis a mí. En mi opinión, cada dólar que procede de este negocio es mío. Y que me maten si mi hermanito medio negro pone sus manos en él algún día.

Lo había dicho en voz alta.

Había mirado a Joe a la cara y le había dicho que su hijo no era suyo.

Algunas cosas sencillamente no se hacían en Lark, Texas.

Y discutir sobre la procedencia de cada uno era una de ellas.

—Si dices esas cosas, tendrás que irte de aquí —dijo Joe.

—¡Vete a la mierda! Esto es mío, todo es mío. Papá tendría que habérmelo dejado a mí, maldito sea. ¿Me oyes? Papá tendría que haberme dejado que yo la tuviera a ella.

Esas últimas palabras cogieron por sorpresa a los dos hombres.

Isaac, que había trabajado en la casa de los Jefferson desde niño, igual que Geneva, recordaba que por las mañanas Wally no apartaba los ojos de Geneva, recordaba que él la adoraba, que se ponía melancólico cuando ella estaba por allí, y cómo cambió todo cuando su padre le construyó la cafetería.

—¿Qué acabas de decir? —preguntó Joe.

La cara de Wally se endureció, y volvió a hablar de Geneva, convirtiendo años y años de sufrimiento en pura rabia.

—Papá era un idiota. Si no hubiera sido porque ella abrió las piernas...

Joe se lanzó por encima del mostrador al cuello de Wally, pero este fue más rápido.

Tenía la pistola en la mano y apuntaba directamente a la cabeza de Joe al acabar la frase.

—Si no hubiera sido por eso, ninguno de vosotros, negros, tendríais nada.

Joe levantó las manos.

—¡Isaac! —exclamó, rogando al hombre que lo ayudara.

Isaac se puso de pie y fue al teléfono público.

Estaba marcando cuando oyó el disparo. Se dio la vuelta en redondo y vio que Wally había abatido a Joe de un disparo en la cabeza. Joe se había desplomado detrás del mostrador y sangraba en el suelo. A continuación, Wally volvió el arma hacia Isaac. Lo mantuvo quieto en el sitio, mientras ambos tramaban la mentira y Wally cogía el dinero de la caja registradora para que la historia fuera creíble. Fue Isaac quien llamó. Wally esperó para asegurarse de que lo decía bien y se fue cuando oyó las sirenas por la carretera, quince minutos más tarde. Cuando los policías llegaron, Isaac les contó la historia de los ladrones blancos, y la repitió dos veces más, al sheriff, a Geneva, cuando ella y su familia volvieron de Dallas. Ahora, años más tarde, Isaac, con los labios húmedos por sus propias lágrimas, murmuraba en voz baja:

—Díganle a Geneva que lo siento.

Darren, como aturdido, salió de la oficina del sheriff y emprendió el camino hacia el Geneva's. Las líneas de la carretera se emborronaban ante sus ojos al pensar en todo lo que había sido incapaz de ver cuando lo tenía delante, la complicada trama de lazos familiares que formaba la historia del pueblo, y cómo todo aquello había conducido al asesinato. Intentó ensayar lo que le iba a decir a Geneva cuando la viese, pero cuando llegó al café en Lark, las palabras habían volado de su asiento en el coche y se las había llevado el viento de octubre.

La campanilla sonó cuando entró en el Geneva's.

Randie, en uno de los reservados, se puso de pie al instante. Geneva, detrás del mostrador, se volvió a mirar a Darren, que estaba iluminado por un halo de luz que procedía del sol poniente, que entraba por los ventanales. Ella sabía lo que se avecinaba, y cuando él le pidió que hablaran a solas, ella hizo una seña a Randie y dijo:

—También es su historia.

Así que acompañó a las dos mujeres al tráiler que estaba detrás, ambas se sentaron, una junto a la otra, en el sofá del salón, y les contó toda la historia, de pe a pa, remontándose a aquella noche de primavera de seis años atrás, cuando Wally mató a Joe Sweet, hasta la noche en que Isaac asestó el golpe final a Michael Wright. Geneva lloró. Fue una de las cosas más conmovedoras que Darren había visto en toda su vida. La máscara cayó por completo y ella se vino abajo, con la cara y el cuerpo retorcidos de dolor por la locura que se había llevado la vida de su marido. Se derrumbó como un tótem, apoyando la cabeza en el regazo de Randie. La mujer más joven se sobresaltó y se relajó cuando Geneva empezó a temblar como un pájaro herido, desesperada por encontrar algo a lo que agarrarse. Ahora las dos estaban a salvo. Pero Darren se quedó con aquellas mujeres durante horas, haciendo guardia.

27.

Se quedó dos días más para arreglarlo todo, lo suficiente para
que Wally fuera arrestado por homicidio en primer grado por
la muerte de Joe Sweet, solo uno de los muchos cargos que el
condado de Shelby le imputó en cuanto empezaron a mirar
más detenidamente. Las huellas que Darren había tomado de
su coche, la noche que encontró al zorro ensangrentado en la
cabina de la camioneta, pertenecían a Wallace Jefferson III.
Nadie pudo imputarle el tiroteo al café de Geneva, pero Van
Horn (que también tenía muchas cosas de las que responder,
considerando que todo aquello había pasado delante de sus
mismísimas narices) arrestó a Wally por eso también. Pero lo
que movió a los Rangers de Texas a pedirle a Darren que volviera al trabajo fue la acusación contra Wally por posesión de
drogas con intención de venta, basada en las pruebas recogi-
das durante un registro de la cervecería: en la cocina había un
pequeño laboratorio de metanfetamina, y encontraron bolsas
de producto y balanzas en cantidad. Isaac quizá hubiera com-
parecido ante el juez y estuviera sentado ya en una celda, en
la cárcel del condado, pero el nombre de Wally se iba a añadir
a la lista de sospechosos del grupo de investigación federal.
Darren tenía razón con lo de las drogas y con lo de que la
Hermandad Aria campaba a sus anchas en Lark, Texas, pero
estaba equivocado en todo lo demás. Los asesinatos de Mi-

chael y Missy eran crímenes raciales, sí, pero en el sentido de que la raza definía muchas cosas de las que pasaban en Lark, Texas, sobre todo en términos de amor, amor inesperado, y los vínculos familiares que este creaba. Se había olvidado de que el instinto fundamental de la naturaleza humana no es el odio, sino el amor, el primero inextricablemente unido al último. Isaac había matado a Michael para conservar el amor de Geneva, para tener un puesto en su corazón. Wally había matado a Joe porque no podía aceptar ni comprender lo que él mismo sentía por Geneva, igual que no podía soportar el hecho de que todos ellos fueran parientes.

Geneva, Lil' Joe, Keith hijo y Wally.

Todos eran una gran familia.

Lo mismo pasaba con Keith, un hombre que, a su pesar, amaba a un hijo que compartía la sangre de un hombre negro. Era una conexión eterna que lo avergonzaba, un hecho que no podía borrar por muchos tatuajes de la Hermandad que se hiciera cuando acabase en *the Walls,* en Huntsville, por matar a Missy... La distancia que intentase poner entre su piel blanca y la negra de Geneva daba igual. Las vidas de Wally y Keith giraban en torno a los negros a los que decían odiar, pero a los que no podían dejar en paz. Era, como dijo su tío Clayton en una ocasión, una obsesión que los debilitaba, que los enfurecía y que al final los esclavizaba dentro de sus propios y negros corazones, pensó Darren, dándole vueltas a esa palabra.

La mañana del funeral de Missy Dale, su madre lo llamó dos veces. Las dos veces Darren dejó que saltara el buzón de voz. «Tenemos que hablar, hijo». Un término que no parecía ni cariñoso ni real, sino una treta, un juego puro y simple para buscar su atención y su afecto. Cuando finalmente guardó las cosas en su camioneta y se dispuso a abandonar Lark para siempre, tuvo una premonición, la idea terrible de que le esperaban problemas en casa.

Geneva le había preguntado dos veces si tenía hambre, y luego, espontáneamente, le preparó algo para el camino. Era lo más parecido a una expresión de gratitud que podía esperar de ella. Eso y la forma que tuvo de abrazarlo un poco más de lo necesario. Estaba de buen humor, aunque el día era oscuro, porque Laura le había llevado al niño.

—No creo que sepa lo que está pasando hoy —le dijo, mientras le tendía a Keith hijo a su abuela—. La familia de Missy lo ha dejado a mi cuidado, y no creo que tenga que estar conmigo. —Llevaba un vestido negro con volantes en el cuello, que se toqueteó un poco—. ¿Por qué no se lo queda usted?

Geneva llevaba al niño apoyado en la cadera, y sus piernas gordezuelas se agitaban en su cintura, mientras permanecía de pie en la puerta de su cafetería viendo marchar a Darren y Randie. Al dirigirse al aparcamiento, él vio a Geneva por el retrovisor; su imagen le puso un nudo en la garganta y le hizo pensar en su propia madre, incluso añorarla, de una manera que solo podía causarle dolor. Había dispuesto que la empresa de alquiler de coches recogiera el de Randie, de modo que él mismo pudiera llevarla a Dallas. Quería despedirse de ella con calma y tener la oportunidad de decirle lo mismo a Michael, presentar sus respetos a un hombre por cuya esposa había llegado a tener sentimientos tiernos, un hombre que había intentado hacer bien las cosas, cuya muerte era un recordatorio del significado del juramento que había hecho como *ranger*. Durante el camino hablaron de lo que haría ella a continuación. Quería dejar de trabajar un tiempo, dijo, quizá establecerse en algún sitio. Había una ciudad a las afueras de Vancouver de la cual se había enamorado, unos años atrás.

Quizá fuese su oportunidad de empezar de nuevo. No estaba segura de querer vivir en Chicago, de querer seguir formando parte del país cuando acabara todo y Michael pudiera descansar, un funeral que tendría que preparar ella sola.

—¿Lo vas a enterrar allí? —preguntó Darren—. ¿En Chicago?

—¿Y dónde si no?

Él miró el paisaje de Texas, las colinas bajas y los pinos.

Estaban a unos sesenta kilómetros de Tyler.

Randie se quedó muy callada.

—Piénsalo —dijo él.

Entraron en Dallas en silencio y, mientras él aparcaba el coche junto a la oficina del forense, ella le buscó la mano en el asiento de cuero.

—Me equivoqué —dijo Randie—. En muchas cosas.

Sí que importaba que Darren llevase la placa. Esas fueron las últimas palabras que le dijo mientras estaban de pie en el vestíbulo junto a la habitación donde se encontraba el cuerpo de su esposo, y justo después de decirle «gracias».

Camilla

Salía de la I 45 más allá de Huntsville, y estaba girando hacia las carreteras estatales más pequeñas que se adentran en el condado de San Jacinto, en dirección a casa, cuando recibió la noticia de que el gran jurado había decidido «no cursar una acusación formal» contra Rutherford McMillan. Ya era oficial: a Mack no le imputarían el asesinato de Ronnie Malvo. Darren se preguntaba si Wilson habría recibido un aviso de que el fiscal del distrito no quería enjuiciarlo, y si era ese, más que lo de las drogas en Lark, el motivo real de que Darren recuperara su trabajo. Le pareció que no importaba. Lo que importaba era que la vida de Mack se había salvado. Darren se sintió tan aliviado como si una fiera de cien kilos se hubiera detenido a mitad de camino cuando lo estaba atacando. Clayton estaba eufórico, lo llamó desde Austin para decir que quería organizar una cena de celebración para Mack y su nieta, Breanna, aquella noche en Camilla, y que si Darren podía llevar tres kilos de carne de falda de ternera de Brookshire Brothers y un par de pollos. Darren prometió limpiar el ahumador y asegurarse de tener la leña de nogal suficiente para mantener el fuego alimentado durante varias horas. Clayton dijo que él recogería a Naomi después de su última clase, y juntos se dirigirían todos a Austin.

—He invitado a Lisa…

—Ah —dijo Darren, notando un extraño cosquilleo en la caja torácica. Le emocionó realmente la perspectiva de ver a su mujer, de tocarla de nuevo. Le iba a decir que no habría Facultad de Derecho, y que no pensaba ir a ninguna. No se lo había dicho todavía a su tío, pero aquella noche todos lo sabrían.

Se iba a quedar la placa.

Estaba dando la vuelta hacia el aparcamiento de la tienda de comestibles de Coldspring cuando finalmente llamó a su madre. Quería saber cómo había quedado la casa después de que la registraran los ayudantes del sheriff del condado, algo que no quería que supiera su tío todavía. Solo tenía unas pocas horas para preparar la casa para la cena. Bell respondió al segundo timbrazo, preguntando lo primero de todo por los trescientos dólares que le había prometido Darren.

—¿Han roto algo?

—No han roto ningún vaso ni nada que yo sepa —dijo ella.

Tenía un caramelo en la boca, y Darren lo oía tintinear contra los dientes hasta que, con un chupeteo más fuerte, ella se lo sacó con los dedos.

—Pero ¿qué es todo ese lío del juicio con Mack? Decían que había matado a alguien, ¿sabes?

Darren aparcó junto a la parte delantera, mirando a un niño que se balanceaba adelante y atrás en un caballito eléctrico, con su madre a su lado con otra moneda en la mano. Se sintió cada vez más irritado por los cotilleos pueblerinos de su madre, las medias verdades y las historias parciales que le había oído contar a lo largo de los años. Una vez lo intentó convencer de que un juez del condado alquiló una de las cabañas que limpiaba una vez a la semana y tuvo una aventura con una mujer que no era la suya…, y al final resultó simplemente que el hombre se apellidaba Juez, y fuera quien fuese la mujer que lo acompañaba, no era asunto de Bell Callis.

—No, no es eso lo que ha pasado —dijo él.

—No lo sabes seguro.

—Tengo que dejarte, mamá. Viene gente a casa.

—Ah, vale, ya veo. Ahora eres don importante.

A Darren le pareció que la oía murmurar «ya lo veremos» antes de colgar.

Una vez dentro, recorrió los estrechos pasillos del supermercado maniobrando con el carro para que las ruedas no se quedaran atascadas en una de las numerosas grietas de las baldosas de linóleo. Conocía todas y cada una de esas grietas porque llevaba años comprando en aquel Brookshire Brothers siempre que estaba en casa. Metió en el carrito pimientos y cebollas, maíz para asar y bolsas de ensalada, porque las berzas tardarían demasiado en hacerse. Remoloneó un poco en el pasillo de los licores, pero al final decidió no comprar nada. Recordó que venía Lisa.

Mack fue el primero en llegar, con su nieta y una botella grande de *bourbon* de Texas, como agradecimiento a Darren. No trajo nada más. Darren llevaba ya dos copas cuando llegaron Clayton y Naomi. «Papá», dijo sonriendo. Clayton, que nunca decía que no a un vasito de *bourbon,* se puso a tono enseguida, de modo que la noche empezó a parecer dulce y cálida mientras la luz del sol poniente iluminaba el porche trasero. Clayton abrió ambas puertas, delantera y trasera, y el dulce humo de nogal empezó a arremolinarse a su alrededor cuando estaban reunidos en la habitación delantera, Mack con sus vaqueros, las largas piernas sobresaliendo del sofá y metidas bajo la mesa de centro, con las botas encima de la alfombra india que estaba allí desde que Darren podía recordar. Las paredes estaban pintadas de blanco y cubiertas de fotos del clan Mathews. Clayton, William y el pequeño Duke, su hermano menor, más abuelos y bisabuelos que se remontaban a varias generaciones atrás, de todos los cuales Darren no recordaba ni el nombre.

La boda de Naomi con su tío William también estaba allí documentada. A los diecinueve años ella era una novia deslumbrante, con el pelo recogido en un moño alto, la piel color caramelo iluminada por la felicidad. A Darren le preocupaba que la foto estuviera a la vista. Pero aquello no parecía molestar lo más mínimo a la nueva pareja. Clayton tenía lo que siempre había querido, y no culpaba a su sobrino por el recuerdo de algo que había desaparecido hacía tiempo.

—Hablemos de la facultad, hijo.

—No, mejor no, papá.

—Pero teníamos un trato, Darren... —decía Clayton.

Él no respondió porque oyó los pasos de su mujer.

Sus tacones resonaban en las tablas de madera del porche de una manera determinada, que lo emocionaba y lo aterrorizaba por igual. Cuando ella apareció en la puerta delantera de la casa, Darren corrió a recibirla. Sin que nadie se lo pidiera, Clayton, Naomi, con su largo vestido de tirantes color coral arrastrando por el suelo, Mack y Breanna se mantuvieron aparte, en el porche trasero, para dejar a Darren solo con su mujer.

Ella llegaba del trabajo, con el pelo recogido, la cintura ceñida por una chaqueta gris claro, y él la contempló maravillado y silencioso mientras ella se despojaba de la armadura, se desabrochaba la chaqueta y se quitaba un pesado brazalete que llevaba en la muñeca. Lo abrazó y lo besó, con los labios gordezuelos y dulces, y su aliento le devolvió la vida. Estuvo a punto de meterla en uno de los tres dormitorios de la casa y recuperar tres semanas de sexo con ella, todos los momentos que tanto había echado de menos en aquel tiempo, pero ella se apartó; sus ojos castaños escudriñaron los de él y dijo:

—Te quedas, ¿verdad?

—Pensaba en volver a casa —dijo él.

—Quiero decir que te quedas con los Rangers.

Lo había sabido nada más verlo.

—Sí.

Hubo un suspiro de resignación, y entonces dijo:

—Vale.

Sus palabras, aquel beso, lo envalentonaron.

—Eso significa que iré adonde me lleve el trabajo —dijo.

—Vale.

—Vale, entonces, ¿puedo volver a casa?

Ella hizo una larga pausa.

—No me gusta que bebas.

«Es por ti», quiso decirle él.

«Eso es lo que le pasa a un hombre cuando lo abandonan».

Dios mío, qué enfadado estaba con ella. No se había dado cuenta hasta entonces, hasta que estuvo de pie justo delante de ella, hasta que vio su cara. Ella era tan condenadamente guapa, tan condenadamente desenvuelta y lista, y controlaba tanto su vida, la de los dos, que él notó un resentimiento que quizá hubiera sentido siempre. Solo cuando echó la vista atrás hacia la noche se dio cuenta de que en realidad él no había dicho nunca «sí». Nunca había dicho que fuese a volver a Houston con ella.

Se sentaron uno al lado del otro en la mesa del comedor; durante media cena, Lisa mantuvo una mano en el muslo de Darren. Mack habló de poner un pequeño negocio propio, creía que podía irle bien, dijo. Se ocupaba de la propiedad de los Mathews y de otras en el condado, pero quería un negocio algo más lucrativo, llevar parcelas de terrenos madereros para propietarios privados o empresas. Clayton, antes de que sirvieran el postre, prometió escribirle una carta de recomendación.

Después de comer, Naomi trajo un pastel de limón y se chupó los dedos tras colocar seis trozos en unos platos de porcelana azul y blanca, y las suaves líneas en torno a sus ojos se arrugaron cuando Clayton alabó el aspecto y el sabor del pastel. Darren se estaba sirviendo la cuarta copa cuando oyó la voz de su madre.

—Darren.

Se le heló la mano alrededor del vaso.

Bell Callis estaba en la puerta, con una expresión desafiante en el rostro, enfrentándose a su peor enemigo, su tío Clayton. Darren sintió un pánico repentino. Sabía que su madre podía destruir toda aquella felicidad si le daban la oportunidad, mencionando el registro policial de la casa de los Mathews, un insulto y una herida que la familia Callis había soportado durante años. «La familia de tu madre no vale una mierda», solía decir Clayton. Había que oír a Clayton decir aquello, decir que los hermanos de su madre habían pasado tanto tiempo en la cárcel del condado que cada uno de ellos tenía su celda favorita y la manta que habían dejado allí la última vez. Era un clan de carroñeros alimentado por el *bayou*, para los cuales el trabajo duro solo era el último recurso. Bell echaba la culpa a Clayton de que Duke Mathews nunca se casara con ella. «Por encima de mi cadáver», había dicho él más de una vez cuando Duke aún vivía.

Darren tenía miedo de dejarla hablar con libertad.

Se levantó de la mesa enseguida, evitando que Bell avanzara demasiado en el umbral. Clayton no quería que entrase en la casa, y así se lo dijo, susurrando a su sobrino:

—No dejes que se acerque a la plata.

Había solo dos artículos de plata, una tetera y una cuchara de servir, ambos lustrados y brillantes. Bell sentía el mismo rechazo a entrar en la casa que Clayton a que lo hiciera; de hecho, no habló con Darren en la casa y le pidió que saliera fuera, al porche delantero.

Lisa le cogió la mano, solícita.

—¿Darren?

—Todo va bien —le dijo él.

Pero se sentía un poco indispuesto cuando se dirigió al porche con Bell y cerró la puerta al salir, como temiendo que en cualquier momento pudiera caer al suelo.

A esas alturas ya habían salido las estrellas, puntitos de luz contra un cielo de un azul negruzco.

Había un largo camino sin asfaltar que conducía a la casa de campo.

Darren no veía más allá del segundo coche aparcado; la luz del porche no era lo suficientemente intensa para saber por dónde había venido su madre, si había venido en coche o alguien la había dejado allí. Las bailarinas negras que ella llevaba estaban cubiertas de polvo rojo.

—Tenemos que hablar, Darren.

—No tengo trescientos dólares en efectivo, no los llevo encima —dijo—. Mañana iré al banco del pueblo y luego pasaré por el tráiler antes de mediodía, ¿vale?

Ella le detuvo y dijo:

—Lo he encontrado, Darren.

—¿El qué?

—El 38 pequeño que no querías que encontraran los policías.

«El arma de Mack», pensó Darren.

El que habían estado buscando los policías.

—¿Por qué si no ibas a enterrarlo?

—Mamá, escucha, yo no...

—A Clay le gusta decir que nunca fui bienvenida en esta casa, pero Duke y yo sí que entrábamos todo el rato cuando

sus hermanos no estaban. Todavía conozco muy bien el sitio
—dijo ella.

En la oscuridad, sus ojos parecían de un negro carbón y
las sombras rellenaban arrugas que tenía alrededor. Así, su
cara tenía un aspecto como de bruja, y Darren notó que estaba sin aliento y ansioso junto a una mujer que, acababa de
comprenderlo, era en realidad una desconocida para él. No la
conocía lo suficiente para saber qué podía hacer en esta situación, si tenía un problema grave o no.

—Después de limpiar el desastre, como tú me dijiste, y sacar todas las bolsas a los cubos —dijo, señalándolos—, miré
ese árbol de ahí y supe que antes no estaba.

Señaló un roble bur que en realidad se había plantado hacía poco.

Darren se había dado cuenta más o menos una semana
después de que encontraran muerto a Ronnie Malvo.

Nunca se le ocurrió pensar que Bell pudiese notarlo también; de haberlo hecho, jamás la habría dejado acercarse siquiera a la antigua granja.

Bell, al oír hablar de registros del departamento del sheriff
y de que Mack estaba bajo sospecha, cavó en la tierra blanda
en torno al árbol recién plantado y encontró el pequeño y
chato 38 horas después de que los ayudantes del sheriff hubiesen abandonado la casa. No sabía lo que era, pero sabía
que tenía importancia, y que en sus manos tenía un poder que
ansiaba ejercer sobre su hijo. Ahora podía conseguir que él
hiciera lo que ella quisiera. Podía hacer que la amase, incluso,
podía hacer que la invitara a vivir con él, podía obligarle a
que la cuidara cuando se hiciese vieja.

No dijo nada de todo aquello, todavía no.

Pero Darren vio lo que se avecinaba.

Ella le sostuvo la mirada en la oscuridad, lo inmovilizó.

—¿Qué has hecho?

Nada.

Él no había hecho nada.

Él sabía que Ronnie Malvo había sido asesinado con una 38, pero no le había preguntado a Mack dónde estaba su arma. Se dio cuenta de que había un roble nuevo en el jardín, pero no le preguntó a Mack cuándo y por qué lo había plantado. No hizo nada porque Malvo era un hombre malo, un cáncer, un concentrado de odio que diseminaría una destrucción incalculable si se lo dejaba suelto. No hizo nada porque, a decir verdad, a Darren no le importaba que estuviese muerto. No hizo nada porque Mack era un buen hombre, que nunca había tenido ningún tropiezo con el sheriff del condado, y nunca, a sus casi setenta años, había hecho nada malo. Tenía delante todas las pruebas si hubiera querido mirar. Pero no hizo nada. No le hizo preguntas a Mack; se había comportado como un abogado defensor cuando, en realidad, había prestado juramento como policía. A veces confundía un poco de qué lado de la ley estaba, y no siempre recordaba cuándo era seguro que un hombre negro siguiera las leyes.

No había hecho nada.

¿Lo hacía eso igual que Mack, y a Mack igual que los asesinos de Lark? No, eso no podía ser verdad. Pero Darren ya no estaba seguro de nada, y la rectitud moral se le nublaba en el cerebro, embotado por el *bourbon*. Miró a su madre en el porche oscuro. Una nube de mosquitos zumbaba en torno a su cabeza, pero ella seguía perfectamente quieta, con una débil sonrisa en sus labios pintados. En sus manos secas y callosas él vio que llevaba un bolso de mano con lentejuelas. Se había vestido para la ocasión, pensó. Se dejó caer en una silla de metal cuando se dio cuenta de que, por supuesto, ella se había guardado el arma en cuanto la encontró, que ahora la llevaba en aquel bolso y que tenía toda su carrera como *ranger* de Texas en sus manos.

Agradecimientos

Me gustaría dar las gracias a Regan Arthur, Joshua Kendall, Sabrina Callahan y mi nueva familia en Mulholland y Little, Brown por el cuidado y el entusiasmo con el que me han recibido a mí y a mi libro.

Como siempre, me gustaría expresar mi gratitud a Richard Abate, con quien tengo la suerte de contar como representante y amigo.

Gracias al teniente Kip Westmoreland de los Rangers de Texas, a quien no se debe culpar por las libertades que me he tomado o por hechos deformados por el bien de la historia. Fue muy amable al dedicarme su tiempo.

Gracias a mis padres, Sherra Aguirre y Gene Locke, por inculcarme un profundo amor por el este de Texas.

Gracias también a la doctora Cheryl Arutt, por todas las sesiones de los jueves a lo largo de este viaje.

Y finalmente, este libro no existiría sin el amor y comprensión de mi familia, especialmente de mi hija, Clara, que echó de menos a su madre en muchos partidos de fútbol, mientras escribía, y a mi marido, Karl, que a menudo hizo el trabajo de ambos, padre y madre. Los dos sois plegarias respondidas, sueños hechos realidad y la felicidad en esta tierra.

ÍNDICE